W9-CNC-308

Mudbound

NOVELA|**Berenice**

Hillary Jordan

Mudbound

Traducción de Ignacio Alonso Blanco

First published in the United States under the title:
MUDBOUND*: A Novel*
Copyright © 2008 by Hillary Jordan
Published by arrangement with Algonquin Books of Chapel Hill,
a division of Workman Publishing Company, Inc., New York.

© de la traducción: Ignacio Alonso Blanco, 2017

© Editorial Berenice, S.L., 2017
www.editorialberenice.com

Primera edición: noviembre, 2017

Colección Novela

Director editorial: Javier Ortega

Maquetación: Antonio de Egipto

Impresión y encuadernación: CPI Black Print

ISBN: 978-84-16750-52-8

Depósito legal: CO-2012-2017

Impreso en España / *Printed in Spain*

A mi madre, Gay y Nana, por sus historias.

Si pudiera, no escribiría nada aquí. Habría fotografías;
el resto serían fragmentos de ropa, trozos de algodón,
puñados de tierra, frases aisladas, pedazos de madera y
hierro, frascos de olores, platos de comida y excremento...

Un trozo de cuerpo arrancado de
raíz sería lo más indicado.

James Agee, *Elogiemos ahora a hombres famosos.*

Primera parte

JAMIE

Henry y yo cavamos un hoyo de siete pies de profundidad. Menos profundo y el cadáver podría reaparecer con la próxima riada: *¡Hola, muchachos! ¿Os acordáis de mí?* Ese pensamiento nos obligaba a cavar incluso después de que las ampollas de nuestras manos hubiesen reventado, volviesen a salir y reventasen de nuevo. Cada palada era una agonía... Un anciano lanzando sus últimos estertores. No obstante, me sentía agradecido por el dolor. Apartaba de mí pensamientos y recuerdos.

Cuando el agujero fue demasiado profundo para que nuestras palas tocasen el fondo, salté dentro y continué cavando mientras Henry caminaba de un lado a otro mirando al cielo. El terreno estaba tan húmedo por la lluvia caída que cavar en él era como hacerlo en carne cruda. Quité la tierra de la plancha con las manos, lanzando una maldición por el retraso. Era el primer respiro que nos daba la lluvia desde hacía tres días, y durante el tiempo que durase, podría ser nuestra última oportunidad para enterrar el cuerpo.

—Será mejor que te des prisa —dijo Henry.

Miré al cielo. Por encima de nosotros las nubes eran de color ceniciento, pero al norte se había formado un vasto frente de negros nubarrones que venía en nuestra dirección. Rápido.

—No vamos a lograrlo —contesté.

—Lo lograremos —afirmó.

Así era Henry, alguien completamente seguro de que cualquier cosa que quería que pasase, *pasaría*. El cuerpo sería enterrado antes de que se desatase la tormenta. Las lluvias cesarían a tiempo para volver a sembrar el algodón. El año que viene sería mejor. Su hermano menor no lo traicionaría jamás.

Cavé más rápido, haciendo un gesto de dolor con cada golpe de pala. Sabía que podía parar en cualquier momento y que Henry ocuparía mi puesto sin quejarse… Sin que le importasen los casi cincuenta años que soportaban sus huesos frente a los veintinueve que tenía yo. Continué cavando por orgullo, por testarudez o por ambas cosas. Cuando me dijo «vale ya, ahora me toca a mí», sentía los músculos ardiendo y jadeaba como un motor lleno de gasolina vieja. Tuve que apretar los dientes para no chillar al sacarme del hoyo. Mi cuerpo aún me dolía en una docena de sitios debido a todas aquellas patadas y puñetazos, pero Henry no sabía nada.

Henry no debía saber nada de eso.

Me arrodillé al borde del agujero y lo observé mientras cavaba. Tenía las manos y el rostro tan embadurnados de barro que cualquiera lo hubiese tomado por un negrito. Yo estaba igual de sucio, pero a mí me habría delatado el cabello rojo. El cabello de mi padre, la mata cobriza que los delicados dedos de las mujeres deseaban peinar. Siempre lo he odiado. Para mí era como tener una pira ardiendo en la coronilla, gritándole al mundo que lo llevaba dentro. Gritándomelo a mí cada vez que me miraba en el espejo.

A casi cuatro pies de profundidad, la pala golpeó algo duro.

—¿Qué es? —pregunté.

—Un trozo de roca, creo.

Pero no era una roca, sino un hueso… Un cráneo humano al que le faltaba un buen trozo en la parte posterior.

—Demonios —dijo Henry, sosteniéndolo a la luz.

—¿Qué hacemos ahora?

—No sé.

Miramos hacia el norte. La negrura crecía devorando el cielo.

—No podemos comenzar de nuevo —dije—. Pueden pasar días antes de que vuelva a amainar la lluvia.

—Esto no me gusta —indicó—. No está bien.

De todos modos, continuó cavando con las manos, pasándome los huesos a medida que los iba desenterrando: costillas, húmeros, una pelvis. Al llegar a la parte inferior de las piernas sonó un tintineo metálico. Levantó una tibia y vi un tosco y herrumbroso grillete rodeando el hueso. De él colgaba una cadena rota.

—¡Jesús! —exclamó Henry—. Esto es la tumba de un esclavo.

—Eso no lo sabes.

Recogió el cráneo roto.

—¿Lo ves? Le dispararon en la mollera. Debió de ser un fugado —Henry sacudió la cabeza—. Esto lo resuelve todo.

—¿Qué resuelve?

—Resuelve que no podemos enterrar a nuestro padre en la tumba de un negrito —respondió Henry—. No hay nada que hubiese odiado más. Anda, ayúdame a salir de aquí —extendió una mano mugrienta.

—Puede que fuese un presidiario huido —comenté—. Un hombre blanco. —Podría haberlo sido, pero ni siquiera yo hubiese apostado por ello. Henry dudó, y añadí—: ¿A cuánto está la prisión de aquí? ¿Seis, siete millas?

—Más bien diez —dijo. Pero dejó caer su mano a lo largo del cuerpo.

—Vamos —le dije extendiendo la mía—. Tómate un descanso. Cavaré yo.

Tuve que reprimir una sonrisa cuando se estiró y asió mi mano. Henry tenía razón: no había nada que nuestro padre hubiese odiado más.

Henry cavaba de nuevo cuando vi a Laura dirigiéndose hacia nosotros, abriéndose paso entre los campos inundados llevando un cubo en cada mano. Hurgué en el bolsillo buscando mi pañuelo y lo empleé para limpiarme un poco el barro de la cara. Vanidad... Otra cosa que heredé de mi padre.

—Viene Laura —anuncié.

—Sácame de aquí —dijo Henry.

Agarré sus manos y tiré gruñendo por el esfuerzo, arrastrándolo por el borde de la tumba. Consiguió ponerse de rodillas con la respiración entrecortada. Inclinó la cabeza y se le cayó el sombrero, dejando al descubierto una ancha calva rosácea en la coronilla. Verla me causó una aguda e inesperada punzada. *Está envejeciendo*, pensé. *No va a estar siempre conmigo.*

Levantó la vista buscando a Laura. Cuando sus ojos la encontraron se encendieron con unas emociones tan íntimas que me dio vergüenza verlas: nostalgia, esperanza y una nota de preocupación.

—Será mejor que yo siga con esto —le dije, volviéndome y cogiendo la pala. Medio salté, medio me deslicé dentro del hoyo. Era lo bastante profundo para que no pudiese ver el exterior. Eso estaba bien.

—¿Cómo va? —Oí que preguntaba Laura. Como siempre, el sonido de su voz me bañó como un caudal de agua fresca y cristalina. Era una voz que bien podría pertenecer a una criatura etérea, a un ángel o una sirena, no a una granjera de mediana edad, casada y de Misisipi.

—Casi hemos terminado —contestó Henry—, un pie más, o algo así, y estará hecho.

—He traído agua y comida —anunció.

—¡Agua! —Henry dejó escapar una carcajada amarga—. Eso es justo lo que necesitamos, más agua —Oí al cucharón raspando el cubo y el sonido de él tragando; después la cabeza de Laura asomó en el borde del hoyo. Me tendió el cacillo.

—Toma —me dijo—, bebe algo.

Tragué deseando que fuese *whisky* en vez de agua. Hacía tres días que me había quedado sin licor, justo antes de que la riada inundase el puente y quedásemos aislados del pueblo. Calculé que el caudal del río ya habría descendido lo suficiente para que hubiera podido vadearlo… si no hubiese estado metido en aquel maldito agujero.

Le di las gracias y le devolví el cacillo, pero Laura no me prestó atención. Sus ojos estaban fijos en el otro lado de la tumba, donde yacían los huesos.

—Dios santo, ¿son humanos? —preguntó.

—Fue inevitable —dijo Henry—. Ya habíamos cavado cuatro pies cuando los encontramos.

Vi cómo fruncía los labios y sus ojos se detenían en los grilletes y las cadenas. Se cubrió la boca con una mano y después se volvió hacia Henry.

—Asegúrate de que las niñas no los vean —dijo.

Cuando la superficie de la tumba se alzaba más de un pie por encima de mi cabeza, dejé de cavar.

—Ven a ver —llamé—. Creo que ya es bastante profunda.

La cara de Henry asomó por encima, mirando hacia abajo. Asintió.

—Pues sí. Puede valer.

Le tendí la pala, pero sus intentos por tirar de mí para subirme fueron en vano. Yo estaba muy abajo y nuestras manos y las paredes del hoyo eran demasiado resbaladizas.

—Traeré la escala —dijo.

—Date prisa.

Esperé en el agujero. Todo a mi alrededor era cieno hediondo y rezumante. Por encima, un rectángulo de día gris. Me quedé con el cuello doblado hacia atrás, esperando escuchar el chapoteo de las botas de Henry al regresar y preguntándome por qué tardaba tantísimo tiempo. *Si algo le pasase a él, o a Laura*, pensé, *nadie sabría que estoy aquí*. Me agarré al borde del hoyo e intenté subir, pero mis dedos resbalaron en el fango.

Entonces sentí las primeras gotas de lluvia en el rostro.

—¡Henry! —grité.

La lluvia caía suave, pero poco después sería un aguacero. El agua comenzaría a llenar el hoyo. La sentiría subir poco a poco por mis piernas hasta llegar a los muslos. Hasta el pecho. Hasta el cuello.

—¡Henry! ¡Laura!

Me lancé contra las paredes de la tumba como un oso enloquecido dentro de un foso. Parte de mí me contemplaba desde fuera, sacudiendo la cabeza ante mi propia estupidez, pero era incapaz de contener al oso. No se trataba del encierro; había pasado cientos de horas en carlingas sin ningún problema. Se trataba del agua. Durante la guerra evité volar sobre mar abierto siempre que pude, incluso aunque ello implicase recibir fuego antiaéreo desde tierra. Así fue como gané todas esas medallas al valor: tener tanto miedo a la vasta y voraz masa azul me empujaba directamente contra el grueso de las baterías antiaéreas alemanas.

Chillé tan fuerte que no oí a Henry hasta que estuvo justo encima de mí.

—¡Estoy aquí, Jamie! ¡Aquí estoy! —gritó.

Colocó la escala en el hoyo y subí a toda prisa. Intentó sujetarme por un brazo, pero lo aparté con un ademán. Me incliné con las manos apoyadas sobre las rodillas, intentando contener mi desbocado corazón.

—¿Estás bien? —preguntó.

No lo miré, pero tampoco hacía falta. Sabía que tendría la frente arrugada y los labios fruncidos... Su expresión de «mi hermano es un lunático».

—Creí que a lo mejor habías decidido dejarme aquí —dije soltando una risa forzada.

—¿Por qué iba a hacer eso?

—Te estoy tomando el pelo, Henry —me volví, recogí la escala y la cargué bajo el brazo—. Vamos, acabemos con esto.

Nos apresuramos atravesando los campos, deteniéndonos después en la bomba de agua para lavarnos el barro de la cara y las manos, y a continuación nos dirigimos al granero a recoger el ataúd. Se trataba de un objeto de aspecto penoso, hecho con trozos de madera irregulares que no encajaban bien; pero era lo mejor que pudimos hacer con los materiales disponibles. Henry frunció el ceño mientras agarraba uno de los extremos.

—Cuánto me hubiese gustado haber podido ir a la ciudad —dijo.

—A mí también —asentí, pensando en el *whisky*.

Llevamos el ataúd hasta la galería. Al pasar frente a la ventana abierta, Laura nos llamó:

—¿Os apetece tomar un café caliente y cambiaros de ropa antes de que lo enterremos?

—No —replicó Henry—. No hay tiempo. Se acerca una tormenta.

Metimos el féretro en el cobertizo y lo colocamos sobre el tosco suelo de madera. Henry levantó la sábana para contemplar el rostro de nuestro padre por última vez. La expresión de Papaíto era tranquila. No había nada que indicase que su muerte no se debió sino a causas naturales, al oportuno fallecimiento de un anciano.

Levanté los pies y Henry sujetó la cabeza.

—Ahora con cuidado —indicó.

—Claro —convine—, no queremos hacerle daño.

—No es eso —gruñó Henry.

—Perdona, hermano. Estoy cansado.

Con absurdo cuidado depositamos el cadáver en el ataúd. Henry cogió la tapa.

—De esto ya me ocupo yo —me dijo—. Ve y asegúrate de que Laura y las niñas estén preparadas.

—De acuerdo.

Al entrar en casa oí el martillo clavando la primera punta, un sonido dulce y definitivo. Hizo que las niñas se sobresaltasen.

—Mamá, ¿qué son esos golpes? —preguntó Amanda Leigh.

—Es papá clavando la tapa del ataúd de Papaíto —respondió Laura.

—¿Se enfadará por eso? —la voz de Bella era un temeroso susurro.

Laura me lanzó una mirada rápida y feroz.

—No, cariño —le dijo—. Papaíto está muerto. Ya nunca más podrá enfadarse con nadie. Vamos, poneos vuestras botas y abrigos. Es hora de llevar a vuestro abuelo al lugar de su último descanso.

Me alegré de que Henry no estuviese allí para oír el tono de satisfacción en su voz.

LAURA

Cuando pienso en la granja, pienso en barro. Delineando las uñas de mi esposo, encostrándose en las rodillas y el cabello de mis hijas. Chupando mis pies como un ávido recién nacido el pecho. Avanzando por los tablones del suelo con marcas en forma de bota. No conocía la derrota. El barro lo cubría todo. Soñaba en marrón.

Cuando llueve, como sucede a menudo, el patio se convierte en una espesa sopa de quingombó, con la casa flotando en ella como una revenida y húmeda galleta salada. Si la lluvia es torrencial, el río crece y engulle el puente que es el único paso. El mundo se encuentra al otro lado de ese puente; el mundo de las bombillas, las carreteras asfaltadas y las camisas que permanecen blancas. Cuando el río crece el mundo nos pierde, y nosotros lo perdemos.

Un día llevaba al siguiente. Mis manos hacían lo que había que hacer: bombear, batir, fregar, desechar. Y cocinar, siempre cocinar. Partir fréjoles y cuellos de pollo. Amasar bollos, pelar maíz y sacar los ojos de las patatas. Apenas se había terminado el desayuno y limpiado el desastre y ya era hora de comenzar a preparar la comida. Después de la comida llegaba la cena, y de nuevo el desayuno a la mañana siguiente.

Levantarse al rayar el alba. Ir al retrete exterior. Hacer tus cosas tiritando en invierno, sudando en verano y respirando por la boca todo el año. Recoger los huevos que ponen las gallinas. Cargar leña de la pila y encender la cocina. Hacer galletas, cortar tiras de panceta y freírlas junto con huevos y sémola de maíz. Levantar a tus hijas de la cama, lavarles los dientes, meterles los brazos por las mangas y calzarlas con calcetines y botas. Sacar a la pequeña en brazos hasta la galería y sostenerla para que pudiese tocar la campana, la que llamará a tu marido para que regrese del campo y despertará a su odioso padre alojado en la puerta contigua. Dales de comer a todos y come algo tú también. Frota la sartén de hierro, los rostros de las niñas, el barro del suelo día tras día mientras el viejo se queda sentado, mirando. Siempre te vigila.

—Sería mejor que les dieses verdura, muchacha. Sería mejor si barrieras el suelo ahora. Sería mejor que les enseñases a esas mocosas consentidas algo de educación. Lávales la ropa. Da de comer a los pollos. Tráeme la cachaba.

Su voz, espesa por el tabaco. Sus astutos ojos claros, con sus negras pupilas, fijos en ti.

Asustaba a las niñas, sobre todo a la menor, que estaba un poco rellenita.

—Ven aquí, lechoncita —le decía.

Ella lo observaba refugiada entre mis piernas. A sus grandes dientes amarillentos. A sus huesudos dedos amarillentos, con sus uñas gruesas y curvas como viejísimos pedazos de cuerno.

—Ven aquí y siéntate en mi regazo.

Él no tenía el menor interés en que la pequeña fuese con él, ni ella ni ningún otro niño; sólo quería saber si lo temía. Si no iba, le decía que de todos modos estaba muy gorda para sentarse en su regazo, que podría partirle los huesos. La niña se echaba a llorar y yo me imaginaba a ese viejo en su ataúd. Veía la tapa cerrándose sobre su rostro, la caja siendo bajada al agujero. Oía la tierra rozando la madera.

—Papaíto —le decía, sonriéndole con dulzura—, ¿le apetece una buena taza de café?

Pero debo comenzar por el principio, si es que logro encontrarlo. Los comienzos son cosas escurridizas. Cuando crees que lo has encontrado, echas la vista atrás y ves otro comienzo, uno anterior, y otro aún anterior a ese. Incluso si empiezas diciendo «capítulo uno: nazco», todavía tienes el problema de los antecedentes, de la causa-efecto. ¿Por qué el joven David no tiene padre? Porque, según nos cuenta Dickens, su padre falleció debido a su delicada constitución[1]. Sí, pero ¿de dónde procedía esa delicadeza mortal? Dickens no lo dice, así que no queda sino especular. Un defecto congénito, quizás heredado de su madre, cuya propia madre se había casado con alguien indigno

1 Alude a David Copperfield, el protagonista de la obra homónima de Charles Dickens. *(N. del E.)*

de ella para fastidiar a su cruel padre, a quien una niñera le pegaba de pequeño, pues se había visto obligada a trabajar en el servicio doméstico porque su marido infiel la abandonó por una mujer que conoció por casualidad cuando la rueda de su carruaje se rompió frente a la sombrerería de señoras donde ella había ido a arreglar su tocado. Si empezamos ahí, el joven David no tiene padre porque la futura amante del esposo de la niñera de su tatarabuelo necesitó un adorno.

Siguiendo ese mismo razonamiento, mi suegro fue asesinado porque nací sin mucho atractivo y no bonita. Ese es un posible comienzo. Hay otros: porque Henry salvase a Jamie de morir ahogado durante la Gran Inundación del Misisipi, en 1927. Porque Papaíto vendió el terreno que debería haber sido para Henry. Porque Jamie participó en demasiados bombardeos durante la guerra. Porque un negrito llamado Ronsel Jackson brilló demasiado. Porque un hombre desatendió a su mujer; porque un padre traicionó a su hijo y porque una madre exigió venganza. Supongo que el principio depende de quién narre la historia. Sin duda, otros comenzarían en un punto diferente, pero aun así, todos acabarían en el mismo lugar.

Es tentador creer que lo sucedido en la granja fue inevitable; que, en realidad, todos los sucesos de nuestras vidas están tan predeterminados como los movimientos de una partida de tres en raya. Comienzas en el centro y acaba en tablas. Comienzas en una de las esquinas y el juego es tuyo. ¿Y si no comienzas? ¿Y si dejas que empiece el otro? Pierdes, así de sencillo.

La verdad no es tan simple. La muerte puede ser inevitable, pero el amor no. Para amar tienes que elegir.

Comenzaré con eso. Con amor.

En la Biblia se habla mucho de aferrarse. Hombres y mujeres que se aferran a Dios. Maridos que se aferran a sus esposas. Huesos que se aferran a la piel hasta romperla. Tenemos que comprender que aferrarse es algo bueno. El piadoso se aferra, el malvado no.

El día de mi boda, mi madre —en un vago intento de prepararme para las indignidades del lecho nupcial— me dijo que me aferrase a Henry a toda costa.

—Al principio duele —me dijo mientras me abrochaba sus perlas al cuello—, pero con el tiempo se hace más fácil.

Madre tenía razón a medias.

Yo era una virgen de treinta y un años cuando conocí a Henry McAllan en la primavera de 1939, una solterona a punto de empezar a vestir santos. Mi mundo era pequeño y conocía todo su contenido. Vivía con mis padres en la casa donde había nacido. Dormía en la habitación que antaño fuese mía y de mi hermana, y que entonces era solo mía. Enseñaba Lengua en una escuela privada, sólo para niños, cantaba en el coro de la iglesia episcopal de Calvary y trabajaba de canguro con mis sobrinos. Los lunes por la noche jugaba al bridge con mis amigas casadas.

Nunca fui bonita como mis hermanas. Fanny y Etta poseían la delicada belleza rubia de los Fairbairn, la familia de mi madre, pero yo soy toda una Chappell: pequeña, morena, con fuertes rasgos galos y una figura rotunda que, en mis días de juventud, no iba con los vestidos de las *flapper*[2] y sus delgadas siluetas. Cuando las amigas de mi madre venían de visita hacían comentarios acerca de la belleza de mis manos, los rizos de mi cabello y mi buena disposición; yo era ese tipo de jovencita. Y entonces, un día (a mí me pareció un suceso bastante repentino) dejé de ser joven. Mi madre lloró la noche que cumplí treinta años, después de que se hubiesen fregado y recogido los platos de la fiesta familiar y mis hermanos y hermanas, con sus esposas, maridos e hijos, me hubiesen besado antes de irse a sus casas a meterse en la cama. El sonido de su llanto, ahogado por la almohada, o quizá por el hombro de mi padre, fue a la deriva pasillo abajo hasta llegar a mi habitación, donde yacía despierta escuchando a chotacabras, cigarras y ranas conversando entre ellos. *¡Soy yo! ¡Soy yo!* Parecían decir.

2 Anglicismo que tuvo su origen en un movimiento juvenil femenino de la década de los 20. El término se refiere a su estilo de vida, moda, etc. *(N. del T.)*

—Soy yo —susurré. Las palabras me sonaban huecas, tan absurdas como el frenético canto de un grillo encerrado en una caja de cerillas. Pasaron horas antes de dormirme.

Pero a la mañana siguiente sentí una especie de alivio al despertar. No sólo estaba soltera; me había convertido oficialmente en alguien incasable. Todo el mundo podría dejar de esperar y depositar la carga de sus atenciones en otro lugar, en otra persona, en un proyecto más valioso, dejándome así continuar con mi vida. Era una maestra respetada y una querida hija, hermana, sobrina y tía. Me conformaría con eso.

Me pregunto si lo hubiese hecho. ¿Hubiese encontrado la felicidad en el estrecho y blanco margen de la página, hogar de tías solteronas y maestras de escuela sin hijos? No sabría decirlo, porque poco menos de un año después Henry llegó a mi vida y me introdujo de inmediato en la zona cubierta de tinta.

Mi hermano Teddy lo trajo a cenar a casa un domingo. Teddy trabajaba como tasador civil de terrenos para el Cuerpo de Ingenieros, y Henry era su nuevo jefe. Él era una de esas escasas y maravillosas criaturas que andan por ahí: un soltero de cuarenta y un años. Aparentaba la edad que tenía, sobre todo por su cabello, que estaba completamente blanco. No es que fuese un hombre grande, pero tenía densidad. Caminaba con una evidente cojera que ganó en la guerra, como averiguaría después, y que no le restaba un ápice de confianza en sí mismo. Sus movimientos eran lentos y pausados, como si sus miembros le pesasen y fuese una cuestión de suma importancia dónde decidía posarlos. Sus manos parecían fuertes, eran bonitas y sus uñas necesitaban un corte. Me impresionó su quietud, el modo en que permanecían entrelazadas sobre su regazo o plantadas a los lados del plato incluso cuando hablaba de política. Hablaba con el encantador galimatías del Delta… como si tuviese la boca llena de un postre delicioso, exquisito. Dirigía casi todos sus comentarios a Teddy y a mis padres, pero a lo largo de la cena sentí sus ojos grises sobre mí, lanzando un breve destello antes de retirarse y regresar de nuevo. Recuerdo que me picaba la piel por el calor, sentía humedad bajo mi ropa y la mano me tembló ligeramente cuando la estiré para coger mi vaso de agua.

Mi madre, cuya nariz siempre estaba afinada para detectar la admiración masculina, comenzó a entreverar mis virtudes femeninas durante la conversación con una frecuencia atroz.

—Ah, señor McAllan, ¿así que se ha licenciado en la universidad? ¿Sabe? Laura también fue a la universidad. Obtuvo la graduación de Magisterio por la Universidad Estatal de West Tennessee. Sí, señor McAllan, todos tocamos el piano, pero Laura es la mejor músico de la familia, con mucha diferencia. También canta muy bien, ¿verdad, Teddy? Y debería probar su tarta de melocotón.

Y así todo el tiempo. Pasé la mayor parte de la cena con la mirada fija en mi plato. Cada vez que intentaba retirarme a la cocina, con la excusa de tal o cual quehacer, madre insistía en ir ella, o enviaba a Eliza, la esposa de Teddy, que me lanzaba miradas llenas de comprensión mientras obedecía. Los ojos de Teddy iban de un lado a otro; al final de la cena él casi estaba ahogado de risa y yo dispuesta a estrangularlo, a mi madre y a él, a los dos.

Cuando Henry se despidió de nosotros, madre lo invitó a regresar el domingo siguiente. Me miró antes de aceptar; una mirada evaluativa a la cual intenté responder lo mejor que pude con una amable sonrisa.

Durante la semana siguiente Madre no pudo hablar apenas de nada que no fuese aquél encantador señor McAllan: con qué suavidad hablaba, qué caballerosidad la suya y (el mayor de los elogios viniendo de ella) cómo no había bebido vino durante la cena. A papá también le gustaba, pero eso apenas suponía una sorpresa teniendo en cuenta que Henry era un licenciado universitario. Para mi padre, un profesor de Historia retirado, no había mayor prueba de la valía de una persona que sus estudios superiores. Si el mismísimo Hijo de Dios descendiese de los cielos en toda Su gloria, pero sin un diploma, no obtendría la aprobación de mi progenitor.

La esperanza de mis padres me irritaba. Amenazaba con avivar la mía, y eso no podía permitirlo. Me dije que Henry McAllan y sus modales caballerosos y cultivados no tenían nada que ver conmigo. Acababa de llegar a Memphis y no tenía vida social, por eso había aceptado la invitación de madre.

¡Qué patéticas y endebles eran mis defensas! Se derrumbaron con bastante facilidad al domingo siguiente, cuando Henry se presentó con un ramo de azucenas para mí y otro para mi madre. Después de cenar propuso que saliésemos a pasear. Lo llevé al parque Overton. Los cornejos estaban en flor, y el viento enviaba ráfagas de pétalos blancos sobre nuestras cabezas mientras paseábamos bajo los árboles. Era como una escena de película, conmigo como improbable heroína. Henry quitó un pétalo de mi cabello, sus dedos me rozaron levemente la mejilla.

—Bonitos, ¿verdad? —preguntó.

—Sí, pero tristes.

—¿Por qué tristes?

—Porque nos recuerdan el sufrimiento de Cristo.

Las cejas de Henry se unieron formando un profundo surco vertical entre ellas. Podía ver cuánto le molestaba desconocer algo, aunque me gustó que admitiese su ignorancia en vez de simular conocimiento, como suelen hacer muchos hombres. Le mostré las marcas parecidas a ensangrentados agujeros de clavos en cada uno de los cuatro pétalos.

—¡Ah! —exclamó. Y tomó mi mano.

La sujetó durante todo el camino de regreso a casa, y al llegar me pidió que fuera con él a la representación de *El soldado de chocolate* que el siguiente sábado se ofrecía en el Open Air Theatre de Memphis. Los miembros femeninos de mi familia se movilizaron con el fin de embellecerme para la ocasión. Madre me llevó a los grandes almacenes Lowenstein y me compró un vestido nuevo con cuello de espuma blanca y mangas acampanadas. El sábado por la mañana mis hermanas vinieron a casa con botes de colorete para mis mejillas y ojos y pintalabios de todos los tonos de rojo y rosa, que probaron en mí con la rápida y despótica autoridad de jefes de cocina escogiendo condimentos para la salsa. Una vez estuve depilada, pintada y empolvada a su entera satisfacción, colocaron un espejo frente a mi rostro mostrándome mi propio reflejo como un regalo. Me veía rara y así lo dije.

—Tú espera a que te vea Henry —rio Fanny.

Cuando llegó para recogerme, Henry sólo dijo que estaba guapa. Pero ese mismo día me besó por primera vez, tomando mi rostro entre sus manos con la naturalidad y desenvoltura que emplearía con su sombrero favorito o el cuenco para la espuma de afeitar que hubiese utilizado durante años. Nunca antes un hombre me había besado con semejante grado de posesión, tanto de mí como de sí mismo, y eso me encantó.

Henry tenía toda la seguridad en sí mismo que a mí me faltaba. Estaba seguro de una asombrosa cantidad de cosas: los Packard son los mejores coches fabricados en Estados Unidos; la carne no debería ser una comida infrecuente; *God Bless America*, de Irving Berlin, debería ser el himno nacional en vez de *The Star-Spangled Banner*, que es muy difícil de cantar; los Yankees ganarán la Serie Mundial de béisbol; habrá otra Gran Guerra en Europa y Estados Unidos haría bien quedándose al margen. El azul es tu color, Laura.

Iba vestida de azul. Poco a poco, durante los meses siguientes, le descubrí mi vida. Le hablé de mis estudiantes favoritos, de mis trabajos estivales como supervisora de campamentos en Myrtle Beach y de mi familia hasta llegar a primos de segundo y tercer grado. Le hablé de mis dos años en la universidad, de cómo adoraba a Dickens y a las hermanas Brontë y odiaba a Melville y las matemáticas. Henry escuchaba con seria atención todo lo que escogía compartir con él, asintiendo de vez en cuando para mostrarme su aprobación. Pronto me encontré buscando esos asentimientos, tomando notas mentales de cuándo se otorgaban y cuándo se negaban, e inevitablemente, presentándome a él con la versión de mí que me parecía más adecuada para provocarlos. Por mi parte no se trataba de un ejercicio de armas de mujer. No estaba habituada a la admiración masculina y lo único que sabía es que quería más, y todo lo que trajese consigo.

Y muchas fueron las cosas que trajo consigo. Tener un pretendiente (la palabra es de mi madre, y la empleaba en cuanto tenía oportunidad) me otorgaba una distinción entre mis amigos y parientes que nunca antes había disfrutado. Me convertí en una persona más bonita e interesante, y de alguna manera, merecedora de todo lo bueno.

Qué maravillosa estás hoy, cariño, me decían. *Y, ¡de verdad que te veo entusiasmada!* Y, *Laura, ven, siéntate conmigo y háblame de tu señor McAllan.*

No estaba del todo segura de que el señor McAllan fuese mío, pero cuando la primavera dio paso al verano y las atenciones de Henry no dieron señales de menguar, comencé a permitirme confiar en que pudiese serlo. Me llevó a restaurantes y a la exposición fotográfica, a pasear por las riberas del Misisipi y a excursiones de un día por los alrededores, donde señaló las características de los terrenos y granjas que pasábamos. Sabía mucho acerca de cosechas, ganado y cosas así. Cuando se lo dije me contestó que se había criado en una granja.

—¿Tus padres aún viven allí? —le pregunté.

—No, vendieron el terreno después de la inundación del veintisiete.

Oí la tristeza en su voz, pero se debía a la nostalgia. No le pregunté si algún día tendría intención de cultivar su propio terreno. Henry era un universitario, un ingeniero de éxito con un empleo que le permitía vivir en Memphis... El centro de la Civilización. ¿Por qué razón iba a querer ganarse la vida padeciendo como granjero?

—Mi hermano viene de Oxford este fin de semana —me anunció Henry un día de julio—. Me gustaría que te conociese.

Que *me* conociese *él*. Mi corazón echó a volar. Jamie era el hermano preferido de Henry. Hablaba de él a menudo, con una mezcla de cariño y exasperación que me hacía sonreír. Jamie estaba en Ole Miss estudiando Bellas Artes («un asunto sin ninguna clase de aplicación práctica») y diseñaba ropa masculina en un proyecto paralelo («una ocupación indigna de un hombre»). Quería ser actor («ese no es modo de mantener una familia») e invertir todo su tiempo libre produciendo obras dramáticas («sólo quiere llamar la atención»). Sin embargo, a pesar de todas esas críticas, resultaba obvio que Henry adoraba a su hermano menor. Algo se avivaba en sus ojos cada vez que hablaba de Jamie, y sus manos, siempre tan impasibles, se alzaban a sus costados para caer en picado haciendo grandes aspavientos. Que quisiera que Jamie me conociese significaba que estaba penando en un tipo de compromiso más permanente para nosotros dos. Intenté ahogar la idea, siguiendo mi vieja costumbre, pero esta sobrevivió tenaz en mi mente. Aquella noche, mientras pelaba las patatas para la cena, me imaginé la pedida de Henry, lo vi arrodillándose frente a mí en el recibidor, con su rostro serio y algo preocupado... ¿Y si no lo aceptaba? A la mañana siguiente, mientras hacía mi estrecha cama, me vi alisando una cama de matrimonio, con una colcha afelpada y dos almohadas con la huella de dos cabezas. Al día siguiente, en clase, mientras les preguntaba a mis chicos frases preposicionales, me imaginé a un niño con los ojos grises de Henry mirándome con fijeza desde un moisés de mimbre. Esas visiones brotaban en mi mente como flores exóticas, opulentas y coloridas como joyas, echando a perder años de estricta poda en mis deseos.

El sábado que iba a conocer a Jamie me arreglé con especial cuidado, vistiéndome con el traje de lino azul marino que sabía que le gustaba a Henry y sentándome paciente mientras mi madre torturaba mi indomable cabello hasta convertirlo en un peinado alto. Henry me recogió y fuimos en coche hasta la estación a esperar el tren de su hermano. Mientras aguardábamos entre la marea de pasajeros, escudriñé la multitud en busca de una copia joven de Henry. Pero el joven que se acercaba corriendo a nosotros no se parecía en nada a él. Los observé con atención mientras se abrazaban: uno era curtido y macizo, el otro era alto, larguirucho, de piel blanca y con el cabello del color de un penique recién acuñado. Un rato después comenzaron a darse palmadas en la espalda, como suelen hacer los hombres para romper la intimidad de un momento como ese; luego se apartaron mirándose a la cara.

—Tienes buen aspecto, hermano —dijo Jamie—. Parece que el aire de Tennessee te sienta bien. ¿O es otra cosa?

Entonces se volvió hacia mí con una ancha sonrisa. Era bello; no había otra palabra para él. Tenía facciones finas y marcadas, y una piel tan traslúcida que pude ver las pequeñas venas de sus sienes. Sus ojos poseían el color verde claro del berilo y parecían iluminados desde el interior. Entonces solo tenía veintidós años, era nueve más joven que yo y diecinueve menor que Henry.

—Señorita Chappell, este es mi hermano, Jamie —nos presentó Henry.

—Encantada de conocerte —conseguí decir.

—El placer es mío —respondió, estrechando la mano que le ofrecía y besando el dorso con exagerada galantería.

Henry puso los ojos en blanco.

—Mi hermano cree ser uno de los personajes de sus obras.

—Ya, pero ¿cuál? —dijo levantando el dedo índice en el aire—. ¿Hamlet? ¿Fausto? ¿El príncipe Hal? ¿Usted qué opina, señorita Chappell?

Solté lo primero que me pasó por la cabeza.

—La verdad, más bien me recuerda a Puck.

Fui recompensada con una sonrisa deslumbrante.

—*Has hablado con acierto.* Yo soy *aquel alegre peregrino de la noche.*

—¿Quién es Puck? —preguntó Henry.

Jamie sacudió la cabeza con falsa desesperación.

—¡*Santo Dios, y qué locos son estos mortales*! —dijo.

Vi cómo se contraían los labios de Henry. De pronto sentí lástima por él, viéndolo eclipsado por su hermano.

—Puck es una especie de espíritu maligno —dije—. Un alborotador.

—Un duende —dijo Jamie con voz contrita—. Perdóname, hermano. Solo intentaba impresionarla.

Henry me pasó el brazo por encima.

—Laura no es de las que se impresionan.

—¡Hace bien! —convino Jamie—. Y ahora, ¿por qué no me enseñáis la bonita ciudad donde vivís?

Lo llevamos al hotel Peabody, que tenía el mejor restaurante de Memphis y una banda de swing tocando los fines de semana. A insistencia de Jamie, pedimos una botella de champán. Yo solo lo había bebido una vez, en la boda de mi hermano Pearce, y me mareé con la primera copa. Cuando la banda comenzó a tocar, Jamie le preguntó a Henry si podría bailar conmigo (Henry no bailaba, ni esa noche ni ninguna otra, porque estaba cojo). Giramos y giramos al compás de Duke Ellington, Benny Goodman y Tommy Dorsey, una música que había escuchado en la radio y bailado con mis hermanos y sobrinos pequeños. Qué distinto fue entonces, ¡y qué emocionante! Era consciente de que los ojos de Henry nos seguían, y otros también… Ojos de mujeres que me observaban envidiosos. Fue una sensación nueva para mí, y no pude evitar deleitarme en ella. Después de varias piezas, Jamie me escoltó de vuelta a la mesa y se excusó. Me senté sonrojada y sin aliento.

—Hoy estás especialmente bonita —dijo Henry.

—Gracias.

—Jamie tiene ese efecto en las mujeres. Resplandecen para él. —Mostraba una expresión insulsa y su tono fue prosaico. Si estaba celoso de su hermano, no pude detectarlo—. Le gustas, te lo aseguro —añadió.

—Estoy segura de que nadie le desagrada.

—Bueno, al menos nadie con falda —respondió Henry con una sonrisa irónica—. Mira —hizo un gesto señalando la pista de baile y vi a Jamie con una esbelta rubia en sus brazos. Llevaba un vestido de satén con la espalda escotada, y la mano de Jamie descansaba sobre su piel desnuda. Al ver cómo lo seguía sin esfuerzo a lo largo de un buen número de complicados giros y bajadas, me di cuenta de lo torpe que debí de haber sido como dama. Quería ocultar el rostro con mis manos; sabía que todo lo que sentía se reflejaba en él y Henry lo vería. Mi envidia y mi bochorno. Mi estúpido anhelo.

Me levanté. No sé qué debí decirle, porque en ese momento él también se levantó y me cogió la mano.

—Es tarde —dijo—, y sé que mañana por la mañana vas a la iglesia. Vamos, te llevaré a casa.

Era tan dulce, tan amable. Sentí una oleada de vergüenza. Pero más tarde, cuando yacía insomne en mi cama, se me ocurrió que eso que había mostrado a Henry con tanta claridad no era nada nuevo para él. Debía de haberlo visto antes, de haberlo sentido cientos de veces en presencia de Jamie: el anhelo de un resplandor que jamás sería el suyo.

Jamie regresó a Oxford y yo lo saqué de mis pensamientos. No era tonta; sabía que un hombre como él jamás podría desear a una mujer como yo. Ya era maravilla suficiente que Henry me desease. No sabía decir si entonces estaba de verdad enamorada de él; le estaba tan agradecida que ese sentimiento anulaba todo lo demás. Era quien me había rescatado de la vida al margen, de la lástima, el desdén y la hosca amabilidad que es parcela de las solteronas. Mejor debería decir que era mi rescatador en potencia. En modo alguno estaba segura de él, y por una buena razón.

Una noche de ensayo en el coro, levanté la mirada de mi himnario y lo vi observándome desde uno de los bancos traseros con el rostro serio por la concentración. *Ahí está*, pensé. *Me lo va a proponer.*

De alguna manera logré acabar el resto del ensayo, aunque el director hubo de amonestarme dos veces por entrar a destiempo. Después, en el vestuario del coro, mientras desabotonaba mi túnica con dedos torpes, tuve la súbita visión de las manos de Henry desabrochando mi camisón en nuestra noche de bodas. Me pregunté cómo sería acostarse con él, que tocase mi cuerpo tan íntimamente como si fuese su propia carne. Mi hermana Etta, que era enfermera titulada, me había hablado del acto sexual cuando cumplí los veintiún años. Su explicación se ciñó estrictamente a los hechos; jamás hizo referencia a sus experiencias con su esposo, Jack, pero a juzgar por su reservada sonrisa pude saber que la cama de matrimonio no era un lugar desagradable del todo.

Henry me estaba esperando fuera de la iglesia, apoyado en el coche con su típica camisa blanca, pantalones grises y sombrero de fieltro, también gris. Así vestía siempre. La ropa no le importaba, y a veces incluso le quedaba mal… Pantalones caídos de cintura, dobladillos arrastrándose por el suelo, mangas demasiado largas o demasiado cortas. Ahora me río al pensar en los sentimientos que su guardarropa provocaba en mí. Prácticamente bullía por el deseo de coser para él.

—Hola, querida —saludó. Y después—: He venido a decir adiós.

Adiós. La palabra flotó en el espacio abierto entre nosotros antes de ceñirse a mí formando suaves pliegues negros.

—Se está construyendo un nuevo aeródromo militar en Alabama, y me quieren para supervisar el proyecto. Estaré fuera varios meses, quizá un poco más.

—Comprendo —respondí.

Esperé a que añadiese algo: cuánto me echaría de menos; cuánto me escribiría; cuánto esperaba que estuviese aquí a su regreso. Pero no dijo nada, y a medida que el silencio se prolongaba iba sintiéndome más llena de autocompasión. No estaba hecha para el matrimonio, los hijos y demás. Nada de eso era para mí, nunca lo había sido. Y yo fui una idiota por creerlo.

Sentí cómo me alejaba de él, y de mí misma; cómo nuestras figuras se encogían en el ojo de mi mente. Lo oí ofreciéndose para llevarme a casa. Me oí a mí misma declinando la oferta con amabilidad, diciéndole que necesitaba aire fresco, y después deseándole lo mejor en Alabama. Lo vi inclinándose hacia mí. Me vi volviendo la cabeza de modo que su beso encontró mi mejilla. Me observé alejándome de él con la espalda tan recta como lo permitía el orgullo.

Madre saltó sobre mí apenas entré por la puerta.

—Henry pasó hace un rato —dijo—. ¿Te encontró en la iglesia?

Asentí.

—Parecía ansioso por hablar contigo.

Resultaba difícil mirarla a la cara, ver la esperanza temblando justo por debajo de la superficie de su brillante sonrisa.

—Henry se va —anuncié—. No sabe durante cuánto tiempo.

—¿Eso es... todo lo que dijo?

—Sí, eso es todo —comencé a subir las escaleras para ir a mi habitación.

—Regresará —dijo a mi espalda—. Sé que lo hará.

Me volví y bajé la mirada hacia ella, tan encantadora en su angustia. Una mano pálida y delgada sobre la barandilla. La otra cerrada cogiendo la tela de su falda, arrugándola.

—Ay, Laura —dijo con un temblor revelador.

—No se le ocurra llorar, madre.

No lo hizo. Debió de suponer un esfuerzo hercúleo. Mi madre llora por cualquier cosa: por mariposas muertas o una salsa cortada.

—Lo siento mucho, cariño —dijo.

De pronto tuve la sensación de que a mis piernas les faltaban los huesos. Me senté sobre el último escalón y apoyé la cabeza en las rodillas. Oí el crujido de sus pasos y advertí que se sentaba a mi lado. Me pasó un brazo por encima y sus labios tocaron mi cabello.

—No hablaremos de él —dijo—. Jamás volveremos a pronunciar su nombre.

Mantuvo su promesa, y debió de dar la noticia al resto de la familia, porque nadie dijo ni una palabra de Henry, ni siquiera mis hermanas. Simplemente redoblaron su amabilidad, todos, haciéndome más cumplidos de los que merecía y buscando maneras de mantenerme ocupada. Estaba muy solicitada como invitada en cenas, pareja de *bridge* y compañera de compras. Por fuera se me veía feliz, y un tiempo después comenzaron a tratarme con normalidad, creyendo que lo había superado. No era así. Estaba furiosa... conmigo; con Henry; con la cruel orden natural que me había hecho a un tiempo indeseable para los hombres e incapaz de sentirme completa sin uno. Comprendí que mi antigua satisfacción había sido una mentira. Esa era la verdad en la médula de mi existencia: un enorme vacío apenas cubierto por la ira. Había estado allí todo el tiempo. Henry solo había sido el hombre que me lo mostró.

No supe nada de él durante casi dos meses. Y después, un día, llegué a casa y encontré a mi madre esperándome ansiosa en el vestíbulo.

—Henry McAllan ha vuelto —dijo—. Está en la sala. Ven, tienes el pelo revuelto, deja que te lo arregle.

—Lo veré tal como estoy —anuncié, levantando la barbilla.

Me arrepentí de ese pequeño gesto de desafío en cuanto posé mis ojos en él. Henry parecía bronceado y en forma, más atractivo que nunca. ¿Por qué no me había puesto al menos algo de pintalabios? No... eso era una tontería. Ese hombre me había dado falsas esperanzas y después me había abandonado. No recibí ni una triste postal suya durante todas aquellas semanas. ¿Qué me importaba ponerme guapa para él?

—Laura, me alegra verte —saludó—. ¿Cómo te ha ido?

—Pues bien. ¿Y a ti?

—Te he echado de menos —dijo.

Quedé en silencio. Henry se acercó y tomó mis manos entre las suyas. Mis palmas estaban húmedas, pero sentí las suyas frescas y secas.

—Tenía que estar seguro de mis sentimientos —continuó—. Ahora lo estoy. Te quiero y quiero que seas mi esposa. ¿Quieres casarte conmigo?

Y así se formuló la pregunta que jamás pensé que escucharía. Concedo que la escena no se desarrolló tal como la había imaginado. Henry no estaba de rodillas y la cuestión se había planteado como una aseveración más que como una pregunta. Si él sentía alguna preocupación por cuál sería mi respuesta, la ocultaba muy bien. Eso me fastidiaba un poco. ¿Cómo se atrevía a estar tan seguro de sí mismo después de una ausencia tan prolongada? ¿Creía que sencillamente podría regresar a mi casa y reclamarme como si fuese una prenda olvidada? Y a pesar de todo, mi ira parecía una cosa insignificante comparada con la enormidad de su necesidad de mí. Si Henry estaba seguro de mí, me dije, se debía a que ese era su estilo. *La carne no debería ser una comida infrecuente. El azul es tu color. ¿Quieres casarte conmigo?*

Al mirar sus francos ojos grises vi, de pronto y sin quererlo, a Jamie sonriéndome mientras me hacía girar en el salón de baile del Peabody. Henry no era ni elegante ni romántico; él, como yo, estaba hecho de una pasta más simple y sólida. Pero me amaba y sabía que cuidaría de mí, me sería fiel y me daría hijos fuertes e inteligentes. Y por mi parte, desde luego que podía amarlo por todo eso.

—Sí, Henry —contesté—. Me casaré contigo.

Asintió una vez y me besó abriéndome la boca con el pulgar y luego introduciendo su lengua. Cerré la boca, más por la sorpresa que por otra cosa; habían pasado años desde la última vez que me dieron un beso con lengua, y la suya parecía como ajena, gruesa, desconocida. Henry soltó un pequeño gruñido y me di cuenta de que lo había mordido.

—Lo siento —balbuceé—. No sabía que fueses a hacer eso.

No habló. Se limitó a abrirme la boca de nuevo y besarme igual que antes. Esta vez acepté su invasión sin protestar, y eso pareció satisfacerlo, porque unos minutos después me dejó ir y fue a hablar con Papá.

Nos casamos seis semanas después, mediante una sencilla ceremonia en la iglesia episcopal. Jamie fue el padrino. Cuando Henry lo trajo a casa, me saludó con un abrazo de oso y una docena de rosas de color rosa.

—Dulce Laura —dijo—, cuánto me alegro de que por fin Henry haya entrado en razón. Le dije que sería un idiota si no se casaba contigo.

Jamie me mimó en nombre de todos los McAllan, a los que había conocido dos días antes de la boda. Desde que llegaron estuvo claro que se sentían superiores a los Chappell, por quienes (debo decirlo) corre sangre francesa en la línea paterna y hay un general de la Unión en la materna. Aquel fin de semana no vi mucho al padre de Henry (Papaíto y los demás hombres estaban fuera haciendo lo que sea que hacen los hombres cuando se prepara una boda), pero pasé el tiempo suficiente con las mujeres McAllan para saber que nunca seríamos amigas íntimas, como yo, ingenua de mí, había esperado. La madre de Henry era fría, arrogante y tenía opiniones acerca de todo y de todos, la mayoría negativas. Sus dos hermanas, Eboline y Thalia, fueron Reinas del Algodón en Greenville, se habían casado por dinero y se aseguraban de que todo el mundo lo supiese. El día antes de la boda mi madre dio un banquete sólo para las mujeres de ambas familias y Fanny les preguntó si habían ido a la universidad.

Thalia arqueó sus cejas perfectamente depiladas y dijo:

—¿De qué le sirve la universidad a una mujer? Confieso que nunca he sentido la necesidad de ir.

—A no ser, por supuesto, que seas pobre o poco agraciada —añadió Eboline.

Soltó una pequeña risita y Thalia rio con ella como una tonta. Mis hermanas y yo intercambiamos miradas dubitativas. ¿Henry no les había dicho que éramos universitarias? Seguro que no lo sabían, me dijo Fanny más tarde; seguro que ese desaire no había sido intencionado. Pero yo sabía que sí.

Con todo, ni siquiera los desagradables familiares de Henry pudieron empañar la felicidad que sentí el día de mi boda. Pasamos la luna de miel en Charleston y después regresamos a una casita que Henry había alquilado para nosotros en la calle Evergreen, no lejos de donde vivían mis padres. Y así comenzó para mí el tiempo de aferrarse. Adoraba las nimiedades de la vida doméstica, el sentido de pertenecer a un lugar que me concedían. Era de Henry. Me sometí a él... Cocinaba las comidas que le gustaban, lavaba y planchaba sus camisas, esperaba cada día a que volviese a casa para encontrarme... ¿No era eso para lo que se me había puesto en la Tierra? Y entonces, en noviembre de 1940, nació Amanda Leigh, seguida dos años después por Isabelle, y yo les pertenecí mucho más de lo que jamás perteneciese a su padre.

Pasarían seis años de matrimonio hasta que recordase que aferrar puede tener una consecuencia: si se aferra algo con demasiada fuerza puede partirse, como la leña bajo el hacha.

JAMIE

En el sueño me encuentro solo en el tejado de la antigua casa de Eboline, en Greenville, viendo subir el nivel del agua. Normalmente tengo diez años, pero a veces ya soy mayor y en una ocasión era anciano. Me sentaba a horcajadas sobre el caballete, con las piernas colgando en cada vertiente. Objetos arrancados flotaban hacia mí y luego a mi alrededor, agitándose con la corriente. Una planta de bayas chinas. Una araña de cristal. Una vaca muerta. Intento averiguar hacia qué lado de la casa la corriente llevará cada cosa. La cama de cuatro postes, con su mosquitera haciendo de cola, pasará por la izquierda. El retrete exterior por la derecha, junto con el Stutz Bearcat del señor Wilhoit. Las apuestas eran fuertes: cada vez que fallaba el nivel del agua subía un pie. Al llegarme a los tobillos encogía las rodillas cuanto podía sin llegar a perder el equilibrio. Dirigía la casa cabalgándola hacia el norte, a contracorriente, mientras el agua me animaba con su terrible voz. No hablaba su lengua, pero sabía qué decía: me quería. No porque yo tuviese alguna importancia, sino porque lo quiere todo. ¿Quién soy yo, un chico flacucho y harapiento, para negárselo?

No intento nadar o mantenerme a flote cuando el río me atrapa. Abro los ojos y la boca y dejo que el agua me llene. Siento los espasmos de mis pulmones, pero no hay dolor y dejo de estar asustado. La corriente me arrastra. Soy un resto flotante y comprendo que ese resto flotante es todo lo que siempre he sido.

Algo resplandece en la oscuridad extendida frente a mí, haciéndose más brillante a medida que me acerco. La luz me daña los ojos. *¿Ha caído una estrella en el río?*, me pregunto. *¿El río lo ha tragado todo, incluso el cielo?* Del centro de la estrella emanan cinco rayos. Se mueven adelante y atrás como si buscasen algo. Al pasar a su lado veo que son dedos, y lo que creí una estrella es una enorme mano blanca. No quiero que me encuentre. Ahora soy parte del río.

Y después no. Siento un dolor agudo en la cabeza y tiran de mí hacia arriba, de vuelta al tejado o a una barca... El sueño varía. Pero la mano siempre es la de Henry, y siempre sujeta un ensangrentado mechón de mi cabello.

Más de un millar de personas perecieron en aquella inundación. Yo sobreviví gracias a Henry. No estaba solo sobre el tejado de Eboline, ella y mis padres estaban conmigo, y también su esposo, Virgil, y su criada, Dessie. El agua no me alcanzó, fui yo quien cayó en ella. Caí porque me levanté. Y me levanté porque vi a Henry llegando a bordo de un bote, acercándose para rescatarnos.

Gracias a Henry. Mucho de lo que soy, y de lo que he hecho, se lo debo a Henry. Mi primer recuerdo es el de la primera vez que lo vi. Mi madre me sostenía en brazos, acunándome, y luego me tendió a un desconocido alto, de cabello blanco. Tuve miedo y poco después dejé de tenerlo... Eso es todo lo que recuerdo. Según lo cuenta Mamá, comencé a tener una rabieta, pero en cuanto Henry me sostuvo frente a él y dijo: «Hola, hermanito», dejé de llorar de inmediato y le metí los dedos en la boca. Yo, que aullaba como un indio cada vez que mi padre, o cualquier varón, intentaba cogerme, me quedé muy tranquilo en brazos de mi hermano. Yo tenía un año y medio; él veintiuno, y acababa de regresar de la Gran Guerra.

Gracias a Henry crecí odiando a los boches. Los boches habían intentado matarlo en alguna parte de Francia, en un bosque. Ellos le dieron la cojera y el cabello blanco. También le quitaron cosas... No sabía qué, pero podía percibir su ausencia. Jamás hablaba de la guerra. Papaíto siempre lo pinchaba para que lo hiciese, quería saber a cuántos hombres había matado y cómo lo había hecho.

—¿Fueron más de diez? ¿Más de cincuenta? —le preguntaba Papaíto—. ¿Te cargaste a alguno con la bayoneta o les disparabas desde lejos?

Pero Henry nunca lo dijo. La única vez que lo oí referirse a la guerra fue durante mi octavo cumpleaños. Vino a casa a pasar el fin de semana y me llevó a cazar un ciervo. Fue la primera vez que tuve que portar un arma de verdad (si se puede calificar como arma de verdad a una Daisy modelo 25 de aire comprimido) y rebosaba orgullo varonil. No logré acertarle a nada, aparte de unos cuantos árboles, pero Henry abatió un ejemplar de ocho puntas. No fue una muerte limpia. Al llegar al lugar donde el macho había caído, descubrimos que aún vivía, luchando en vano por levantarse. Un trozo de hueso partido asomaba por una herida abierta en el muslo. Tenía los ojos desorbitados, sin comprender.

Henry se pasó una mano por el rostro y después agarró mi hombro con fuerza.

—Si alguna vez vas a ser soldado —me dijo—, prométeme que intentarás ir ahí arriba, a volar. Dicen que las batallas son más limpias ahí arriba.

Se lo prometí. Después se arrodilló y le cortó la garganta.

A partir de ese día, cada vez que los fumigadores sobrevolaban nuestra granja, yo simulaba ser el piloto. Solo que no eran gorgojos de algodón lo que yo mataba, sino boches. En mi imaginación, debí de abatir cientos de pilotos alemanes sentado en las ramas superiores del liquidámbar de la parte trasera de casa.

Pero si Henry encendió la chispa de mi ansia de volar, Lindbergh prendió la hoguera con su travesía en solitario del océano Atlántico. Sucedió menos de un mes después de la inundación. Greenville y nuestra granja aún se encontraban bajo tres metros y medio de agua, así que vivíamos con mis tíos de Carthage. La casa estaba atestada y para dormir me encajaron en el ático, compartiendo una cama francesa con mis primos Albin y Avery, dos matones con la cara llena de granos y los dientes muy salidos. Apretujado entre los dos, soñaba con la inundación: el juego de las adivinanzas, la voz del agua, la enorme mano blanca. Mis gemidos los despertaban, y ellos me despertaban a mí dándome patadas y puñetazos, llamándome marica y niño de teta. Pero ni siquiera sus amenazas (estrangularme, tirarme por la ventana, atarme sobre un hormiguero y derramar melaza sobre mis ojos) podían evitar que la inundación viniese a mí durante el sueño. Venía casi todas las noches, y siempre me rendía a ella. Esa era la parte que temía: la parte donde, simplemente, dejaba que el agua me atrapase. Parecía una debilidad vergonzosa, de la clase que mi hermano jamás mostraría, ni siquiera en sueños. Henry habría luchado con todo lo que tuviese a mano, y habría continuado luchando incluso después de que su fuerza se hubiese agotado... Como no había hecho yo. Al menos, estaba bastante seguro de que no lo había hecho. Eso era lo peor de todo, el no tener memoria de qué había pasado entre el momento en que caí al agua y cuando Henry me sacó de ella. Sólo tenía el sueño, y este parecía confirmar mis peores temores acerca de mí. A medida que pasaban los días y el sueño iba haciéndose recurrente, me convencía más y más de que era verdad. Me había entregado al agua por voluntad propia, y lo haría de nuevo si tuviese la oportunidad.

Empecé a negarme a bañarme. Albin y Avery añadieron «puerco» a su lista de términos cariñosos y Papaíto me azotó el trasero con una vara hasta hacerme sangrar, gritando que no tendría un hijo que anduviese por ahí apestando como un negraco. Al final, mi madre amenazó con bañarme ella si yo no lo hacía. Pensar en Mamá viéndome desnudo fue incentivo suficiente para enviarme directo a la pila, aunque nunca la llenase más de unos centímetros.

Fue por entonces cuando las historias acerca de Lindbergh comenzaron a salir en los periódicos y en la radio. Iba en busca de los veinticinco mil dólares del Premio Orteig, ofrecido por un francés llamado Raymond Orteig al primer piloto capaz de volar sin escalas desde Nueva York a París o viceversa. La bolsa estuvo disponible desde 1919. Unos cuantos pilotos habían intentado obtenerla. Todos fracasaron, y seis murieron en el intento.

Yo estaba convencido de que Lindbergh sería quien lo consiguiese. ¿Qué importaba que fuese más joven y menos experimentado que cualquiera de los pilotos que lo habían intentado? Él era un dios… Sin miedo, inmortal. No había posibilidad de que fracasase. La prensa local no compartía mi confianza y lo apodó «el Tonto Volante», por intentarlo sin copiloto. Yo me decía que los tontos eran ellos.

El día del vuelo toda mi familia se reunió en torno a la radio y escuchó las noticias del progreso de Lindbergh. Su avión había sido avistado sobre Nueva Inglaterra, después en Terranova. Y luego desapareció durante las dieciséis horas más largas de mi vida.

—Está muerto —dijo Albin—. Se durmió y su avión se ha estrellado sobre el océano.

—¡No! —respondí—. Lindy nunca se dormiría volando.

—Quizá se perdió —intervino Avery.

—Sí —continuó Albin—, quizá sea demasiado idiota para encontrar la ruta.

El comentario era una referencia al hecho de que yo me había perdido unos días antes. Se suponía que esos dos me llevarían a pescar, pero me tuvieron dando vueltas por ahí y después se escabulleron por el bosque. Yo no conocía el terreno aledaño a Carthage y tardé tres horas en encontrar el camino de vuelta a casa; para entonces mi madre ya estaba trastornada con la preocupación. Albin y Avery recibieron una tunda, aunque eso no hizo que me sintiese mejor. Me habían vencido de nuevo.

Esta vez no. Lindbergh les daría una lección. Él ganaría por los dos.

Y, por supuesto, lo hizo. El Tonto Volante se convirtió en el Águila Solitaria y el triunfo de Lindy también fue mío. Incluso mis primos vitorearon cuando aterrizó sano y salvo en el aeropuerto de Le Bourget. Era imposible no sentirse orgulloso de lo que había hecho. Era imposible no querer ser como él.

Aquella noche, después de cenar, salí, me tumbé sobre la hierba húmeda y contemplé el firmamento. Era el momento del ocaso, de esa increíble sombra azul púrpura que apenas dura unos minutos antes de convertirse en simple oscuridad. Quería sumergirme en esa masa azul y perderme en ella. Recuerdo pensar que allí arriba no había nada malo. No había oscuridad, hedor ni turbias aguas asesinas. No había fealdad ni odio. Solo azul, gris y las diez mil tonalidades entre ambos, todas ellas hermosas.

Sería un piloto como Lindbergh. Viviría grandes aventuras, realizaría hazañas y defendería a mi país, y sería glorioso. Y yo sería un dios.

Quince años después el Ejército me concedió mi sueño. Y no lo fue. Y no lo fui.

RONSEL

Nos llamaban «los negracos de Eleanor Roosevelt». Decían que no pelearíamos, que huiríamos con el rabo entre las patas en el preciso instante en que entrásemos en combate real. Decían que no teníamos la disciplina necesaria para ser buenos soldados. Que no teníamos cerebro suficiente para tripular carros de combate. Que teníamos una inclinación natural hacia todo tipo de debilidades... Mentir, robar, violar mujeres blancas. Decían que en la oscuridad podíamos ver mejor que los soldados blancos porque éramos seres más cercanos a las bestias. Mientras estuvimos en Wimbourne, una muchacha inglesa que jamás había visto se acercó y directamente me tocó el trasero. Quise saber qué estaba haciendo, y me contestó:

—Comprobando si tienes cola.

—¿Cómo se te ha ocurrido pensar eso?

Dijo que los soldados blancos les habían dicho a todas las chicas inglesas que los negritos éramos más simios que hombres.

Dormíamos en barracones separados, comíamos en comedores separados, cagábamos en letrinas separadas. Incluso hicieron que tuviésemos una reserva de sangre aparte... Dios no quiera que algún muchacho blanco resultase herido y acabase con la sangre de un negraco corriendo por sus venas.

Nos dieron la escoria de todo, incluso de los oficiales. Nuestros tenientes eran en su mayoría sureños apartados de algún otro puesto. Borrachos, cobardes, fanáticos majaretas de escasa utilidad que no habrían sido capaces de encontrar la salida de una humilde choza a plena luz del día. Ponerlos al mando de los negros era su modo de castigarlos. No sentían sino desprecio por nosotros, y se aseguraban de que lo supiésemos. En la cafetería de oficiales les gustaba cantar «con un blanco batallón, sueño...» al son de *Blanca Navidad*. Nos habíamos enterado por los muchachos de color asignados a labores de servicio, que tuvieron que atenderlos mientras aquellos penosos imbéciles blancos lo cantaban.

Si todos hubiesen sido así, probablemente hubiera acabado fertilizando el terreno de algún granjero en Francia o Bélgica, junto con muchos otros miembros de mi unidad. Por suerte para nosotros, teníamos unos cuantos buenos oficiales blancos. La mayor parte de los licenciados en West Point eran hombres justos y decentes, y nuestro oficial al mando siempre nos trató con respeto.

—Dicen que no sois tan limpios como otras personas —nos dijo—. Hay una forma muy sencilla de rebatir eso. Aseguraos de ir más limpios que cualquiera que hayáis visto en vuestra vida, sobre todo más que todos esos blancos hijos de puta de ahí fuera. Haced que vuestros uniformes parezcan mejor cuidados. Haced que vuestras botas brillen más.

Y eso fue exactamente lo que hicimos. Nos propusimos convertir al 761 en el mejor batallón de carros de todo el Ejército.

Nos entrenamos duro, primero en Camp Claiborne, después en Camp Hood. Correspondían cinco hombres por carro, cada uno con su propia tarea, aunque todos aprendimos a desarrollar la labor de los demás. Yo era el conductor, me sentí dotado para ello desde el primer día. Es curioso ver cuántos de nosotros, granjeros, terminamos en el asiento del conductor. Claro que si uno es capaz de hacer que una mula vaya por donde uno quiere, bien puede conducir un carro Sherman.

Pasamos mucho tiempo en el campo de tiro disparando con todo tipo de armamento… Armas de calibre 45, ametralladoras, cañones. Fuimos de maniobras al Parque Nacional del bosque de Kisatchie e hicimos simulación de combate con fuego real. Sabíamos que estaban evaluando nuestro valor, y aprobamos con todos los honores. Demonios, la mayoría de nosotros temíamos más a la mordedura de una serpiente que a recibir un balazo. Algunos de los mocasines de agua que viven por allí abajo miden diez pies de largo, y eso no es ninguna mentira.

En julio de 1942 recibimos a nuestros primeros tenientes negros. Sólo eran tres, pero desde entonces caminamos con la cabeza algo más erguida, al menos en la base. Fuera de la base, en las poblaciones donde disfrutábamos nuestros permisos, andábamos con mucho cuidado. En Killeen habían colgado un anuncio en nuestro honor al final de la calle Main: LOS NEGRACOS TIENEN QUE ABANDONAR LA CIUDAD A LAS 9 P.M. La pintura era de color rojo sangre, por si acaso no entendíamos el mensaje. Killeen carecía de zonas para gente de color; sólo media docena de aquellas pequeñas poblaciones las tenían. La de Alexandria, cerca de Camp Claiborne, era típica... Nada aparte de una desvencijada sala de cine y dos viejos garitos. No había un lugar donde comprar o sentarse a comer. El resto de la ciudad nos estaba vedado. Si la policía militar, o la local, te sorprendía en la zona blanca de la población, te daba una paliza de muerte.

Nuestros uniformes no les importaban una mierda a los ciudadanos blancos del lugar. No es que yo esperase otra cosa, pero nuestros amiguetes del Norte y del Oeste estaban estupefactos por el modo en que nos trataban. Leer sobre las leyes de Jim Crow en el periódico es algo muy diferente a tener a un autobusero civil agitando una pistola delante de tu cara y diciéndote que saques tu negro pellejo del autobús para cederle el sitio a un gordo labriego blanco. No podían entenderlo y no importaba cuántas veces intentásemos explicárselo. Tenéis que aceptarlo para llevarlo bien, les decíamos, tenéis que mostraros humildes y cerrar el pico cuando estéis entre los blancos; pero muchos de ellos, simplemente, no podían hacerlo. Como aquel soldado yanqui en Fort Knox, donde la mayoría de los muchachos del batallón recibieron la instrucción básica. El tipo se metió en una discusión con un tendero blanco, que no pensaba venderle un paquete de cigarrillos, y acabó atado con un cordel a la defensa de un coche y arrastrado arriba y abajo por toda la calle. Ese fue solo un asesinato entre los muchos de los que oímos hablar.

Cuanto más tiempo pasaba con chicos de otras partes del país, más me cabreaba. Allí estábamos, a punto de arriesgar nuestras vidas por gente que nos odiaba tanto como a los boches o a los japos, quizá más aún. El Ejército no hizo nada para protegernos de los lugareños. Cuando la policía local le daba una zurra a un soldado de color, el Ejército miraba para otro lado. Cuando aparecían cuerpos de soldados negros al otro lado del campamento, la policía militar ni siquiera intentaba averiguar quién lo había hecho. No hacía falta ser un genio para entender el porqué. Las palizas, la comida repugnante y todo eso, los pésimos oficiales... Todo tenía un único objetivo. El Ejército quería que fracasáramos.

Nos entrenamos durante dos largos años. En el verano de 1944 ya habíamos abandonado la esperanza de que ni siquiera nos dejasen combatir. Según el *Courier*, éramos cien mil los que servíamos en ultramar, aunque sólo había una unidad de combate compuesta por gente de color. El resto pelaba patatas, cavaba trincheras y limpiaba letrinas.

Pero entonces, al llegar agosto, corrió la noticia de que el general Patton había mandado ir por nosotros. Nos había visto de maniobras en Kisatchie y quería que combatiésemos en la vanguardia de su Tercer Ejército. ¡Qué orgullosos estábamos, maldita sea! Ahí se presentaba nuestra oportunidad de enseñarle al mundo algo que jamás había visto. A la mierda con Dios y la nación, pelearíamos por nuestra gente y el respeto que nos debíamos a nosotros mismos.

Partimos de Camp Hood a finales de agosto. Nunca me había alegrado tanto de abandonar un lugar. De aquel sitio odioso solo echaría de menos a Mallie Simpson, una maestra de escuela a la que hice compañía en Killeen. Mallie era bastante mayor que yo. Bien podría tener treinta años, aunque nunca se lo pregunté, ni me importó. Era una chica diminuta con una risa franca y contagiosa. Sabía cosas de las que las muchachas de mi tierra no tenían la menor idea; cosas relacionadas con lo que papá llama «actividad natural». Algunos fines de semana apenas salíamos de su cama, a no ser para ir a la licorería. Mallie era aficionada a la ginebra. La bebía sola, tragando de golpe un chupito tras otro. Solía decir que un vaso medio lleno de ginebra era una invitación al mal. A mí me parecía que bastante mal había ya en vaciarlos por completo, pero no iba a quejarme. Me despedí de ella con auténtica tristeza. Suponía que iba a pasar mucho tiempo antes de que volviese a estar con una mujer... Según había oído, en Europa no había más que gente blanca.

Pero supuse mal. Sí que estaba llena de gente blanca, aunque no era como la de casa. No había odio en ellos. En Inglaterra, donde pasamos el primer mes, algunas personas no habían visto nunca a un hombre negro y mostraban más curiosidad que otra cosa. Una vez que averiguaron que éramos personas como las demás, así nos trataron. Las chicas también. La primera vez que una muchacha blanca me pidió bailar casi caigo de culo.

—Vamos —susurró mi amiguete Jimmy; él era de Los Ángeles.

—Jimmy —le dije—, tienes que estar como una regadera.

—Si no vas tú, voy yo —dijo; así que fui y bailé con ella. No puedo decir que lo disfrutase mucho, al menos no esa primera vez. Sudé tanto que bien podría haber estado recogiendo algodón. Apenas la miré, pues estaba demasiado ocupado vigilando a los tipos blancos presentes en la sala. Mientras tanto, mi mano descansaba sobre su cintura y su mano envolvía mi sudoroso cuello. Mantuve los brazos tan rígidos como pude, pero la pista de baile estaba abarrotada y su cuerpo no hacía más que chocar contra el mío.

—¿Qué pasa? —me preguntó un rato después—. ¿No te gusto?

Su mirada expresaba un absoluto desconcierto. Entonces fue cuando lo comprendí: no le importaba el color de mi piel. Para ella yo solo era un hombre comportándose como un imbécil. La estreché contra mí.

—Por supuesto que me gustas —le dije—. Para mí eres la chica más bonita que he visto en mi vida.

No estuvimos mucho tiempo en el país, pero siempre estaré agradecido al pueblo inglés por su buen recibimiento. Fue la primera vez que me vi primero como un hombre y después como un negro.

Por fin, en octubre, nos destacaron donde se libraba el combate, en Francia. Cruzamos el canal de la Mancha y desembarcamos en la playa de Omaha. No podíamos creer el desbarajuste que vimos allí. Barcos hundidos, carros de combate destrozados, vehículos todoterreno, planeadores y camiones destruidos. No había cadáveres esparcidos en la arena, aunque en nuestra mente podíamos verlos con facilidad. Hasta entonces habíamos considerado a nuestro país, y a nosotros mismos, como invencibles. En aquella playa hubimos de enfrentarnos al hecho de que no lo éramos, y la impresión nos golpeó de lleno.

Normandía se quedó en nuestro recuerdo durante el viaje de cuatrocientas millas en dirección este, hasta el frente. Tardamos seis días en llegar a esa pequeña ciudad llamada Saint-Nicholas-de-Port. Podíamos oír la batalla librándose a pocos kilómetros de distancia, pero no nos enviaron. Esperamos tres días más, nerviosos como gatos. Entonces, una tarde recibimos la orden de preparar nuestras armas. Un puñado de policías militares en vehículos todoterreno con ametralladoras montadas se presentó dejando los coches aparcados alrededor de nuestros carros. Después llegó un único todoterreno haciendo chirriar las ruedas. Un general de tres estrellas saltó del vehículo y se subió a la capota de un semioruga. Al ver las pistolas con empuñaduras de marfil supe que estaba mirando al viejo Sangre y Agallas en persona.

—Hombres —dijo—, sois los primeros tanquistas negros que jamás hayan combatido en el ejército estadounidense. Nunca os hubiese solicitado bajo mi mando si no fueseis los mejores. En mi ejército solo tengo lo mejor. Y me importa una mierda de qué color seáis mientras avancéis y matéis a esos boches hijoputas.

Me impresionó oír su voz, pues era tan aguda como la de una mujer. Supongo que por eso renegaba tanto, porque no quería que nadie lo tomase por un mariquita.

—Todos tienen sus ojos puestos en vosotros, y de vosotros se esperan grandes cosas —continuó—. Sobre todo, vuestra raza cuenta con vosotros. No la decepcionéis y no me decepcionéis, ¡maldita sea! Dicen que morir por tu país es un acto patriótico. Pues bien, vamos a ver cuántos patriotas podemos sacar de esos alemanes hijos de puta.

Por supuesto, todos habíamos oído chismes acerca de Patton. De cómo golpeó a un soldado enfermo en un hospital de Italia, después de sacarlo de la cama a rastras. De cómo estaba como una cabra y odiaba a la gente de color. No me importa lo que pueda decir cualquiera, aquel hombre fue un auténtico soldado y nos llevó con él cuando nadie más creía que valiésemos una mierda. Hubiera ido y vuelto del Infierno por él, y creo que todos los Panteras pensábamos igual. Así es como nos llamábamos a nosotros mismos: los Panteras Negras, el 761 batallón blindado. Nuestro lema era: «Vamos a pelear». Aquél día en Saint-Nicholas-de-Port sólo eran palabras escritas en nuestro estandarte, pero estábamos a punto de averiguar qué significaban.

La tripulación de un carro es como una pequeña familia. Con los cinco ahí metidos un día tras otro, no nos quedaba otra opción sino intimar. Un tiempo después nos movíamos como los cinco dedos de una mano. Uno de los muchachos decía *haced tal cosa* y estaba hecha casi antes de que acabase de pronunciar las palabras.

No nos bañábamos, no había tiempo, y además, hacía un frío de espanto; te aseguro que el hedor dentro de aquel carro podía llegar a ser de verdad desagradable. Una vez nos encontrábamos en medio de la batalla cuando le entró diarrea a nuestro artillero, un tipo de Oklahoma, grande y difícil, llamado Warren Weeks. Y ahí mismo se colocó en cuclillas sobre su casco puesto boca arriba, gruñendo y disparando contra los Panzer alemanes. El aire era tan hediondo que casi dejo allí mi desayuno.

—¡Joder, Weeks! —berreó el sargento Cleve—. Había que cargarte a ti y dispararte a los boches, se rendirían pero a la voz de ya.

Reventamos de risa. Al día siguiente un proyectil perforante arrancó la cabeza de Weeks. Su sangre y sesos cayeron sobre mí, los muchachos y las paredes blancas del interior. Nunca llegué a comprender por qué el Ejército decidió poner paredes blancas. Aquel día estaban rojas, y sin embargo, continuamos combatiendo llevando encima trozos de Warren hasta que se puso el sol y cesó el fuego. No recuerdo qué batalla fue; era en algún lugar de Bélgica… quizá Bastogne, o Tillet. Llegó un punto en que no sabía qué hora era o en qué día de la semana estaba. Solo había combate continuo, estampidos de rifles, el *ratatá* de las ametralladoras, los disparos de bazuca, obuses y minas estallando y hombres chillando y gimiendo y muriendo. Y siendo consciente cada día de que tú podrías ser el próximo, de que podría ser tu sangre la esparcida sobre tus camaradas.

A veces el fuego de artillería era tan feroz que los muchachos de infantería nos rogaban que les dejásemos entrar en el carro. Y a veces, dependiendo de la situación, lo permitíamos. En cierta ocasión paramos en una cuesta y vimos a aquel soldado blanco sin casco corriendo hacia nosotros. No hay nada peor para un soldado de infantería que perder el casco en batalla.

—Eh, colegas, ¿hay sitio para uno más? —gritó.

—¿De dónde eres, muchacho? —respondió el sargento Cleve a voz en cuello.

—¡Baton Rouge, Luisiana!

Todos comenzamos a abuchearlo y a reírnos. Sabíamos qué significaba ser de allí.

—Lo siento, blancucho —dijo el sargento—, hoy vamos hasta los topes.

—Tengo algo de matarratas que le birlé a un boche muerto —dijo el soldado. Sacó un frasco plateado de su chaqueta y lo sostuvo en alto—. Os aseguro que esta mierda podría disolver la pintura de un granero. Os lo podéis quedar si me dejáis entrar.

El sargento enarcó una ceja y nos miró uno a uno.

—Yo soy baptista —dije.

—Y yo —apostilló Sam.

—¿Quieres que ardamos en el infierno, muchacho? —vociferó Cleve.

—¡Por supuesto que no, señor!

—Porque sabes que beber es pecado.

Todos teníamos razones suficientes para odiar a los blancuchos, pero el sargento los odiaba más que todos nosotros juntos. Se decía que su hermana fue violada por una caterva de muchachos blancos en Tuscaloosa, que de allí era.

—¡Por favor! —rogó el soldado—. Venga, ¡dejadme entrar!

—¡Piérdete, blancucho!

Recuerdo que ese soldado murió aquel día. Recuerdo que debería haberme sentido mal, aunque no fue así. Estaba tan quemado que era difícil sentir algo.

No contaba nada de eso cuando escribía a casa. Aunque los censores lo hubiesen permitido, no quería preocupar ni a mamá ni a papá. En su lugar les describía cómo era la nieve y qué bien nos trataban los lugareños (omitiendo ciertos detalles acerca de las chicas francesas). Les hablaba de la extraña comida que tenían y del brillante vestido que Lena Horne llevó cuando vino a cantarnos en el evento de USO[3]. Papá me contestaba con noticias de casa: los mosquitos fueron atroces ese año; Ruel y Marlon habían crecido un buen par de pulgadas; Lilly May cantó un solo en la iglesia; la mula ha vuelto a comer arrancamoños.

Misisipi me parecía un lugar muy pero que muy lejano.

LAURA

El día 7 de diciembre de 1941 lo cambió todo para todos nosotros. Pocos días después del ataque a Pearl Harbor, Jamie y mis dos hermanos se alistaron. Teddy ingresó en el Cuerpo de Ingenieros, Pierce se enroló en la Infantería de Marina y Jamie firmó su alistamiento para entrenarse como piloto en la Aviación. Quería ser piloto de caza, pero el Ejército tenía otros planes para él. Hicieron de él un piloto de bombardero enseñándole a volar en el gigantesco B-24, los llamados Libertadores. Se entrenó durante dos años antes de ir a Inglaterra. Para entonces mis hermanos ya estaban en ultramar, Teddy en Francia y Pearce en el Pacífico.

Yo me quedé en Memphis preocupándome por ellos mientras Henry viajaba por todo el Sur construyendo bases y aeródromos para el Ejército. Se mantuvo como civil, pues al ser

3 *United Service Organizations*. Una organización sin ánimo de lucro dedicada a la celebración de actos para ayudar a mantener la moral alta entre los soldados estadounidenses desplegados en cualquier parte del mundo. Durante la Segunda Guerra Mundial llegó a conocerse como «el hogar fuera del hogar». *(N. del T.)*

veterano herido en la Gran Guerra estaba exento de alistarse, algo por lo que yo estaba muy agradecida. No me importaron sus ausencias una vez me hube acostumbrado a ellas. Pronto me di cuenta de que me hacían más interesante para él cuando estaba en casa. Además, disfrutaba de la compañía de Amanda Leigh y, en febrero de 1943, de Isabelle. Las niñas eran todo lo diferentes que se podía ser. Amanda salió a Henry: tranquila, seria, comedida. Isabelle fue algo completamente distinto. Desde el día que nació quiso que la cogiese en brazos todo el tiempo y comenzaba a llorar apenas la posaba en la cuna. Su carácter exigente exasperaba a Henry, pero a mí me lo compensaba su dulzura.

Yo estaba encantada con ellas y con la belleza de una vida normal, que continuaba a pesar de la guerra y aún parecía más preciosa a causa de ella. Cuando no estaba cambiando pañales o escardando mi jardín de la victoria[4], me dedicaba a enrollar vendas para la Cruz Roja. Mis hermanas, primas y yo organizamos campañas destinadas a recoger trozos de metal y medias de seda o nailon que el Ejército transformaría en bolsas de almacenamiento. Fue una época triste y llena de temor, aunque también emocionante. Por primera vez en nuestras vidas teníamos un propósito mayor que nosotros mismos.

Nuestra familia fue más afortunada que muchas. Perdí dos primos y un tío, pero mis hermanos sobrevivieron. Pearce fue herido en el muslo y enviado a casa antes de que los combates en el Pacífico se convirtiesen en una auténtica salvajada, y Teddy regresó sano y salvo en el otoño de 1945. Jamie perdió un dedo por congelación, pero por lo demás, resultó ileso. No regresó a casa después de que lo licenciasen, sino que se quedó en Europa... Para viajar, dijo, y ver los lugares desde el suelo, para variar. Eso desconcertó a Henry, que estaba convencido de que su hermano tenía algún problema; algo que no nos decía. Las cartas de Jamie eran animadas y despreocupadas, llenas de ingeniosas descripciones de los lugares que había visto y la gente que había conocido. Henry pensaba que mostraban un estilo

4 Jardines pertenecientes a residencias privadas que durante ambas guerras mundiales fueron cultivados con plantas alimenticias para contribuir al esfuerzo bélico en Gran Bretaña, Estados Unidos y Canadá. *(N. del T.)*

poco natural, aunque a mí no me lo parecía. Consideraba muy normal que Jamie quisiera gozar de su libertad después de que durante cuatro años le hubiesen dicho adónde ir y qué hacer.

Aquellos meses tras la guerra fueron un tiempo de júbilo para nosotros y para todo el país. Habíamos trabajado codo con codo y triunfado. Nuestros hombres estaban en casa y volvíamos a disponer de azúcar, café y gasolina. Henry pasaba más tiempo en Memphis y yo esperaba quedar embarazada. Tenía treinta y siete años; quería darle un hijo varón mientras pudiese hacerlo.

Nunca vi venir el hachazo. El golpe llegó aquella Navidad. Pasamos la Nochebuena como solíamos, en Memphis, con mi familia, y por la mañana fuimos en coche hasta Greenville. Eboline y su esposo Virgil celebraban una gran cena familiar todos los años en su bonita casa de la calle Washington. ¡Cómo odiaba esos viajes! Eboline nunca dejaba de hacerme sentir como una persona aburrida y anticuada, y sus hijos tampoco dejaban de hacer llorar a los míos. Aquel año sería peor que de costumbre, pues Thalia y su familia bajaban desde Virginia. Las dos hermanas juntas eran para mí como Regan y Goneril para mi desafortunada Cordelia.

Al llegar a casa de Eboline, el padre de Henry nos recibió en el coche. Papaíto había estado viviendo con Eboline desde que madre McAllan muriese en el otoño de 1943. Echamos una mirada a su rostro ceñudo y supimos que algo andaba mal.

—Bueno —le dijo a Henry a modo de saludo—, ese engreído de esposo que tiene tu hermana se ha suicidado.

—Dios santo —murmuró Henry—. ¿Cuándo?

—Anoche, después de que fuésemos a la cama. Eboline encontró el cuerpo hace un rato.

—¿Dónde?

—En el ático. Se colgó —anunció Papaíto—. Feliz Navidad.

—¿Dejó alguna nota diciendo el porqué? —pregunté.

Papaíto sacó una hoja de papel del bolsillo y me la tendió. La tinta estaba corrida por las lágrimas caídas sobre ella. Iba dirigida a «Mi querida esposa». Con mano temblorosa, Virgil le confesaba a Eboline que había perdido el grueso de sus ahorros en una estafa relacionada con una mina de plata en Bolivia y un caballo llamado el Bravado de Barclay. Decía que ponía fin a su vida porque no podía soportar la idea de tener que decírselo. (Tiempo después, cuando llegué a conocer mejor a mi suegro, me pregunté si lo que de verdad Virgil no pudo soportar sería la idea de pasar una sola noche más bajo el mismo techo que Papaíto.)

Eboline no se levantó de la cama ni para tranquilizar a sus hijos. La tarea recayó en mí, junto con la preparación de la mayor parte de la comida para una casa llena de gente; Henry había mantenido allí a la criada, pero tuvo que despedir al jardinero y al cocinero. Hice lo que pude. A pesar de mi antipatía por Eboline, no podía evitar sentir una pena tremenda por ella.

Después del funeral cogí el coche y regresé con las niñas a Memphis mientras Henry se quedaba con su hermana para ayudarle a arreglar sus asuntos. Sólo serán unos días, me dijo. Sin embargo, unos días se convirtieron en una semana, y después en dos. La situación era complicada, me dijo por teléfono. Necesitaba más tiempo para arreglar las cosas.

Tomó el tren de vuelta a casa a mediados de enero. Estaba contento, casi eufórico, y aquella noche mostró una insólita pasión en la cama. Después entrelazó sus dedos con los míos y se aclaró la garganta.

—Por cierto, cariño... —dijo.

Me preparé. Esa frase en concreto, puesta en la boca de Henry, podría terminar de cualquier manera y nunca sabía cómo: *Por cierto, cariño, se nos ha acabado la mostaza, ¿podrías ir a la tienda a comprar un poco? Por cierto, cariño, esta mañana tuve un accidente de tráfico.*

O, en este caso:

—Por cierto, cariño, he comprado una granja en Misisipi. Nos mudamos dentro de dos semanas.

La granja, continuó diciéndome, estaba situada a cuarenta millas de Greenville, cerca de una pequeña población llamada Marietta, de la que nunca había oído hablar. Viviríamos en el pueblo, en una casa que había alquilado para nosotros, y él iría en coche cada día a trabajar en la hacienda.

—¿Es por Eboline? —pregunté cuando pude hablar con calma.

—En parte —respondió, apretándome la mano—. La situación que dejó Virgil es desastrosa. Tardaré meses en solucionarla y tendré que estar cerca —debí de lanzarle una mirada dubitativa—. Ahora Eboline y los chicos están solos —continuó, alzando un poco la voz—. Tengo la obligación de ayudarles.

—¿Qué pasa con tu padre? —pregunté. Quería decir, ¿él no puede ayudarles?

—En este momento no se puede esperar que Eboline cuide de él. Papaíto tendrá que venir a vivir con nosotros. —Henry hizo una pausa, y después añadió—: Vendrá en la camioneta la semana que viene.

—¿Qué camioneta?

—La que he comprado para usar en la granja. La necesitaremos para llevar los muebles. No podremos cargarlos todos de una vez, pero podré hacer un segundo viaje una vez nos hayamos instalado.

Instalado. En el Misisipi rural. En un plazo de dos semanas.

—También he comprado un tractor —añadió—. Un John Deere modelo B. Es una máquina de la leche... No vas a creer lo rápido que puede arar un terreno. Podré cultivar una finca de ciento veinte acres[5] yo solo. ¡Imagínate!

Como no decía nada, Henry se apoyó sobre un codo y me observó desde arriba.

—Estás muy callada —dijo.

—Estoy muy sorprendida.

Me miró con el ceño fruncido por la perplejidad.

—Pero sabías que siempre tuve la intención de tener una granja, algún día.

—No, Henry, no tenía ni idea.

—Estoy seguro de haberlo mencionado.

—No. Nunca.

—Bueno, pues te lo digo ahora.

Y así mi vida dio un vuelco. Henry no me preguntó qué me parecía abandonar el sitio que fuese mi hogar durante treinta y siete años y mudarme a un pueblo lleno de paletos, en medio

5 Medida inglesa de superficie equivalente a cuarenta áreas y cuarenta y siete centiáreas. *(N. del T.)*

de Misisipi y llevando a cuestas al cascarrabias de su padre, y yo no se lo dije. Ese era su territorio, como los hijos, la cocina y la iglesia era el mío, y ambos teníamos cuidado de no invadir el terreno del otro. Lo hacíamos con discreción y cuando era absolutamente necesario, y siempre en las fronteras más remotas.

Madre lloró cuando le dije que nos íbamos, aunque no el torrente de lágrimas que esperaba. Más bien fue un ligero chaparrón estival, que terminó pronto para continuar con una serie de amonestaciones para animarse y ver el lado positivo. Papá se limitó a suspirar.

—Bien —dijo—, supongo que te hemos tenido con nosotros más tiempo del que cabía esperar.

Eso es lo que pasa con las hijas, parecían decir sus expresiones. Uno las cría, y si tenía suerte ellas encontraban maridos que después podrían llevárselas a cualquier parte; y no sólo se esperaba, sino que se aceptaba con alegría.

Intenté alegrarme, pero era difícil. Cada día me despedía de una persona o un objeto querido. El balancín en la galería de la casa de mis padres, donde Billy Escue me dio mi primer beso de verdad la noche de mi decimoséptimo cumpleaños. Mi casita en la calle Evergreen, con sus cortinas de encaje y empapelada con papel floreado. Los rugidos de los leones del zoo cerca de casa, que tanto me intranquilizaron cuando me mude y que entonces me proporcionaban una amable interrupción en el día a día. La luz de mi iglesia, que caía con rayos de colores brillantes sobre las caras alzadas de los feligreses.

Apenas podía soportar mirar los rostros de mi propia familia. Mi madre, mis hermanas con sus altas frentes de los Fairbairn y sus ojos azules llenos de sorpresa. Mi padre con su ancha y amable sonrisa y con su nariz, tan inclinada que no podía sujetarle las gafas de modo adecuado.

—Será una aventura —dijo papá.

—Tampoco está tan lejos —señaló Etta.

—Tiene que haber gente simpática por allí —dijo madre.

—Sí, tenéis razón —les contesté.

Pero no me creía una palabra. Marietta era un pueblo del Delta; su población (un total de cuatrocientas doce almas, como averiguaría después) estaría compuesta en su mayoría por granjeros, esposas de granjeros e hijos de granjeros, siendo probablemente la mitad de ellos negritos y todos baptistas, sin duda. Estaríamos a kilómetros de cualquier punto civilizado, entre catetos que cada domingo beben mosto en la iglesia y no hablan de otra cosa sino del tiempo y las cosechas.

Y si todo eso no fuese desgracia suficiente, Papaíto viviría con nosotros. No había pasado mucho tiempo en compañía de mi suegro, bendición que no sabría apreciar hasta aquella última semana en Memphis, cuando estuve obligada a pasar todo el día de cada día a solas con él mientras Henry estaba en el trabajo. Papaíto era un hombre avinagrado, mandón y vanidoso. Sus pantalones tenían que estar bien planchados, sus pañuelos doblados de un modo concreto y sus camisas almidonadas. Las cambiaba dos veces al día, siempre manchadas de comida derramada. Sólo se esforzó para liar cigarrillos e indicarme cómo embalar las cosas. Saqué unos cuanto libros que pensé podrían gustarle, con la esperanza de distraerlo, pero los rechazó con un gesto desdeñoso. Leer suponía una pérdida de tiempo, dijo, y la educación era cosa de mojigatos y mariquitas. Me preguntaba cómo había sido capaz de engendrar dos hijos como Henry y Jamie. Esperaba que pasase los días con Henry, en la granja, en cuanto nos instalásemos en Marietta y nos dejase la casa a las niñas y a mí.

La casa era el único punto brillante de aquel sombrío escenario. Henry se la había alquilado a una pareja que perdió a su hijo en la guerra y se mudaba al Oeste. La describió como una casa anterior a la guerra de Secesión, de dos pisos, cuatro habitaciones, rodeada por una galería y con una higuera, para mí el rasgo más atrayente. Siempre me habían encantado los higos. Mientras envolvía platos en papel de periódico y embalaba lámparas, libros y trapos, pasaba ratos no del todo desagradables imaginándome saliendo por la puerta trasera, arrancando un fruto maduro del árbol y comiéndolo sin limpiar, como un niño glotón. Me imaginaba las empanadas y la carne picada que haría, las reservas que aprovisionaría para el invierno. No le dije nada de esto a Henry; no tenía la más mínima intención de darle esa satisfacción. Pero cada noche a la hora de la cena aparecía con algún detalle agradable acerca de la casa que había olvidado mencionar con anterioridad. ¿Me había dicho que contaba con un moderno horno eléctrico? ¿Sabía que estaba a sólo tres manzanas de la escuela elemental donde Amanda Leigh iba a empezar el primer curso el año siguiente?

—Está muy bien, Henry —respondía sin hacer más comentarios.

El día de nuestra marcha nos levantamos al amanecer. Teddy y Pearce vinieron para ayudar a Henry a cargar la camioneta con los muebles, incluida nuestra más preciada posesión… Un piano vertical Steiff de 1859 con tapa de palisandro tallada al estilo de Eastlake. Había pertenecido a mi abuela, quien me enseñó a tocar. Por mi parte, acababa de empezar a darle lecciones a Amanda Leigh.

Papá llegó mientras echaba un último vistazo por la casa. Me sorprendió verlo; nos habíamos despedido la noche anterior. Traía galletas de Madre y una vasija de barro llena de su mantequilla de manzana. Los ocho comimos las galletas calientes en una sala de estar casi vacía, tiritando de frío y chupándonos los dedos entre un bocado y otro. Al terminar, mi padre y hermanos nos acompañaron hasta el coche. Papá estrechó la mano de Papaíto, después la de Henry y luego abrazó a las niñas. Al final se volvió hacia mí.

En voz baja, hablando sólo para que yo lo oyese, me dijo:

—Cuando tenías un año y enfermaste de rubeola, el médico nos dijo que probablemente morirías de ella. Dijo que no creía que vivieses otras cuarenta y ocho horas. Tu madre se puso frenética, pero yo le dije que el médico no sabía lo que decía. Nuestra Laura es una luchadora, le dije, y va a ponerse bien. No lo he dudo un instante, nunca, ni antes ni ahora. Guárdalo contigo y recuérdalo cada vez que lo necesites, ¿me oyes?

Asentí tragándome el nudo en mi garganta y lo abracé. Después abracé a mis hermanos por última vez.

—Bueno —dijo Henry—, se está pasando el día.

—Cuida bien a mis tres niñas —le indicó mi padre.

—Así lo haré. También son mías.

Las niñas y yo cantábamos al abandonar Memphis. Iban sentadas a mi lado, en el asiento delantero del DeSoto. Henry, Papaíto y todas nuestras pertenencias iban en la furgoneta delante de nosotros. El río Misisipi se extendía a nuestra derecha como una vasta e indiferente presencia.

Cantamos *You've got to ac-cent-tchu-ate the positive*, pero la letra me sonaba tan tonta y vacía como me sentía.

Era cerca del ocaso cuando torcimos para entrar en Tupelo Lane. Sabía que ese era el nombre de nuestra calle, y sentí una pequeño oleada de entusiasmo cada vez que Henry redujo la velocidad. Por fin frenó, detuvo la camioneta y vi la casa: un lugar antiguo y encantador muy parecido al descrito, aunque con muchos detalles agradables que olvidó mencionar... probablemente porque, tratándose de Henry, ni siquiera había reparado en su existencia. El jardín frontal tenía un enorme pacán y una planta de glicina cubría por completo un lado de la casa como un nudoso manto verde. En primavera, cuando floreciese, su perfume nos acompañaría cada noche al ir a dormir, y en verano el césped estaría punteado con sus pétalos de color púrpura. Había una ventana en saliente a cada lado de la puerta y macizos arbustos de azalea bajo ellas.

—No me dijiste que teníamos azaleas, Henry —le reprendí una vez tuve a las niñas abrigadas y fuera del coche.

—Pues así es —replicó con una sonrisa. Podía sentir lo encantado que estaba consigo mismo. No hice que se sintiese mal. Aquella casa era de verdad encantadora.

Amanda Leigh estornudó. Se apoyaba con todo su peso contra mi pierna y su hermana iba adormilada en mis brazos. Ambas se habían resfriado.

—Las niñas ya no pueden más —dije—. Vamos a llevarlas a casa.

—La llave debería estar bajo el felpudo —anunció.

Al empezar a acercarnos, se encendió la luz de la galería y se abrió la puerta. Un hombre salió al porche. Era grande, con los hombros redondeados de un oso. Una mujer baja salió tras él, mirando tras su hombro.

—¿Quiénes son ustedes? —su tono no era amistoso.

—Somos los McAllan —replicó Henry—. Los nuevos inquilinos de la casa. ¿Quiénes son ustedes?

El hombre afianzó su postura cruzando los brazos sobre el pecho.

—Orris Stokes. El nuevo propietario de esta casa.

—¿El nuevo propietario? Pero si hace unas semanas se la alquilé a George Suddeth.

—Bueno, Suddeth me la vendió la semana pasada. Y no me dijo nada de arrendatarios.

—Si es así —añadió Henry—, parece que tendré que refrescarle la memoria.

—No lo va a encontrar. Abandonó la ciudad hace tres días.

—¡Le hice un depósito de cien dólares!

—Yo no sé nada de eso —dijo Orris Stokes.

—¿Tienes algo por escrito? —preguntó Papaíto a Henry.

—No. Sellamos el acuerdo con un apretón de manos.

El viejo escupió en la acera.

—Jamás sabré cómo un hijo mío puede ser tan tonto.

Observé cómo el rostro de mi esposo reflejaba la toma de conciencia de haber sido estafado, y peor aún, de ser incapaz de remediarlo. Se dirigió a mí.

—Le pagué cien dólares en metálico justo ahí —me contó—, en el salón de esa casa. Después me senté a la mesa para cenar con él y su esposa. Le enseñé fotos tuyas y de las niñas.

—Será mejor que continúen su camino —dijo Orris Stokes—. Aquí no hay nada para ustedes.

—Mamá, tengo que hacer pipí —anunció Amanda Leigh con un alto susurro infantil.

—Ahora cállate —le dije.

Entonces la mujer se movió, apareciendo por detrás de su esposo. Era una cosa menuda, de huesos frágiles, con la piel llena de pecas y unas manos pequeñas e inquietas. No tiene fuerza, pensé hasta ver su barbilla. Aquella barbilla, afilada y prominente como una llana, indicaba otra cosa. Imaginé que Orris había sentido el aguijonazo de su desafío más de una vez.

—Soy Alice Stokes —se presentó—. ¿Por qué no entran y cenan algo antes de marchar?

—Ahora no, Alice —dijo su marido.

Ella no le hizo caso, dirigiéndose a mí como si los tres hombres no estuviesen.

—Tenemos guiso y pan de maíz. No es gran cosa, pero estaremos encantados de compartirlo con ustedes.

—Gracias —acepté antes de que Henry la rechazase—. Le estamos muy agradecidos.

La casa estaba decorada con muebles baratos y merecía algo mejor. Tenía techos altos y habitaciones espaciosas con hermosos detalles de época. No pude sino imaginar mis cosas en el lugar de las de los Stokes: mi piano junto a la ventana en saliente del cuarto de estar, mi confidente victoriano frente al manto tejido a mano en el salón. Al sentarme para cenar en la rústica mesa de pino de Alice, pensé en lo mucho mejor que estarían mis muebles de comedor bajo el ornamentado medallón esculpido en el techo.

Mientras cenábamos supimos que Orris poseía el almacén de piensos de la localidad. Eso animó un poco a Henry. Ambos charlaron un rato de ganado, discutiendo las bondades de diferentes razas porcinas…, materia en la que Henry estaba sorprendentemente bien versado. Después la conversación derivó hacia el trabajo del campo.

—Malditos negros de mierda —dijo Orris—. Se van al Norte dejando a la gente sin medios para cosechar. Debería haber una ley contra eso.

—En mis tiempos no se lo hubiésemos permitido —terció Papaíto—. Y los que hubiesen intentado escabullirse en medio de la noche lo habrían lamentado muy mucho.

Orris asintió dando su aprobación.

—Mi hermano tiene una granja ahí abajo, en Yazoo. ¿Sabía que el octubre pasado el algodón se pudrió en los campos porque no pudo encontrar negracos suficientes para recogerlo? Y los pocos que encontró pedían dos dólares y medio por cada cien libras de cosecha.

—¡Dos cincuenta por cien libras! —Exclamó Henry—. Con esos salarios van a arruinar todas las plantaciones del Delta. Y después, cuando no haya nadie que los contrate y ponga un techo sobre sus cabezas, ¿qué van a hacer?

—Si esperas sentido común en un negraco, vas a tener que esperar sentado —apostilló Papaíto.

—Recuerde lo que le digo —dijo Orris—: este año van a pedir aún más, ahora que el Gobierno ha dejado de controlar los precios.

—Malditos negracos —dijo Papaíto.

Eran las ocho cuando terminamos de cenar, y las niñas daban cabezadas sobre sus cuencos. Cuando Alice nos propuso pernoctar allí, acepté de inmediato; eran dos horas de coche hasta la casa de Eboline, en Greenville, y no pensaba conducir en la oscuridad poniendo a prueba nuestros delgadísimos neumáticos de cuando la guerra en aquellas carreteras llenas de baches. Henry y Orris parecían querer poner alguna objeción, pero ninguno lo hizo. Los tres hombres salieron para cubrir los muebles y protegerlos del rocío mientras Alice fregaba y yo acostaba a las niñas. Después de arroparlas, le ayudé a hacer la cama donde Henry y yo dormiríamos.

—Es una casa grande —comenté—, ¿vivís solo tú y el señor Stokes?

—Sí —dijo con una voz baja y triste—. La difteria se llevó al pequeño Orris durante el otoño de 1942, y nuestra hija Mary murió de una pulmonía el año pasado. Tus niñas duermen en sus camas.

—Lo siento.

Me ocupé con las fundas de las almohadas, sin saber qué decir.

—Estoy embarazada —me confió con timidez poco después—. Todavía no se lo he dicho a Orris. Quería asegurarme de que fuese bien.

—Te deseo un niño fuerte y sano, Alice.

—Y yo. Rezo por ello cada noche.

Entonces me dejó deseándome buen descanso. Fui a la ventana, que daba al patio trasero. Pude ver la higuera prometida, con sus ramas desnudas de hojas pero aún graciosa bajo la luz de la luna. *Si al menos hubieses firmado un contrato*, pensé. *Si tan solo fuese otro tipo de hombre*. Henry nunca supo conocer a las personas. Siempre creyó que todo el mundo era como él, que la gente decía lo que pensaba y sus actos eran consecuentes.

No me volví cuando se abrió la puerta. Se acercó a mi espalda y posó una mano sobre mi hombro. Dudé, después alcé una mía y la acaricié. La piel de su dorso era suave y apergaminada. Sentí una oleada de ternura por él, por sus manos envejecidas y su orgullo herido. Me besó en la coronilla y yo suspiré, reclinándome sobre él. ¿Cómo podría desear que fuese alguien diferente a quien era? ¿Qué fuese duro y suspicaz, como su padre? No podía, y me sentí avergonzada de tener tales pensamientos.

—Encontraremos otra casa —le dije.

Sentí que negaba con la cabeza.

—Esta era la única a la venta en todo el pueblo. Es por los soldados que han vuelto. Se han quedado con todas las casas. Tendremos que vivir en la hacienda.

—¿Y qué pasa con los pueblos de alrededor? —pregunté.

—No tengo tiempo para mirar en más sitios —respondió—. Debo arar los campos. Ya voy con un mes de retraso.

Retrocedió un paso apartándose de mí. Oí el chasquido del cierre de la maleta al abrirse.

—La casa de labranza no es gran cosa, pero sé que la convertirás en un lugar encantador —añadió—. Voy a lavarme los dientes. ¿Por qué no te metes en la cama?

Hubo una breve pausa y después la puerta se abrió y se cerró. Mientras sus pasos se alejaban por el pasillo, miré la higuera y pensé en los frutos que madurarían en ella cuando llegase el verano. Me pregunté si a Alice Stokes le gustaban los higos; si recogería ansiosa la fruta o la dejaría caer de las ramas y pudrirse.

Por la mañana nos despedimos de los Stokes y fuimos a la tienda para comprar algo de comida, queroseno, cubos, velas y otros suministros que necesitaríamos en la granja. Fue entonces cuando supe que la casa no disponía de electricidad ni agua corriente.

—Hay una bomba de agua en el patio frontal —dijo Henry—, y una especie de cocina económica en la cocina.

—¿Una bomba? ¿No tenemos agua corriente?

—No.

—¿Y el cuarto de baño? —pregunté.

—No hay cuarto de baño —contestó con un rastro de impaciencia en la voz—. Sólo un retrete exterior.

Por cierto, cariño.

Una mujer de sólida constitución, vestida con un peto y una camisa masculina de cuadros, habló desde el otro lado del mostrador.

—¿Son los nuevos propietarios de la tierra de Conley?

—Así es —dijo Henry.

—Necesitarán algo de leña para esa cocina. Soy Rose Tricklebank y esta es mi tienda; mía y de mi esposo Bill.

Extendió la mano y se la estrechamos por turno. Tenía un agarre fuerte y la palma era callosa; vi cómo se abrieron los ojos de Henry cuando ella le dio la mano. Además de sus modales masculinos, no había en Rose Tricklebank nada del cuello para arriba que recordase lo más mínimo a la flor cuyo nombre llevaba. Tenía una boca como el arco de Cupido y un rostro redondo enmarcado en una pelambrera rizada de color caoba. El cigarrillo encajado encima de una oreja estropeaba su imagen, aunque solo un poco.

—También deberían llevarse ahora mismo una buena cantidad de provisiones —dijo—. Esta noche habrá tormenta y puede que llueva durante toda la semana.

—¿Y eso es un problema? —preguntó Papaíto.

—Cuando llueve y hay crecida, las tierras de Conley pueden quedar aisladas durante días.

—Ahora son las tierras de McAllan —terció Henry.

Después de haber pagado, Rose cogió una de nuestras cajas y la llevó hasta el coche a pesar de las protestas de Henry. Sacó dos tiras de regaliz y se las dio a Amanda Leigh e Isabelle.

—Tengo dos niñas, y mi Ruth Ann es más o menos de tu edad —le dijo a Amanda, revolviéndole el cabello—. Hoy Caroline y ella están en la escuela, pero confío en que volváis pronto.

Le prometí que lo haríamos, pensando que estaría bien tener una amiga en el pueblo y algunas compañeras de juego para las niñas.

—Esa mujer cree que es un hombre —murmuró Henry cuando se hubo alejado lo suficiente para que pudiese oírnos.

—Quizá lo sea y su marido no se haya enterado todavía —dijo Papaíto.

Rieron los dos. Eso me irritó.

—Bien, pues a mí me gusta —dije—, y pienso venir a verla en cuanto nos hayamos instalado.

Henry enarcó las cejas. Me pregunté si me prohibiría verla y qué le diría si lo hacía. Pero todo lo que dijo fue:

—Tendrás mucho que hacer en la granja.

La hacienda se encontraba a unos veinte minutos del pueblo, pero parecía más alejada debido a la cantidad de baches y surcos, y también a la monotonía del paisaje. El terreno se mostraba llano y casi sin accidentes, como es inevitable cuando lo trabajan granjeros. Los negritos punteaban los campos labrando la tierra con arados tirados por mulas. Sin el verdor de las cosechas para darle vida, la zona parecía inhóspita como un vasto océano marrón donde hubiésemos quedado a la deriva.

Cruzamos un puente chirriante extendido sobre un riachuelo bordeado de cipreses y sauces. Henry sacó la cabeza por la ventanilla de la furgoneta y me gritó:

—¡Es esto, cariño! ¡Ya estamos en nuestras tierras!

Logré dibujar una sonrisa y saludar con la mano. A mí no me parecía diferente a las demás fincas que habíamos pasado. Campos marrones y chabolas de aparceros sin pintar y con patios de tierra. Mujeres de edad indefinida entre los treinta y los sesenta años colgaban la colada en tendederos combados mientras bandadas de niños descalzos y con los pies sucios miraban sin energía desde el porche. Un rato después llegamos a una chabola más grande que las demás, aunque no menos decrépita. La camioneta se detuvo frente a ella, y Henry y su padre bajaron.

—¿Por qué paramos? —grité.

—Hemos llegado —contestó Henry.

Allí había una casa grande y destartalada, con un tejado de cinc alabeado y ventanas con los postigos cerrados que carecían de cristales o mamparas. Aquí estaba la galería extendida a lo largo de la casa conectándola con un pequeño cobertizo. Aquí estaba el patio de tierra con una bomba de agua en medio, a la sombra de un enorme roble que, de alguna manera, había logrado escapar a la rasadura perpetrada por los braceros originales. Aquí estaban el establo, el prado, el almacén para el algodón, el granero para el maíz, la porqueriza, el gallinero y el retrete exterior.

Aquí estaba nuestro nuevo hogar.

Amanda Leigh e Isabelle salieron como pudieron del coche y echaron a correr por el patio, encantadas con todo lo que veían. Las seguí, hundiéndome en el barro hasta los tobillos. Pasarían semanas hasta aprender que en las granjas hay que mirar dónde se pone el pie, porque nunca se sabe qué o a quién vas a pisar: un charco de barro, un montón de excrementos, una serpiente de cascabel.

—Papá, ¿vamos a tener pollos? ¿Y cerdos? ¿Tendremos una vaca? —preguntó Amanda Leigh.

—Por supuesto que sí —dijo Henry—. ¿Y sabéis una cosa? —preguntó señalando hacia la línea de árboles que bordeaban el río—. Apuesto a que ese río está repleto de siluros y cangrejos.

Había una especie de construcción en la orilla, más o menos a una milla de distancia. Incluso desde allí podía ver que era mucho más grande que la casa.

—¿Qué es ese edificio? —le pregunté a Henry.

—Un viejo aserradero, anterior a la guerra de Secesión. Manteneos alejadas de allí, puede derrumbarse en cualquier momento.

—Y no será lo único —apuntó Papaíto, haciendo un gesto hacia la casa—. Ese tejado necesita ser reparado, y los escalones parecen podridos. Y faltan algunos postigos. Mejor cámbialos cuanto antes o vamos a morir congelados.

—Arreglaremos el sitio —afirmó Henry—. Todo irá bien, ya lo verás.

No le hablaba a Papaíto, sino a mí. *Tómatelo lo mejor que puedas*, me apremiaban sus ojos, *no me avergüences ante mi padre y las niñas.* Sentí una punzada de ira. Por supuesto que me lo tomaría lo mejor que pudiese, aunque sólo fuera por las niñas.

Henry descargó la camioneta y metió los muebles en casa con la ayuda de uno de los arrendatarios, un negrito parlanchín y de piel clara llamado Hap Jackson. Comprendí de inmediato que no podríamos traer mucho más de Memphis. La casa solo tenía tres habitaciones: una gran sala principal que reunía cocina y salón y dos dormitorios, cada uno apenas lo bastante grande para contener una cama y un arcón con cajones. No había armarios, solo colgadores clavados en las paredes a intervalos. Como el suelo, las paredes estaban hechas de placas rugosas, con unos huecos entre los tablones por los que el viento y todo tipo de insectos podían entrar sin problemas. Las superficies, todas, estaban cochambrosas. Sentí otra oleada de furor. ¿Cómo había podido Henry traernos a semejante lugar?

No era la única disgustada con los aposentos.

—¿Dónde voy a dormir? —exigió saber Papaíto.

Henry me miró. Me encogí de hombros. Él lo había cocinado, él sabría cómo comerlo.

—Supongo que tendremos que instalarte en el cobertizo —contestó Henry.

—No pienso dormir ahí fuera. No tiene ni suelo.

—No sé dónde más ponerte —repuso Henry—. No hay sitio en la casa.

—Lo habría si te deshicieses de ese piano —señaló Papaíto.

El piano apenas ocupaba una esquina de la sala principal.

—Si te librases de ese piano —continuó Papaíto— podríamos poner una cama ahí.

—Podríamos —convino Henry.

—No —dije—. Necesitamos el piano. Les estoy enseñando a tocar a las niñas. Lo sabes. Además, no quiero una cama en medio de la sala de estar.

—Podríamos poner una cortina alrededor —propuso Papaíto.

—Es verdad —dijo Henry.

Ambos me miraban: Henry con aire desdichado y su padre con una sonrisita de suficiencia. Henry iba a aceptar. Podía verlo en su cara, y Papaíto también.

—Quiero hablar contigo en privado —dije mirando a Henry. Salí a la galería. Él me siguió, cerrando la puerta a su espalda.

—Cuando me dijiste que ibas a traerme aquí, lejos de mi gente y de todo lo que jamás he conocido, no dije una palabra —afirmé en voz baja—. Cuando me informaste de que tu padre iba a venir a vivir con nosotros, lo acepté. Cuando Orris Stokes se plantó allí y dijo que te había desplumado el hombre que te alquiló la casa, mantuve la boca cerrada. Pero voy a decirte una cosa, Henry: no nos vamos a deshacer de ese piano. Es el único objeto civilizado que hay en este lugar, lo quiero para mí y las niñas y lo vamos a conservar. Así que ya puedes volver ahí dentro y decirle a tu padre que dormirá en el cobertizo. O eso, o que dormirá contigo en la cama, porque yo *no* voy a quedarme aquí sin mi piano.

Henry me miraba como si me hubiesen salido cuernos. Le sostuve la mirada, resistiendo el impulso de bajarla.

—Estás agotada —me dijo.

—No. Estoy bien.

¡Mi corazón me dio un vuelco mientras esperaba fuera! Jamás había desafiado a mi esposo tan abiertamente; ni a él ni a nadie, llegado el caso. Podía oír a las niñas riñendo por algo dentro de la casa. Isabelle comenzó a llorar, y yo no aparté mis ojos de los de Henry.

—Será mejor que vayas a ver qué les pasa —indicó Henry.

—¿Y el piano?

—Le pondré suelo al cobertizo. Lo arreglaré para él.

—Gracias, cariño.

Esa noche, en la cama, me poseyó con fuerza, desde atrás, sin los acostumbrados preliminares. Dolió, pero no emití ni un sonido.

HENRY

Cuando tenía seis años, mi abuelo me pidió que fuese al dormitorio donde agonizaba. No me gustaba entrar allí —la habitación apestaba a enfermedad y vejez, y su aspecto esquelético me asustaba— pero me habían criado para ser obediente, así que fui.

—Corre, sal y coge un puñado de tierra. Y tráemelo después —me dijo.

—¿Para qué?

—Hazlo —agitó una mano nudosa—. Vete ya.

—Sí, señor.

Salí y cogí la tierra. Al regresar, me preguntó qué traía en las manos.

—Tierra —respondí.

—Eso es. Dámela.

Ahuecó las manos. Temblaban por su parálisis. Puse la tierra en ellas con cuidado de no derramarla sobre las sábanas.

—¿Qué tengo en las manos? —preguntó.

—Tierra.

—No.

—¿Tierra de la Tierra?

—No, muchacho. Esto que tengo es *terreno.* ¿Sabes por qué? —sus cejas se arquearon con un movimiento súbito. Eran grises, pobladas y enmarañadas como alambres.

Sacudí la cabeza sin comprender.

—Porque es *mío* —dijo—. Un día este terreno será tuyo, tu hacienda. Pero mientras tanto, para ti o cualquier otra persona que no lo posea, será solo tierra. Toma, sácala fuera antes de que tu mamá la encuentre.

La puso de nuevo en mis manos. Al volverme para salir me cogió de la manga, paralizándome con sus ojos legañosos.

—Recuérdalo, muchacho. Puedes tener fe en un montón de cosas, en Dios, el dinero u otras personas, pero tu tierra es en lo único en que puedes confiar que esté ahí el día de mañana. Es la única cosa tuya de verdad.

Una semana después estaba muerto y su tierra pasó a mi madre. Esa tierra fue donde crecí hasta la edad adulta, y aunque a los diecinueve años la dejase para ver qué había más allá de sus lindes, siempre supe que algún día volvería a ella. Lo supe durante las semanas que pasé allende los mares, con la cara hundida en un barro extranjero empapado de sangre de gente que no conocía, y durante los largos meses posteriores, tumbado en hospitales militares mientras mi pierna apestaba, torturándome con su dolor punzante y su picor hasta que al final curó. Lo supe mientras estudiaba en Oxford, donde la tierra no es llana, sino ondulada como las olas del mar. Lo supe cuando fui a trabajar para el Cuerpo de Ingenieros, un empleo que me llevó a muchos lugares desconocidos para mí, y a algunos que me recordaban a casa pero que no lo eran. Incluso cuando llegó la inundación de 1927, arrasando Greenville y destruyendo nuestra casa y la cosecha anual de algodón, nunca se me ocurrió otra cosa sino que mi padre la reconstruiría y volvería a cultivar. Aquel terreno había pertenecido a la familia de mi madre durante casi cien años. Mi tatarabuelo y sus esclavos la habían limpiado arrebatando un acre tras otro a la urdimbre de cañas y maleza que la cubría. Reconstruir y volver a plantar: eso es lo que hacen los granjeros del Delta.

Mi padre no hizo ninguna de las dos cosas. Vendió la granja en febrero de 1928, nueve meses después de la inundación. Por entonces yo vivía en Vicksburg y viajaba mucho por razones laborales. No supe qué había hecho hasta que fue demasiado tarde.

—Ese maldito río acabó conmigo —le gustaba decir a la gente después de que nos mudásemos a la ciudad y comenzase a trabajar en el ferrocarril—. De otro modo, jamás la hubiese vendido.

Eso era mentira, una de las muchas que componían su propia historia. La verdad es que abandonó la tierra de buena gana, pues temía y aborrecía trabajar el campo. Temía al tiempo y a las inundaciones, odiaba las labores, el sudor y pasar esas largas horas solo con sus pensamientos. Incluso de niño pude ver qué pequeño se sentía al mirar al cielo, cómo se quitaba la tierra de las manos al final de la jornada como si fuese estiércol. La inundación solo fue una excusa para vender.

Tardé casi veinte años en ahorrar el dinero suficiente para comprar mi propio terreno. Primero hubo que pasar la Gran Depresión y después la guerra. Tenía esposa y dos hijos a los que cuidar. Aparté lo que pude y esperé.

El día de la victoria sobre Japón[6] ya tenía el dinero. Pensé en trabajar un año más para disponer de un colchón económico y comenzar a buscar una hacienda al verano siguiente. Eso me daría tiempo de sobra para conocer el terreno, comprar semillas y equipo, encontrar arrendatarios y demás antes de que en enero comenzase la temporada de siembra. También me daría tiempo para preparar a mi esposa, pues sabía que sería reacia a abandonar Memphis.

Así es como se suponía que debería ser, fácil y ordenado, y así es como hubiese sido si a esa calamidad de esposo que tenía Eboline no se le hubiera ocurrido ahorcarse aquella Navidad. Nunca confié en mi cuñado, ni en ningún hombre que se sintiese cómodo vistiendo un traje. Virgil era un gran bebedor y hablaba demasiado, esas ya son manchas suficientes en el carácter de cualquiera, pero ¿qué clase de hombre acaba con su vida sin tener en cuenta la vergüenza y penurias que sus actos acarrearán a su familia? Dejó a mi hermana en la ruina absoluta y a mis sobrinos sin padre. Si no estuviese muerto, lo habría matado yo.

Eboline y los chicos necesitaban cuidados y no había nadie para ocuparse de ellos salvo yo. En cuanto enterramos a Virgil comencé a buscar una propiedad por los alrededores. No había nada adecuado a la venta en Greenville, pero oí hablar de una granja de unos doscientos acres en Marietta, cuarenta millas al sureste. Pertenecía a una viuda llamada Conley, cuyo esposo había muerto en Normandía. No tenía hijos para heredar la finca y estaba ansiosa por venderla.

---

6 En Estados Unidos es el 2 de septiembre de 1945 y el 15 de agosto en Gran Bretaña. *(N. del T.)*

Tuve un buen pálpito desde el instante en que puse un pie en la propiedad. El terreno estaba completamente despejado, con un pequeño río corriendo por la linde meridional. La tierra era fértil y oscura... Conley había tenido la precaución de rotar sus cultivos. El establo y el almacén para el algodón parecían sólidos, y la granja contaba con una maltrecha vivienda que bien me serviría de campamento, aunque no sería hogar apropiado para Laura y las niñas.

La granja era todo lo que quería. La señora Conley me pedía nueve mil quinientos dólares por ella... Sobre todo porque, creo recordar, llegué en el Cadillac de Eboline. Regateé con ella hasta bajarla a ocho mil setecientos, más ciento cincuenta por la vaca y trescientos por la pareja de mulas.

Al fin era un propietario. Estaba impaciente por decírselo a mi esposa.

Pero antes debía ocuparme de algunas cosas. Tenía que encontrar una casa de alquiler en el pueblo. Tenía que comprar un tractor, pues no pensaba arar con mulas como había hecho mi padre, y una camioneta. Y tenía que decidir qué arrendatarios dejar y cuáles desechar. Con el tractor yo podía trabajar la mitad del terreno cultivado, así que solo necesitaría a tres de los seis arrendatarios que vivían allí. Los entrevisté a todos, contrastando sus declaraciones con las cuentas de los Conley, y después pedí que marchasen los que menos producían por acre y los mejor dotados para la exageración.

Me quedé con los Atwood, los Cottrill y los Jackson. Los Jackson parecían ser los mejores de la cuadrilla, aunque eran de color. Eran arrendatarios, no aparceros, así que sólo me pagaban un cuarto de sus cosechas en vez de la mitad. Uno no encuentra muchos arrendatarios negros. No hay muchos con la disciplina suficiente para ahorrar dinero y comprar una mula y aperos. Pero Hap Jackson no era el típico negrito. Sabía leer, por ejemplo. La primera vez que lo vi pidió ver su página en el libro de contabilidad de Conley antes de firmar su contrato.

—Claro —le dije—. Te lo mostraré, pero ¿cómo vas a saber lo que pone?

—Ya llevo siete años leyendo —contestó—. Me aprendió mi hijo, el Ronsel. Al principio no me se daba muy bien, pero él siguió dándome hasta que leí el Génesis y el Éxodo yo solo. También me dio los números. Caramba, qué listo es el Ronsel. Es sargento del Ejército. Luchó junto al general Patton en persona, y se ganó un montón de medallas por ahí. Creo que algún día vendrá por aquí, por casa. Caray.

Le tendí el libro de cuentas, más para hacerlo callar que por otra cosa. Conley había escrito bajo el nombre de Hap: *un negraco trabajador que sabe hacer fardos.*

—Parece que el señor Conley tenía una buena opinión de ti —le dije.

Hap no contestó. Estaba concentrado en las cifras, corriendo su dedo por las columnas. Sus labios se movían mientras leía. Frunció el ceño y sacudió la cabeza.

—Mi mujer tenía razón —dijo—. Tuvo razón *to'* el tiempo.

—¿Razón sobre qué?

—Mire aquí, ¿ve donde dice veinte fardos junto a mi nombre? El *señó* Conley sólo me pagó dieciocho. Dijo que estaba *apuntao to* mi algodón. Florence dijo que nos engañaba, pero no quise creerla.

—¿Nunca habías visto este libro?

—No, *señó*. Una vez le pedí al *señó* Conley que lo mirase, eso fue el primer año que pasamos aquí, y empezó berrearme hasta que le dio pena. Me dijo que me echaría si volvía a dudar de su palabra.

—Bueno, no sé qué decir, Hap. Aquí pone que te pagó veinte.

—No le estoy mintiendo ni una miaja —afirmó.

Lo creí. Un negrito es como un niño pequeño; se ve con claridad en sus caras cuando están intentando mentir. La cara de Hap no mostraba otra cosa sino honesta frustración. Además, sabía que entre los plantadores era práctica común engañar a sus arrendatarios de color. Yo no estaba de acuerdo con eso. Sea cual fuere el color de un hombre, es nuestro hermano. Un hermano menor, por supuesto, indisciplinado y esclavo de sus impulsos, pero también un ser bondadoso, humilde y trágico ante Dios. Para bien o para mal, estaba a nuestro cuidado. Y si lo cuidábamos mal o no nos ocupábamos de él en absoluto, o empleábamos nuestra superioridad natural para herirlo, a buen seguro que seríamos tan malditos como Caín.

—Voy a decirte una cosa, Hap —le dije—. Te quedas y yo te dejo consultar el libro de cuentas cuando quieras. Incluso puedes venir conmigo a la desmotadora para llevar la cuenta.

Lo evalué con la mirada y vi que sus ojos, que yo creía castaños, en realidad eran de color verde oscuro. Entre eso y su piel clara, supuse que debería de tener dos abuelos blancos. Eso lo explicaba todo.

Me miraba. Enarqué las cejas y bajó la mirada. Me gustó ver eso. La inteligencia está bien y es conveniente, pero no tendré a un solo negro irrespetuoso trabajando para mí.

—Gracias, *señó* McAllan. Así está bien.

—Pues bien, entonces está acordado —dije—. Una cosa más. Tengo entendido que tu mujer y tu hija no trabajan en el campo. ¿Es eso cierto?

—¡Caray! Bueno, ayudan cuando llega la recogida, pero no aran ni cortan. No me las necesito, yo y mis hijos ya vamos bien sin ellas. La Florence es abuela y partera, nos trae un poco de dinerillo.

—Pero podrías trabajar otros cinco acres si te ayudasen —señalé.

—No quiero a mi mujer cortando algodón, ni a mi Lilly May tampoco —respondió—. Las mujeres no están para esas tareas.

También a mí me lo parecía, pero jamás se lo había oído decir a un negrito. La mayoría de ellos tratan a sus mujeres con más dureza que a sus mulas. He visto a mujeres de color trabajando el campo en un estado de gestación tan avanzado que apenas podían inclinarse para pasar la azada por el algodón. Por supuesto, para empezar hay que decir que una mujer de color es más dura que una mujer blanca.

Laura no habría durado una semana en el campo, aunque creí que sería una buena dueña de plantación en cuanto se hubiese hecho a la idea. Eso demuestra lo listo que fui.

Estuvo en contra de la mudanza desde el instante en que le hablé de ella. No lo dijo directamente, pero no le hacía falta. Lo sabía por el modo con que comenzaba a tararear cada vez que yo entraba en la habitación. De un modo u otro, una mujer hace saber sus sentimientos. El modo de Laura era la música: cantaba cuando estaba contenta, tarareaba cuando no lo estaba y silbaba de manera poco melodiosa cuando le daba vueltas a algo y no sabía si cantar o tararear acerca de ello.

La música se hizo mucho menos placentera una vez nos mudamos a la granja. Daba portazos, golpes a las cazuelas y nos levantaba la voz a Papaíto y a mí. Me desafiaba. Era como si alguien hubiese venido una noche y raptado a mi dulce y dócil esposa dejando en su lugar a una arpía. Cualquier cosa que hiciese o dijese estaba mal. Sabía que me culpaba por haber perdido aquella casa en el pueblo, ¿pero era culpa mía que las niñas se pusiesen tan enfermas? Y la tormenta... Supongo que eso también sería mi culpa.

Se desató la noche que llegamos, provocando un infame estruendo sobre el tejado de cinc. La habitación de las niñas tenía goteras, así que las acostamos en la cama con nosotros. Por la mañana, ambas tosían y estaban calientes al tacto. Pasaron unos días sorbiendo la nariz y yo no le di más importancia; los críos siempre están cogiendo algo. La lluvia continuó durante toda aquella jornada y la siguiente, cayendo con fuertes chaparrones. Avanzada la segunda tarde, estaba en el establo arreglando aperos cuando Papaíto fue a buscarme.

—Te llama tu mujer —dijo—. Tus hijas están peor.

Corrí a la casa. Amanda Leigh tosía, emitiendo chasquidos agudos como disparos de un rifle del calibre 22. Isabelle yacía en la cama a su lado, resollando de modo horroroso cada vez que respiraba. Tenía los labios y las uñas azules.

—Es tosferina —dijo Laura—. Ve a buscar al médico inmediatamente. Y dile a tu padre que ponga a hervir una olla de agua. —Quise tranquilizarla, pero sus ojos me lo impidieron—. Vete ya —espetó.

Le dije a Papaíto que pusiese el agua y corrí a la camioneta. El camino era un barrizal. De alguna manera logré llegar al puente sin caer en alguna cuneta. Oí el río antes de verlo: un rugido de potencia pura. El puente estaba hundido dos pies bajo el agua. Me quedé allí, con la lluvia azotándome el rostro, observando las henchidas aguas turbias, maldiciendo a George Suddeth por mentiroso y a mí mismo por ser un crédulo pardillo. Para empezar, nunca debí haberme fiado de él, eso es lo que dijo Papaíto y reconozco que tenía razón. Sin embargo, qué triste lugar es un mundo donde uno no puede confiar en que un hombre cumpla su palabra dada después de que te hayas sentado a su mesa y compartido su comida.

Al regresar encontré la casa que supuse propiedad de Florence, la esposa de Hap Jackson. Hap me dijo que era partera, así que podría saber algo de enfermedades infantiles. Y aunque no supiese, podría ayudar cocinando y haciendo las labores del hogar mientras Laura atendía a las niñas.

La propia Florence atendió a la puerta. No la conocía y su aspecto me sorprendió. Era una negrita alta, con la piel oscura como el hollín y los músculos correosos como un hombre... Una amazona entre las de su raza. Tuve que levantar la mirada para hablar con ella. La mujer debía de medir casi dos metros.

—¿En qué le *v'y* ayudar? —preguntó.

—Soy Henry McAllan.

Asintió.

—*'Cantada*. Yo soy Florence Jackson. Si busca al Hap, está fuera, atendiendo a la mula *'n'el* establo.

—La verdad es que he venido a por ti. Mis pequeñas, tienen tres y cinco años, han enfermado de tosferina. No puedo llegar al pueblo porque el puente está inundado y mi esposa...

Mi esposa es capaz de matarme si regreso a casa sin un médico o sin ayuda.

—¿Cuándo comenzó la tos?

—Esta tarde.

Negó con la cabeza.

—Todavía la están cogiendo. Puedo darle unos remedios *pa'* que se les dé, pero no puedo ir con *usté.*

—Te pagaré —le dije.

—No podría volver a casa en tres o cuatro días. ¿Quién iba a cuidar de la mi familia y las mis madres entonces?

—Te lo estoy pidiendo.

Al mirarla a los ojos fui golpeado por la brutal fuerza de aquella mujer. En ese momento estaba contenida, pero pude sentirla bajo su piel, dispuesta a aflorar si fuese preciso. No se trataba de la consabida vitalidad de los negritos..., el espíritu animal que emplean tan a lo loco para hacer música y fornicar. Era una ferocidad profunda, parecida a la de un guerrero; si es que uno puede concebir como guerrero a una granjera de color vestida con un atuendo hecho con la tela de un saco de harina.

Florence se apartó y vi tras ella a una niña de unos nueve o diez años, blanca hasta los codos de harina para amasar pan. Tenía que ser su hija, Lilly May. Nos miraba esperando, como yo, por la respuesta de su madre.

—Tengo que preguntarle al Hap.

La niña bajó la cabeza y reanudó la amasadura. Entonces supe que Florence mentía. La decisión era suya, no de Hap, y acababa de tomarla.

—Por favor —le dije—. Mi esposa está asustada.

Sentí mi cara ardiendo cuando ella me observó. No volvería a pedírselo si se negaba. No iba a rebajarme a pedirle ayuda a una negraca. Si decía no...

—Está bien —contestó—. Espere aquí mientras recojo las mis cosas.

—Esperaré en la camioneta.

Unos minutos después salió llevando una ajada maleta de cuero, un hato de ropa y una bolsa de arpillera vacía. Abrió la puerta del pasajero y dejó la maleta y la ropa dentro.

—¿Ya *tien* algún pollo? —preguntó.

—No.

Cerró la puerta y se dirigió a un gallinero situado al lado de la casa, moviéndose sin prisa a pesar del aguacero. Pasó por encima de la valla de alambre y colocó la bolsa bajo el brazo. Después se inclinó en el gallinero, sacó un ave batiendo las alas y le rompió el cuello con un preciso giro de sus grandes manos. Metió el pollo en la bolsa y regresó a la camioneta, aún caminando con el mismo tranquilo y deliberado paso.

Abrió la puerta.

—Las niñas *tien* que comer caldo —dijo al entrar. No me pidió permiso, se limitó a meterse como si tuviese todo el derecho a sentarse en la cabina conmigo. Bajo circunstancias normales no lo hubiese consentido, pero no me atreví a pedirle que fuese atrás.

FLORENCE

La primera vez que puse los ojos en Laura McAllan la vi trastornada por la preocupación de las mamás. Cuando esa preocupación de mamá se apodera de una mujer, no se puede esperar que razone. Ella dirá o hará cualquier cosa, y lo mejor es confiar en que una no se encuentre en su camino. Tal fue la voluntad del Señor. Hizo a las madres así por los niños, que necesitan protección, pues la mayor parte del tiempo los hombres no están. Si algo malo le pasa a una criatura, a buen seguro que su papá se habrá ido a cualquier parte. Ayudar a ese niño será cosa de la mamá. Pero Dios nunca impone una tarea sin darnos los medios para cumplirla. Esa preocupación de mamá viene directamente de Él, y ellas lo hacen así porque no pueden evitar cuidar a sus hijos. De vez en cuando una ve alguna madre que no la tiene, que va y no se preocupa del bebé que salió de su propio cuerpo. Y una intenta que ella lo coja en brazos y lo alimente, pero no lo tiene en ella. Solo se queda mirando, dejando al bebé allí tumbado y llorando para que otra gente haga por él. Y entonces una sabe que ese niño crecerá con la cabeza mal, si llega a crecer.

Laura McAllan estaba atendiendo a sus dos niñas pequeñas y enfermas cuando llegué con su esposo. Una estaba inclinada sobre una olla con agua hirviendo y tenía una toalla en la cabeza. La otra estaba sola, allí, tumbada en la cama haciendo ese horrible ruido de la tos. Cuando la *seńá* McAllan levantó la mirada y nos vio, sus ojos casi nos hacen virutas a los dos.

—¿Quién es esa, Henry? ¿Dónde está el médico?

—El puente está inundado —dijo—. No pude llegar al pueblo. Laura, esta es Florence Jackson. Florence, te presento a mi esposa. Creo que ella podrá ayudar.

—¿Ves a alguna parturienta por aquí? —preguntó—. Estas niñas necesitan ayuda médica, no una abuelita con una bolsa repleta de pociones.

Justo entonces la pequeña comenzó a tener arcadas, como suelen tener cuando la tos les da fuerte. Me acerqué a ella. La puse de lado y sujeté su cabeza sobre el cuenco, pero todo lo que salió fue bilis amarillenta.

—Lo he visto en los mis hijos —le dije—. Necesitamos meterles un poco de líquido dentro. Pero antes tenemos que sacarles algo de esas flemas.

Pasó un rato fulminándome con la mirada y después dijo:

—¿Cómo?

—Les haré un poco de té de marrubio, y después les daremos los vahos como ya *taba* haciendo. Eso de prepararlas los vahos fue *mu* bueno.

El *señó* McAllan se quedó allí plantado, goteando agua por todo el suelo. Cada vez que una de sus pequeñas tosía parecía que le daban una puñalada. En situaciones así tienes que darles a los hombres algo que hacer. Le pedí que fuese a hervir un poco más de agua.

—Este té sacará las flemas de ahí ahora mismo —le dije a la *señá* McAllan—. Después de que respiren mejor, las haremos algo de caldo de pollo y le pondremos un poco de corteza de sauce *molía pa* la fiebre.

—Tengo aspirinas por algún lado, si es que las encuentro en medio de este desastre.

—No se preocupe. La aspirina está hecha con corteza de sauce, hacen lo mismo efecto.

—Debería haberlas llevado ayer al médico, apenas comenzaron a toser. Si algo les pasase…

—Escúcheme —le dije—, las sus niñas van a estar bien. Jesús las cuida y yo también estoy aquí, y ninguno de los dos nos vamos a ir hasta que se sientan mejor. Deles una semana o así, después *tarán* como una lechuga, ya lo verá —le hablé como a las parturientas. Las madres necesitan oír palabras tranquilizadoras. Son tan importantes como las medicinas; a veces más.

—Gracias por venir —me dijo después.

—De nada.

Después de que las niñas tomaran un poco de té y se calmasen un poco, fui y comencé a desplumar el pollo que les había llevado. No había vuelto a esa casa desde que los Conley la dejasen, y estaba sucia de abandono. Bueno, no abandonada del todo… muchas criaturas habían entrado y salido de allí. En el suelo había cagadas de ratón y rastros de serpiente, cáscaras de chicharra en las paredes y suciedad por todas partes. Cuando la *seña* McAllan llegó y me vio mirando, puedo asegurar que se sintió avergonzada.

—No he tenido tiempo para limpiar —dijo—. Las niñas se pusieron enfermas en cuanto llegamos.

—Lo arreglaremos, no se preocupe.

Aquel viejo pasó el tiempo sentado a la mesa, mirándome, durante todo el rato que pasé desplumando aquel pollo y cortando zanahorias y cebollas. Era el padre del *señó* McAllan, al que llamaban Papaíto. Era un tipo calvo con apenas algo de carne en los huesos, pero todavía con todos sus dientes... la boca entera llena de unos dientes largos y amarillos como el maíz. Tenía los ojos tan claros que casi no tenían color. Había algo en esos ojos suyos que me ponía los pelos de punta cada vez que los tenía encima.

El *señó* McAllan había salido y la *seña* McAllan volvió al dormitorio con las niñas, así que Papaíto y yo quedamos solos un rato.

—Digamos, chica, que tengo sed —dijo—. ¿Por qué no echas una carrera hasta la bomba y me traes algo de agua?

—Tengo *qu'acabar* este caldo *pa* las niñas —contesté.

—Ese caldo puede apañarse sin ti durante un rato.

Le di la espalda, no le respondí. Quedé allí dándole vueltas a la perola y nada más.

—¿Me has oído, chica? —dijo.

La verdad es que mi papá y mi mamá me enseñaron a ser respetuosa con la gente mayor y ayudarla en lo que pudiese, pero también es verdad que no quería servirle agua a ese viejo. Era como si todo mi cuerpo se hubiese hecho pesado de repente y no quisiera moverse. Probablemente hubiese acabado obligándolo, pero entonces se presentó la *seña* McAllan y dijo:

—Papaíto, justo ahí tiene agua para beber, en la cubeta junto al fregadero. Debería saberlo, usted la sacó esta mañana.

Alzó su vaso hacia mí sin decir una palabra. Y sin decir una palabra lo cogí y lo llené con agua de la cubeta. Pero antes de volverme para dársela, metí un dedo en ella.

Para cenar freí algo de jamón y unas papas que tenían, y también hice *biscuits & gravy*[7]. Luego los serví y comencé a prepararme un plato para llevármelo fuera, a la galería.

—Florence, ya puedes volver a casa —dijo las *señá* McAllan—. Seguro que tienes una familia que cuidar.

—Sí, *señá*, la tengo —respondí—, pero no puedo ir *pa* casa. Es lo que le dije al su *marío* cuando fue a buscarme. Esa tosferina es contagiosa, sobre *to* al principio, como les pasa a las sus niñas. Van a ser contagiosas hasta el fin de la semana, por lo menos. Si ahora me voy *pa* casa podría contagiársela a mis propios hijos, o a alguno de los de las mis madres.

—No pienso dormir bajo el mismo techo que una negraca —anunció Papaíto.

—Florence, ¿podrías ir a ver a las niñas? —me pidió la *señá* McAllan.

Salí de la habitación, pero aquella era una casa pequeña y yo no tenía problemas de oído.

—Aquí no se queda a dormir —decía Papaíto.

—Vale, pero no la podemos enviar a casa para que contagie a su familia —contestó la *señá* McAllan—. No estaría bien.

Hubo una pausa muy larga y después intervino el *señó* McAllan:

—No, eso no puede ser.

—Pues muy bien —continuó Papaíto—, podría ir a dormir fuera, al establo, con los demás animales.

—¿Cómo se le ocurre semejante cosa con este frío? —replicó la *señá* McAllan.

—Los negracos tienen que saber cuál es su lugar —apuntó Papaíto.

—Durante las últimas horas —le recordó—, su *lugar* ha estado a los pies de la cama de sus nietas, haciendo todo lo que estaba en su mano para curarlas. Lo cual es más de lo que puedo decir de usted.

—Déjalo, Laura —terció el *señó* McAllan.

---

7 Desayuno muy popular en el sur de Estados Unidos, consistente en unas tortas de pan de masa blanda con salsa de carne de cerdo. *(N. del T.)*

—Vamos a prepararle un camastro aquí mismo, en la sala principal —dijo la *señá* McAllan—. O puede usted dormir aquí y la alojamos a ella en el cobertizo.

—¿Y que apeste mi habitación?

—Pues bien. La instalaremos aquí.

Oí una silla arrastrándose.

—¿Adónde vas? —preguntó el *señó* McAllan.

—Al excusado —dijo ella—, si no os parece mal.

Se abrió la puerta exterior y luego se cerró dando un portazo.

—No sé qué le ha dado a tu mujer —dijo Papaíto—, pero será mejor que la metas en vereda ya.

Escuché con atención, pero si el *señó* McAllan replicó algo, no lo oí.

Dormí cuatro noches en aquella casa, y al cabo estaba dispuesta a apostar una pasta a que habría problemas. Una delicada mujer de ciudad como Laura no estaba hecha para vivir en el Delta. El Delta atrapa a una mujer como esa y le chupa la savia hasta no dejar de ella más que pellejo y rencor; rencor contra el que la había traído aquí y la tierra que lo retenía a él y a ella con él. Henry estaba tan obsesionado con la tierra como cualquier hombre que haya visto, y he visto muchos; blancos y de color, de los dos. Está en sus ojos, en la manera con que miran a la tierra, como si fuese una mujer que los trajera locos. Los blancos ya la tienen, creen. *Eres mía, espera y verás qué hago contigo.* Los de color no la tienen y nunca la tendrán, pero sueñan con ella exactamente igual, con cada tirón de arado y golpe de azada. Blancos o de color, ninguno tiene cabeza suficiente para ver que es ella quien los posee a ellos. Se cobra su sangre y sudor, y la sangre y sudor de sus mujeres e hijos; y cuando los ha consumido, también se lleva sus cuerpos, revolviéndolos y revolviéndolos hasta que son uno y lo mismo, ellos y ella.

Sabía que algún día nos llevaría a Hap y a mí con ella, y a Ruel, Marlon y a Lilly May. Al único al que no había atrapado era a mi hijo mayor, Ronsel. No era como su papá y sus hermanos; sabía que trabajar el campo no era modo de prosperar en el mundo. Solo tuvo que mirarnos a Hap y a mí para comprenderlo. Nuestras vidas desperdiciadas mudándonos de una granja a otra, esperando encontrar mejores condiciones y un jefe que no nos engañase. En el lugar que más tiempo habíamos pasado fue en la propiedad de los Conley; llevábamos siete años allí. El *señó* Conley también nos engañaba algo, pero era mejor que la mayoría. Nos permitía cultivar un pequeño huerto de verduras para nosotros, y de vez en cuando su esposa nos daba ropa vieja y calzado usado. Así que cuando la *señá* Conley nos dijo que estaba harta y vendió la granja, nos preocupamos de verdad. Uno nunca sabe dónde se mete cuando llega un nuevo terrateniente.

—Me pregunto si el McAllan ese ha trabajado la tierra alguna vez —comentó Hap, preocupado—. Es de Memphis, allá arriba… Apuesto a que no sabe de cuál lado come la mula y de cuál caga.

—Eso no importa —le dije—. Nos las apañaremos como siempre.

—Podría echarnos.

—No lo hará. No con la cosecha a la vuelta de la esquina.

Pero podría haberlo hecho si hubiese querido, esa es la pura verdad. Los terratenientes pueden hacer lo que les venga en gana. Los he visto echar a familias enteras después de la entrega del algodón, a pesar de que la familia pasara toda la primavera y el verano preparándolo para la cosecha. Y si te decían que les debías por el mobiliario, no sacabas nada del trabajo. No hay nadie que los enderece a tu favor. Tampoco podías ir al jefe de policía, pues siempre iba a ponerse de parte del dueño.

—Aunque quiera que nos quedemos —dijo Hap—, aún podíamos tener que marcharnos según la clase de tipo que sea.

—Por mí como si es el Oscuro en persona. No voy a marchar si no tenemos que hacerlo. Me llevó *to'* este tiempo arreglar la casa *pa'* vivir en ella y plantar *'n'el* jardín unos buenos tomates y verduras. Además, no puedo marchar así como así y dejar a las mis madres —tenía a cuatro madres a punto en los próximos dos meses y una de ellas, la pequeña Renie Atwood, aún era una cría. Ninguna podía permitirse un médico y yo era la única abuelita partera en varias millas a la redonda.

—Te marcharás si yo lo digo —dijo Hap—. Porque el *marío* es el dueño la esposa como Cristo es el jefe la Iglesia.

—Solo mientras viva —respondí—. Porque si el *marío* muere, la esposa queda libre de su ley. Eso dice la Epístola a los Romanos.

Hap me lanzó una mirada atravesada y yo se la devolví. Nunca me puso una mano encima y siempre le dije lo que pensaba. Algunos hombres tienen que pegar a su mujer para que ellas hagan lo que ellos quieren, pero Hap no. Todo lo que tenía que hacer era hablarte. Una podía comenzar el asunto en el lado opuesto, y después de que hablase, hablase y volviese a hablar, una se encontraba asintiendo y dándole la razón. Así fue como empecé a amarlo, por sus palabras. Antes de que conociese el sabor de sus manos en mí o su olor en la oscuridad, yo posaba la cabeza en su hombro y cerraba los ojos y dejaba que sus palabras me llevasen flotando como el agua.

Henry McAllan resultó no ser el Oscuro después de todo, pero no valdría de nada decírselo a mi marido.

—¿Sabes lo que está haciendo ese hombre? —preguntó Hap—. Está trayendo uno de esos *traztores* del infierno. Usa una máquina *pa'* trabajar su tierra en vez de las manos que Dios le dio; y también echó a tres familias.

—¿Quiénes?

—Los Fikes, los Byrd y los Stinnet.

Me sorprendió lo de los Fikes y los Stinnet, teniendo en cuenta que eran blancos. Muchas veces el terrateniente echaría primero a las familias de color.

—Pero a nosotros nos deja —señalé.

—Sí.

—Bueno, podemos dar gracias al *to* Poderoso por eso.

Hap negó con la cabeza.

—*Ná* más se trata que de brujería.

Aquella noche, después de la cena, nos leyó del Apocalipsis. Cuando llegó adonde habla de la bestia con siete cabezas y diez cuernos, y sobre los cuernos diez coronas y llena de nombres de blasfemia, supe que se refería a ese tractor.

El verdadero demonio era aquel viejo. Cuando la *señá* McAllan me pidió que le cuidase la casa como había hecho para la *señá* Conley, casi dije que no por ese Papaíto. Pero Lilly May necesita un calzado especial para su pie deforme; Ruel y Marlon necesitaban ropa nueva, porque crecían tan rápido que estaban a punto de reventar las costuras de la vieja, y Hap quería una segunda mula para poder trabajar más acres y ser capaz de ahorrar lo suficiente para comprar su propia tierra, así que dije que lo haría. Trabajaba para Laura McAllan de lunes a viernes, a no ser que tuviese un parto o una madre necesitase que la mirara. Mi trabajo de partera iba antes, le dije cuando acepté el empleo. No le gustó mucho, pero dijo que estaba bien.

El viejo nunca le dio un minuto de paz, ni a mí tampoco. Se pasaba todo el día sentado, encontrando faltas en todo y en todos. Cuando él estaba en casa se me ocurrían montones de cosas que hacer fuera y cuando estaba fuera, en el porche, yo trabajaba en la casa. Y aun así había veces que tenía que estar en la misma habitación que él y no lo podía evitar. Como una vez que tenía plancha para hacer, casi toda suya porque vestía de domingo todos los días de la semana. Estaba sentado en la mesa de la cocina, como siempre, fumando y limpiándose la suciedad de las uñas con un cuchillo de caza. Pero no podía limpiarlas bien porque estaba muy ocupado mirándome de arriba abajo.

—Mejor será que pongas cuidado, chica, o vas a quemar esas sábanas.

—Nunca he *quemao na*, *señó* McAllan.

—Cuida de no hacerlo.

—¡Caray!

Se quedó un rato mirando la porquería en la punta de su cuchillo, y después dijo:

—¿Por qué ese hijo tuyo aún no ha vuelto de la guerra?

—Aún no lo han *licenciao* —respondí.

—Supongo que todavía se necesitan cavar unas cuantas zanjas más por allí, ¿eh?

—El Ronsel no cava zanja ninguna —le dije—. Es jefe de carro. Peleó en un montón de batallas.

—¿Es eso lo que te dijo?

—Eso es lo que hizo.

El viejo rio.

—Ese muchacho te está tomando el pelo, chica. No hay manera de que el Ejército entregue a un negro de mierda un carro que cuesta miles de dólares. No, es más probable que sea un negraco cava-zanjas. Claro que eso no suena tan bien como «jefe de carro» cuando le escribes a los de casa.

—Mi hijo es sargento en el 761 batallón blindado —dije—. Esa es la verdad, tanto si quiere creerla como si no.

Soltó un fuerte resoplido. Le respondí del único modo que pude, almidonando sus sábanas hasta que estuvieron tiesas y rasposas como tablones sin pulir.

LAURA

Fair Fields. Así es como Henry quiso llamar a la granja. Nos lo anunció a las niñas y a mí un día, después de acudir a la iglesia, aclarándose primero la garganta con la suficiencia de un político de pueblo a punto de descubrir la nueva estatua de la plaza mayor.

—Creo que suena bien y no es demasiado pretencioso —dijo—. ¿Qué os parece, chicas?

—¿*Fair Fields*? —dije yo—. *Mudbound* es más apropiado.

—¡*Mudbound*! ¡*Mudbound*! —gritaron las niñas.

No podían parar de reír y repetir el nombre. Y con *Mudbound* se quedó; ya me aseguré yo de eso. Fue una buena forma de venganza, aunque la única disponible para mí en aquel momento. Jamás había estado tan enfadada como aquellos primeros meses en la granja viendo a Henry tan feliz. Ser propietario de un terreno lo había transformado, sacando de él un entusiasmo infantil que muy pocas veces había visto. Podría llegar a casa exultante por los emocionantes sucesos de la jornada: su decisión de plantar treinta acres de soja; la compra a un vecino de una buena cerda; el nuevo herbicida sobre el que hubiese leído en *Progresive Farmer.* Yo lo escuchaba y respondía con todo el entusiasmo que era capaz de reunir. Intentaba construir mi felicidad con retazos de la suya, como debería hacer una buena esposa, pero su satisfacción me hacía daño. Cada vez que lo veía al borde de la finca, con las manos en los bolsillos mientras oteaba el terreno con el feroz orgullo de la posesión, pensaba: *Él nunca me ha mirado así, ni una sola vez.*

Oculté mis sentimientos manteniendo una desesperada alegría por el bien de las niñas y la buena marcha del matrimonio. Algunos días no tenía ni que fingir. Los días en que el tiempo era apacible, suave, y el viento alejaba de nosotros el olor del retrete exterior en vez de traerlo. Los días cuando el viejo salía con Henry, dejando la casa para mí, las niñas y Florence. Dependía mucho de ella, y por mucho más que por las labores domésticas, aunque eso jamás lo hubiese admitido entonces. Cada vez que la oía llamar a la puerta trasera con sus toscos golpes, sentía una gran relajación, como si el cuerpo se aflojase. Algunas mañanas oía en su lugar el dubitativo golpeteo de Lilly May, y entonces sabía que habían llamado a Florence para que atendiese en casa de otra mujer. O abría la puerta para encontrarme a su marido en el porche, nervioso, retorciendo con las manos su ajado sombrero de paja, diciendo que habían comenzado los dolores, ¿podría irse con él? Florence recogía entonces su maletín de cuero y se iba, animada con su determinación e importancia, dejándome sola con las niñas y el viejo. Aceptaba esas ausencias porque no tenía otra opción.

—Tengo que cuidar de las madres y los bebés —me decía—. Creo que *pa* eso me trajo el *Señó* a este mundo.

Tenía cuatro hijos: Ronsel, el mayor, que aún estaba en ultramar con el Ejército; los gemelos, Marlon y Ruel, dos niños tímidos y robustos, de doce años, que trabajaban con su padre en el campo y Lilly May, que tenía nueve. Había dado a luz a otro niño, Landry, que murió a las pocas semanas de nacer. Florence llevaba una bolsa de cuero colgada del cuello con una correa, y en ella contenía los restos secos del saco amniótico donde había nacido la criatura.

—Un saco alrededor del niño significa que está marcado por Jesús —me dijo—. Jesús vio la señal y se llevó al Landry *pa* Él solo. Pero mi hijo me verá desde el Cielo mientras lleve su saco.

Como muchos negritos, Florence era muy supersticiosa, y rebosaba de consejos bienintencionados acerca de temas sobrenaturales. Me rogó quemar los recortes de las uñas y el pelo del cepillo y así evitar que mis enemigos los utilizasen para lanzarme un maleficio. Cuando le aseguré que no sería necesario, pues no tenía enemigos, miró de modo harto significativo a Papaíto, sentado en el otro extremo de la sala, y dijo que el Hombre Oscuro tenía muchos adláteres y que una debía estar todo el tiempo alerta contra ellos. Un día olí a algo podrido en el dormitorio y encontré un huevo roto puesto en un platillo bajo la cama. Parecía haber estado allí al menos una semana. Cuando se lo mostré a Florence, me dijo que era para conjurar el mal de ojo.

—Aquí no hay mal de ojo —le dije.

—Que *usté* no lo vea no quiere decir que no haya.

—Florence, eres cristiana —señalé—. ¿Cómo puedes creer en todas esas historias de maldiciones y espíritus?

—Están en la Biblia. Caín fue maldito por matar al su hermano. Las mujeres fueron malditas porque la Eva le hizo caso a esa vieja serpiente. Y todos llevamos en nosotros al Espíritu Santo.

—Eso no tiene nada que ver.

Respondió con un fuerte resoplido. Más tarde vi que le daba el plato a Lilly May, y esta fue a enterrar el huevo al pie del roble. Sabe Dios qué se supone que lograría eso.

No había escuela para la gente de color durante la época de cosecha, así que Florence traía a menudo a Lilly May para que trabajase con ella. Era una niña fantasiosa, alta para su edad, con la piel color negro púrpura de su madre. Las niñas adoraban a Lilly May, aunque ella no hablase mucho. Tenía un pie deforme, por tanto carecía del garbo lento y poderoso de Florence, pero su voz lo compensaba con creces. Jamás oí a nadie cantar como esa niña. Su voz se elevaba, te llevaba con ella, y cuando se detenía, al apagarse la vibración de la última nota aguda y anhelante, una sentía dolor por su fin y por tener que regresar al solitario saco de carne mortal. La primera vez que la escuché estaba tocando el piano, enseñándoles a las niñas la letra de *Amazing Grace*; y entonces Lilly May se unió desde la galería, donde estaba pelando guisantes. Siempre estuve orgullosa de mi voz, pero al escuchar la suya recibí tal lección de humildad que enmudecí. Su voz no era terrenal, era una gracia dulce y segura que aunaba llanto y promesa. Cualquiera que crea que los negritos no son hijos de Dios, nunca ha oído a Lilly May cantándole al Señor.

Eso no quiere decir que piense que Florence es igual a mí y su familia igual a la mía. Yo la llamo Florence y ella me llama *señá* McAllan. Ella y Lilly May no usaban nuestro retrete exterior, sino que hacían sus necesidades entre los arbustos de la parte trasera. Y cuando al mediodía nos sentábamos a comer, ellas comían en la galería.

Incluso con la ayuda de Florence, a menudo me sentía abrumada por el trabajo y el calor, los mosquitos y el barro, y sobre todo, por la brutalidad de la vida rural. Yo, como la mayor parte de la gente de ciudad, tenía una visión ridícula e ideal del campo. Me imaginaba la lluvia cayendo con suavidad sobre campos verdeantes, niños descalzos pescando con cardos colgando de sus bocas, mujeres haciendo acolchados en pequeñas y acogedoras cabañas de troncos mientras sus maridos fumaban con sus pipas de maíz en el porche. Uno tiene que acercarse más al cuadro para ver las cabañas destartaladas desperdigadas por esos campos, donde familias vestidas con ropa harapienta confeccionada con tela de sacos de harina dormían de diez en diez en una habitación con el suelo de tierra; el anquilostoma causaba sarpullidos en los pies de los niños y la pelagra les producía espantosas escamas rojas en sus manos y brazos; los moratones en los rostros de las mujeres y la rabia y la desesperanza en los ojos de los hombres.

La violencia forma parte de la vida en el campo. Una siempre se encuentra asediada por cosas muertas: ratones muertos, conejos muertos, zarigüeyas muertas, pájaros muertos. Las encuentra en el patio, cubiertas de gusanos, y huelen a podrido bajo la casa. Después hay criaturas que uno mata para comer: pollos, cerdos, venados, codornices, pavos salvajes, peces gato, conejos, ranas y ardillas, que una despluma, despelleja, destripa, deshuesa y fríe en una sartén.

Aprendí a cargar y disparar una escopeta, a coser una herida y cómo llegar al útero de una cerda parturienta para sacar el lechón que viene atravesado. Mis manos hacían esas labores, pero nunca fue tarea fácil para mi mente. La vida se antojaba peligrosa, como si pudiese pasar cualquier cosa. Y a finales de marzo pasaron varias cosas.

Una noche, cerca del alba, me desperté con el sonido de disparos. Estaba sola con las niñas; Henry y Papaíto se habían ido a Greenville para ayudar a Eboline a mudarse a su nueva y mucho más humilde morada... La gran casa en la calle Washington tuvo que ser vendida para pagar las deudas de Virgil. Fui a ver a las niñas, pero los disparos no las habían despertado. Salí al porche y escudriñé la gris oscuridad. Vi una luz moviéndose a casi un kilómetro de distancia, en dirección a la casa de los Atwood. Luego se detuvo. Después, desde esa misma dirección, se oyeron otros dos disparos. Treinta segundos después hubo otro. Después otro. Y luego el silencio.

Debí de quedarme en el porche unos veinte minutos, con las manos sujetando con fuerza nuestra escopeta. Salió el sol. Al final vi a alguien acercándose por el camino. Me tensé, pero después reconocí el modo de andar ligeramente encorvado de Hap. Estaba sin resuello cuando llegó. Tenía las ropas cubiertas de tierra y también empuñaba una escopeta.

—*Señá* McAllan —dijo—, ¿está aquí su *marío*?

—No, Papaíto y él se fueron a Greenville —respondí—. ¿Qué está pasando? ¿Fuiste tú el que disparó la escopeta?

—No, *señá*, fue el Carl Atwood. Le pegó un tiro en la cabeza al su caballo de labor.

—¡Dios del cielo! ¿Por qué lo hizo?

—*Tuvo* tonteando con el whiskey ese. Y no hay *maldá* que no le se ocurra a un hombre cuando va *cargao*.

—Hap, por favor, limítate a decirme qué pasó.

—Bueno, la Florence y yo dormíamos cuando oímos los dos primeros tiros. Casi como que se nos sale el corazón. Me levanté y miré por la ventana, pero no podía ver *ná*. Al oír otros dos tiros, sonaban como si vinieran de casa Atwood. Cogí mi arma y fui a ver, pero como sé que el Atwood *ta* loco, me acerqué con *cuidao*. La primera cosa que vi fue el caballo de labor del Atwood, corriendo por los campos como si el mismo *dimonio* fuese por él. Oí al Carl maldiciendo a ese caballo, berreando: «¡No *tías* que haber hecho eso, maldito sea el tu pellejo!». Y después ahí fue a perseguirlo con la escopeta. Estaba seguro de que había *estao* con el whiskey y *tía* miedo de que me vería y me disparase a mí también, así que me tiré al suelo y me quedé ahí bien quieto. Apuntó con el arma al caballo y ¡bam! Volvió a fallar y cayó *d'espaldas*. Ese caballo que empieza a relinchar. Yo juraría de que *s'estaba* riendo de él. Carl seguía intentando levantarse y volvió a caer, y *to* el rato maldiciendo al caballo sin parar. Al final se levantó, apuntó otra vez y ¡bam! Esta vez el caballo cayó... a no más de seis metros donde yo estaba. El Carl se le acercó y dijo: «Maldito seas *'n'el* infierno, caballo, no deberías haberlo hecho». Y después meó... perdóneme, *señá* McAllan, quiero decir que hizo las sus necesidades sobre ese caballo, justo en la herida del tiro en la cabeza, renegando y llorando como un bebé *to* el rato.

Me preparé.

—¿Todavía anda por ahí?

—No, *señá*. Volvió a su casa. Creo que se pasará casi *to* el día durmiéndola.

Carl Atwood era el arrendatario que menos me gustaba de todos. Era un gallito de pelea con piernas larguiruchas, lordosis y unos ojillos turbios que coronaban cada lado de su nariz. Tenía los labios de color rojo oscuro, como las agallas de un róbalo, y su lengua no hacía más que salir disparada a humedecerlos. Siempre fue cortés conmigo, pero había algo ladino y ansioso en él que me ponía nerviosa.

Miré en dirección a la casa de Atwood.

—¿Quiere me quede hasta que vuelva el *señó* McAllan? —me preguntó.

Aunque estuve tentada a decirle que sí, no pude pedirle que perdiese una jornada de trabajo en plena temporada de siembra.

—No, Hap —respondí—. Estaré bien.

—La Florence vendrá dentro un rato. Y yo tendré bien *vigilao* al Carl.

—Gracias.

Pasé el resto de la jornada deambulando de un lado a otro y mirando nerviosa por la ventana. Los Atwood tendrían que irse. Así se lo haría saber a Henry en cuanto llegase a casa. No pensaba tener a las niñas cerca de un hombre así.

Aquel mismo día, avanzada la tarde, estaba bombeando agua cuando vi dos siluetas acercándose por el camino. Caminaban despacio y con paso inseguro, apoyándose una en otra. Al acercarse más reconocí a Vera Atwood y a una de sus hijas. Vera se encontraba en un avanzado estado de gestación. Aparte del prominente bulto en su vientre, era poco más que un pellejo estirado sobre un manojo de huesos. Mostraba un ojo cerrado por la hinchazón y un labio partido. La niña parecía un cervatillo asustado. Tenía ojos castaños, grandes y separados, y su oscuro cabello rubio necesitaba un lavado. Supuse que tendría diez años, once como mucho. Luego no se trataba de la chica Atwood que en febrero tuvo un hijo fuera del matrimonio. Aquella niña tenía catorce años, me había dicho Florence, y su bebé apenas vivió unas semanas.

—Buenas, *seña* McAllan —saludó Vera. Su voz sonaba suave y con un inquietante tono infantil.

—Hola, Vera.

—Esta es la Alma, mi hija menor.

—Mucho gusto, Alma —dije.

—*'Cantada* —contestó con una inclinación de cabeza. Tenía un cuello largo y elegante que parecía una incongruente protuberancia brotando de su harapiento vestido. Bajo la costra de mugre se vislumbraba un rostro de huesos finos y expresión triste. Me pregunté si alguna vez habría sonreído. Si alguna vez habría tenido una razón para hacerlo.

—He venido *pa* hablar con usted en confianza —anunció Vera. Se balanceó y Alma se tambaleó debido al peso añadido. Ambas parecían a punto de desplomarse allí mismo, en el patio.

Señalé las sillas en la galería.

—Por favor, venid y sentaos.

Estaba subiendo las escaleras cuando Florence salió por la puerta.

—¿Qué hace andando *to* este camino, *señá* Atwood? —preguntó—. Ya le dicho que *tié* que descansar —después observó el rostro de Vera. Frunció el ceño y sacudió la cabeza, pero se mordió la lengua.

—*Tía* que venir —dijo Vera—. Tengo que tratar asuntos con la *señá* McAllan.

Le tendí un cubo a Florence.

—¿Nos traerías una jarra de agua? —le pedí—. Y algunas de esas galletas de mantequilla que hice ayer. Y ocúpate tú de Amanda Leigh.

—Sí, *señá*.

Vera se sentó medio tumbada en la silla, con una mano curvada en la prominente masa de su vientre. La desteñida tela de su vestido estaba tan tirante sobre su cuerpo que pude ver la ondulación en forma de tetilla que le hacía el ombligo. Sentí una oleada de nostalgia por volver a tener un hijo creciendo dentro de mí. Por estar llena de vida exultante.

—¿Quiere tocarlo? —preguntó.

Aparté la mirada, avergonzada.

—No, gracias.

—Si quiere, puede —al verme dudar, añadió—: Vamos. Está dando *patás*, puede sentirlo.

Me incliné sobre ella. Su olor me envolvió al posar la mano sobre su vientre. Todos en la granja olían que apestaban, pero el hedor de Vera hacía que a una se le saltasen las lágrimas. Me quedé allí y esperé, conteniendo la respiración. Durante un buen rato no pasó nada. Después sentí dos repentinas patadas en la mano. Sonreí, Vera me devolvió la sonrisa y vi el fantasma de la chica que fuese antaño. Una muchacha bonita, muy parecida a Alma.

—Es un crío *batallaor* —dijo orgullosa.

—¿Crees que es un niño?

—Ruego por eso. Cada día rezo a Dios *pa* que deje de mandarme niñas.

Florence trajo una bandeja con bebida y algo para comer. Vera aceptó el vaso de agua, pero rechazó las galletas con un gesto. Alma miró a su madre, pidiendo permiso antes de coger una del plato. Esperaba que la embutiese en la boca, pero la mordisqueó con delicadeza.

—Vete ya —le dijo su madre—. Tengo que hablar con la *señá* McAllan.

—Hay un nido de ruiseñor en aquel arbusto —indiqué.

Alma, obediente, bajó las escaleras y se acercó a la mata, y Florence volvió a entrar en casa. De todos modos, sus pasos no llegaron muy lejos; supe que se quedaba escuchando.

—Tu Alma es una buena chica —le dije.

—*Grasias. Usté tié* dos, *¿verdá'*?

—Sí. Isabelle, de tres años, y Amanda Leigh, de cinco.

—Recuerdo que también eran buenas niñas. Creo que *usté* haría cualquier cosa por ellas.

—Por supuesto que sí.

Vera se inclinó hacia delante. Sus ojos parecieron saltar de su demacrado rostro para fijarse en mí.

—Entonces no nos eche —dijo.

—¿Cómo?

—Esperaba que lo hiciese después *d'eso* que el Carl hizo anoche.

—No sé de qué me hablas —balbuceé.

—Antes vi a ese negrito viniendo por el camino. Sé que debió de decirle.

Asentí de mala gana.

—No tenemos dónde ir si nos echan. Nadie nos contratará con la temporada tan *avanzá*.

—No depende de mí, Vera, eso es decisión de mi esposo.

Posó una mano sobre su vientre.

—Por el bien de este crío y las mis otras pequeñajas, le ruego que nos deje aquí.

—Ya te he dicho, no es una decisión que esté en mi mano.

—¿Y si lo estuviese?

Podría haber apartado la vista si sus ojos me estuviesen acusando, pero no lo hacían. Sólo mostraban una ciega y feroz esperanza.

—No sé, Vera —contesté—. Tengo que pensar en las mis niñas.

Se puso en pie, levantando primero el vientre y gruñendo por el esfuerzo. Yo también me levanté, pero no moví un dedo para ayudarla. Intuí que no querría.

—Carl nunca dañó *ná* que no fuese suyo —dijo—. Él no es así. Dígale eso al su esposo cuando le diga lo otro —se volvió—. ¡Alma! —llamó—. *Temos* que irnos ya.

Alma acudió de inmediato, ayudó a su madre a bajar las escaleras y juntas atravesaron el jardín tambaleándose hasta llegar al camino. Entré en casa. Necesitaba ver a mis niñas, lo necesitaba mucho. Al pasar junto a Florence, la oí murmurar:

—Algún día ese hombre arderá *'n'el* infierno, aunque no será lo bastante pronto.

Amanda Leigh leía en silencio sentada en el sofá. La cogí y la llevé al dormitorio, donde su hermana estaba durmiendo la siesta. Las facciones de Isabelle se veían etéreas y difusas tras la mosquitera. Aparté la tela de un tirón, despertándola sobresaltada, después senté a Amanda Leigh en la cama y las estreché contra mí, aspirando su aroma de niñas pequeñas.

—¿Qué ocurre, mamá? —preguntó Amanda Leigh.

—Nada, cielo —le dije—. Dale un beso a tu madre.

Las malas noticias son lo único que se desplaza rápido en el campo. Estaba dándole a Amanda Leigh su lección de piano cuando oí el coche deteniéndose frente a casa, seguido del sonido de pasos corriendo. La puerta se abrió de par en par y Henry entró con un aspecto algo alterado.

—Estaba en el almacén de piensos y oí lo que había pasado —dijo—. ¿Estáis bien?

—Estamos bien, Henry.

Las niñas se lanzaron sobre él.

—¡Papá! ¡Papá!

Se arrodilló y las abrazó con tal fuerza que se quejaron; después, se acercó a mí y me estrechó entre sus brazos.

—Lo siento, cariño. Sé cómo has debido asustarte. Ahora mismo iré para allá y les diré a los Atwood que tienen que irse.

No sabía qué habría de decirle hasta ese instante, cuando me sorprendí negando con la cabeza.

—No los eches —le pedí.

Me miró como si me hubiese vuelto loca. Lo cual, sin duda, era cierto.

—Henry, Vera Atwood se presentó aquí esta mañana. Está embarazada de ocho meses y medio. Si los echamos ahora ¿adónde irían? ¿Cómo iban a sobrevivir?

Desde la puerta llegó el estallido de una carcajada. Levanté la mirada y vi a Papaíto allí plantado, sujetando una caja de provisiones. Entró y las colocó sobre la mesa.

—Bueno, ¿no es una escena conmovedora? —dijo—. Santa Laura, protectora de mujeres y niños, rogando misericordia a su esposo. Déjame preguntarte algo, chiquilla. Cuando Atwood decida venir a por ti, ¿qué vas a hacer entonces? ¿Eh?

—No lo hará —contesté.

—¿Y cómo es eso?

—Vera me juró que no lo haría. Dijo que jamás había dañado nada que no fuese de su propiedad.

El viejo rio de nuevo. Henry me miró con las mandíbulas apretadas.

—Esto es un asunto de la granja.

—Cariño, por favor. Sólo piénsalo antes.

—Mañana por la mañana voy a tener unas palabras con Carl Atwood para ver qué es lo que tiene que decir. Eso es todo lo que puedo prometer.

—Eso es todo lo que te pido.

Henry se dirigió a la entrada.

—Lo siguiente será que ella te diga qué plantar —apostilló Papaíto.

—Cállese —replicó Henry.

No sé quién quedó más sorprendido, si Papaíto o yo.

Al día siguiente, a la hora de cenar, Henry nos habló acerca de su encuentro con Carl Atwood. Al parecer, el caballo se había metido en el secadero y comido todo su tabaco. Lo cual explicaba por qué la criatura se había vuelto loca y por qué Carl Atwood se puso tan furioso.

—Le dije que lo mantendría hasta terminar la cosecha —anunció Henry—. Pero llegado octubre tendrá que marcharse. Un hombre que hace algo semejante, que mata al animal que con su duro trabajo le ahorra el suyo y le pone comida en la mesa, es un hombre en el que no se puede confiar.

Le di las gracias y me estiré para apretar su mano, pero la apartó.

—Ahora que Carl no tiene un caballo con el que arar —continuó— tendrá que emplear una de nuestras mulas y pagarnos la mitad, como los Cottrill. Eso significa un dinero extra para nosotros. Y esa es la principal razón por la que los mantengo aquí —sus ojos se encontraron con los míos, y le sostuve la mirada—. En la granja no cabe la piedad —añadió.

—Sí, Henry. Comprendo.

No lo comprendía, no lo entendía en absoluto, pero estaba a punto de aprender algo sobre el asunto.

HAP

Antes del quebrantamiento es la soberbia, y antes de la caída la altivez del espíritu. Había sermoneado aquello en muchas ocasiones. Y en muchas ocasiones me había puesto frente a la iglesia, o a una tienda llena de gente, y rogado por los mansos mientras advertía a los orgullosos de que el día del Juicio Final llegaría antes de lo que pensaban. Ay, sí, sería una venida rápida y ellos pagarían por su imprudente comportamiento. Delante de un espejo es donde tenía que haberlo hecho; si hubiese escuchado mis propias palabras, no habría terminado metido en semejante lío. En mis pensamientos no cabía duda de que Dios tuvo algo que ver en eso. Intentaba darme una lección por mis malas obras y mis malos pensamientos. Es como si me dijese: «Hap, será mejor que te humilles, pues habías dado por garantizadas las bendiciones que te regalé. Has estado andando por ahí, pensando que eras mejor que los demás porque no trabajabas para entregar después la mitad de la cosecha, como hacen ellos. Te has olvidado de quién está al mando y quién no. Así que esto es lo que voy a hacer: voy a mandar una tormenta tan fuerte que arranque el tejado de ese cobertizo donde guardas la mula de la que estás tan orgulloso. Luego mandaré sobre ella pedriscos de granizo gordos como nueces, se volverá loca y se partirá una pata intentando salir de ahí. Y después, solo para que sepas que te estás enfrentando a Mí, a la mañana siguiente, una vez hayas sacrificado y enterrado tu mula y estés subido a la escala intentando volver a clavar el tejado del cobertizo, voy a hacer que ese travesaño, el que aún no has arreglado, ruede al pisarlo para que caigas y te rompas una pierna, y voy a mandar a Florence y a Lilly May a un parto y a los gemelos al otro lado de la finca para que quedes ahí tirado la mitad de la jornada. Eso te dará tiempo para pensar de verdad en lo que te intento decir».

Una mula muerta, un cobertizo roto y una pierna quebrada. Eso es lo que te proporciona el orgullo.

Debí de haber pasado allí dos o tres horas intentando arrastrarme hasta casa, pero el dolor era demasiado fuerte. El sol subió por el cielo hasta ponerse justo encima de mi cabeza. Cerré los ojos para protegerlos y al abrirlos vi sobre mí una cara colorada con el ceño fruncido y llamas a su alrededor; parecía un demonio mirándome. Me pregunté si estaría en el Infierno. Y debí de preguntármelo en voz alta, porque el demonio me contestó:

—No, Hap —me dijo—. Estás en Misisipi —se retiró un poco y vi que era Henry McAllan—. Paré para ver si tenías algún desperfecto por la tormenta.

Si mi pierna no me hubiese dolido tanto, me habría reído con eso. Caramba, supongo que podría decirse que tuvimos algo de daño.

Se fue y trajo a Ruel y Marlon del campo. Al levantarme para llevarme a casa debí de desmayarme, porque la siguiente cosa que recuerdo es despertar en la cama con Florence inclinada sobre mí, atándome algo alrededor del cuello.

—¿Qué haces? —le pregunté.

—Alguien debe de haberte hecho una jugarreta. Vamos a intentar devolvérsela.

Miré bajo mi barbilla y vi una de sus bolsas de franela roja llena de Dios-sabía-qué, una cola lagarto o un ojo pez, o una moneda de cinco centavos con un agujero; a saber qué tendría ahí dentro.

—Quítame eso de encima —le dije—. No quiero ninguno de tus hechizos de vudú.

—Tú ponte bien y podrás quitártelo solo.

—¡Maldita sea, mujer! —intenté levantarme para poder quitar la bolsa y el dolor reventó en mi pierna; era como si alguien le hubiese arrimado una sierra embotada y trabajase con ella adelante y atrás, adelante y atrás.

—Ahora calla —dijo Florence—. *Tiés* que quedarte quieto hasta que llegue el médico.

—¿Qué médico?

—El doctor Turpin. La *señá* McAllan fue al pueblo *pa* buscarlo.

—No vendrá hasta aquí —dije—. Sabes que ese hombre no gusta de tratar a gente de color.

—Lo hará si la *señá* McAllan se lo pide —respondió Florence—. Mientras tanto, quiero que bebas un poco de esta tisana que te hice; te ayudará con el dolor y la fiebre.

Tragué unas cucharadas, pero mi barriga no lo quería y lo vomité de inmediato. El tipo que aserraba mi pierna retomó el ritmo y me desmayé.

Al volver en mí ya era de noche. Florence dormía en una silla al lado de la cama, con una candela encendida a sus pies. Su cara lucía hermosa y seria con la luz brillando sobre ella desde abajo. Mi esposa no es bonita frente a la mujer media, pero me gustaba su aspecto. Mandíbula fuerte, huesos fuertes y una voluntad a juego. Ay, sí, a esa ya la había visto durante el cortejo.

Mis hermanos Heck y Luther se burlaron de mí por casarme con ella, pues era más alta que yo y su piel muy oscura. Ellos eran como nuestro papá, nunca pensaba en nada más que en actividades naturales a la hora de elegir mujer. Intentaba decirles que uno no se casa con una chica solo para meterse entre sus piernas, que en el matrimonio hay mucho más que eso, pero se reían de mí. Unos tontos, los dos. Un hombre no puede prosperar por sí solo. A no ser que pueda apoyarse en su mujer, y su mujer en él, nunca llegará a nada.

—Yo *v'y* hacer *d'esto* un viaje *pa to'a* la vida —le dije antes de casarme con ella—, así que si no quieres ya me lo estás diciendo y acabamos ahora mismo.

—Pues vamos —me dijo ella.

Y así fuimos y nos casamos; eso fue allá, en 1923.

Florence debió de sentir que estaba pensando en ella, porque sus ojos se abrieron.

—Estás desperdiciando queroseno —le dije.

—Me pareció que merecías el gasto —se estiró y me tocó la frente—. *Tiés* fiebre. Vamos a meterte algo de *comía*, después intentaremos otra vez lo del té de corteza de sauce.

Su toque era suave pero yo sabía, por la dura expresión de su boca, que estaba enfadada, y también podía imaginarme la razón.

—El doctor Turpin no *'pareció, ¿verdá*? —dije.

—No. Le dijo a la *señá* McAllan que intentaría venir mañana después de terminar con los sus otros pacientes.

Bajé la vista hacia mi pierna. Estaba cubierta con una manta y Florence la había apoyado en un saco de harina de maíz. La moví un poco y me arrepentí de hacerlo.

—Mandó zumo de amapola *pa'l doló* —me contó, sosteniendo una botella marrón—. Te di un poco justo al ponerse el sol. ¿Quieres algo más?

—Ahora no, primero tenemos que hablar. ¿Está muy mal?

—La piel no se ha *rompío*, pero casi. Necesita que la arregle un médico.

—Confiaba en que lo harías tú.

Negó con la cabeza.

—Si lo hiciera mal... —no terminó de decir su pensamiento, pero no hacía falta. Un tullido no puede sacar una cosecha, y un hombre con una sola pierna no vale absolutamente para casi nada.

—¿Qué *l'has* dicho al Henry McAllan? —pregunté.

—¿De qué?

—*De'sa* mula.

—La *verdá*. Podía verlo él mismo que no estaba *n'el* establo.

—¿Y qué dijo?

—Preguntó si íbamos a querer usar una de las sus mulas, y le pregunté qué pasaba si la cogíamos un tiempo. Y él dijo que entonces le teníamos que pagar la *mitá* la cosecha en vez *d'un* cuarto, y le dije que el campo *ya'stá arao* Y él dijo que aún no *pues* hacer *ná*, y que hay que fertilizar y plantar, y que si vas a usar mi mula *pa* hacerlo *tiés* que pagarle la *mitá* entera. Y yo le dije que no necesitaríamos de su mula, y que nos apañaríamos bien sin ella. Y él dijo que ya veríamos.

Es decir, que si no podíamos poner la semilla lo bastante rápido para complacerlo, nos haría emplear su mula de todos modos y nos cobraría la mitad de la cosecha recogida. La mitad de la cosecha apenas daba para mantenernos un año, y mucho menos para comprar semilla y fertilizante, y mucho menos aún para comprar otra mula. Tienes que tener tu propia mula, o estás perdido. Trabajar a medias no deja nada, y llega el final del año y uno no tiene más que pelusa en el bolsillo y nada si vienen vacas flacas. Empiezas a endeudarte con el jefe, que si te deja esto, que si cojo lo otro, y antes de que te enteres ya es tu dueño. Trabajas nada más que para pagar la deuda, y cuanto más duro trabajas, más terminas debiéndole.

—No vamos a usar la mula de Henry McAllan —le dije. Buenas palabras que no eran sino palabras, y lo sabíamos. Ruel y Marlon no podrían con una cosecha de veinticinco acres los dos solos, eran niños fuertes y muy trabajadores, pero no tenían más que doce años; aún no habían crecido del todo. Si Ronsel estuviera en casa podrían hacerlo entre los tres, pero era mucho trabajo para dos niños sin una mula, y yo apenas tenía para otra. Pagué ciento treinta dólares por la que murió, pensando en conservarla por lo menos diez o doce años más.

—Eso fue lo que le dije yo —me contó Florence—. También le dije que ya no podía cuidar más la casa de su esposa porque *tía* que estar *n'el* campo con los gemelos.

Abrí la boca para decirle que no, pero me la tapó con la mano.

—Hap, no hay otro modo, y lo sabes. No *v'y* a morir por plantar un poco y cortar algo hasta que *t'encuentres mejó.*

—Prometí que nunca te pediría que volvieses a trabajar el campo.

—No lo pides tú, me ofrezco yo —respondió.

—Si tan solo hubiese reparado esa escalera.

—No es culpa tuya —me dijo.

Pero sí era culpa mía, por tener la frente demasiado alta para ver el travesaño roto justo bajo el mi pie. Nunca me sentí peor que ahí, tumbado en cama. Empezaron a brotarme las lágrimas y cerré los ojos para contenerlas. Antes muerto que dejar mis lágrimas corriendo a la vista de mi mujer.

Al día siguiente, cuando ya bien entrada la jornada por fin se presentó el doctor Turpin, mi pierna estaba muy hinchada y tenía mala pinta. Había ido a él dos veces, una cuando cogí el tétano por haber pisado un clavo oxidado, y otra cuando Lilly May cogió una pulmonía. No era de Marietta, había venido de Florida hacía unos cinco años; decían que allí abajo perteneció al Klan. No había Klan en nuestra parte de Misisipi. Intentaron meterse en Greenville allá por 1922, pero el senador Percy los echó. Él era un caballero de verdad. El *señó* Leroy Percy era un tipo de hombre blanco bueno. El doctor Turpin era de otro tipo. Odiaba a las otras razas de color igual que nos odiaba a nosotros por estar en la Tierra. El problema era que no había más médicos por los alrededores. Uno tenía que ir hasta Belzoni o Tchula para encontrar otro doctor, pero ir a cualquiera de los dos sitios suponía un par de horas de carreta. A veces había que hacerlo, dependiendo de cuándo te ponías malo. El doctor Turpin sólo atendía a la gente de color algunos días de la semana, y no siempre eran los mismos. Cuando tuve el tétano era lunes y me dijo que no podía verme hasta el miércoles, pero llevé a Lilly

May a su consulta un viernes y me dijo que era mi día de suerte, porque el viernes era el día de los negracos.

Cuando Florence lo trajo a verme, él le dijo que fuese a esperar a otra habitación.

—¿Puedo ayudarle de alguna manera, doctor? —preguntó.

—Si quiero algo ya te lo diré —contestó.

Me hubiese gustado que se quedase, y sabía que se quería quedar, pero fue y salió. El doctor Turpin cerró la puerta tras ella y se acercó a la cama. Era un tipo gordo con ojos de color amarillo castaño y una extraña naricilla torcida hacia arriba que parecía pertenecer a la cara de una *señá*.

—Bueno, muchacho —me dijo—, tengo entendido que fuiste y te partiste una pierna.

—Caramba que sí.

—A buen seguro que Henry McAllan quiere ver cómo te pones bien, así que supongo que será mejor que te arregle. ¿Sabes lo afortunado que eres por tener un terrateniente como el señor McAllan?

Parecía que ese hombre me tenía que decir lo afortunado que era cada vez que me veía. En ese momento no me sentía muy afortunado, pero asentí con la cabeza. Quitó la cobertura de mi pierna y silbó.

—Puedes estar seguro de que te has machacado bien. ¿Has tomado esa medicina contra el dolor que te mandé?

—Sí, *señó*.

Me dio un golpe en la pierna y brinqué.

—¿Cuándo fue la última vez que tomaste la dosis? —preguntó.

—Justo después de *comé*, hace unas cinco horas.

—Bueno, en ese caso esto te va a doler un poco —se inclinó hacia su bolsa y sacó unas piezas de madera y unas tiras de trapo.

—¿No puede darme algunas más medicinas?

—Por supuesto que sí —respondió—, pero no harán efecto hasta dentro de quince o veinte minutos. Y no tengo tiempo para sentarme a esperar. La señora Turpin confía en que llegue a casa para la cena —me tendió una de las piezas de madera, más pequeña que las otras. Estaba llena de marcas formando líneas torcías—. Pon esto entre los dientes —dijo.

Lo puse en mi boca y la cerré. Empecé a sudar y pude oler mi propio miedo; y si yo podía olerlo, sabía que el doctor Turpin también podía. No podía hacer nada para evitarlo, pero me dije que no gritaría, pasase lo que pasase. Dios me vería pasar por esto como me había visto pasar por mucho más si hubiese tenido fe en Él.

En el día que temo, yo en Ti confío.

—Ahora, muchacho —dijo—, yo que tú cerraba los ojos. Y no te muevas. No si quieres conservar esta pierna —me guiñó un ojo y sujetó mi pierna por la rodilla y el tobillo.

En Dios alabaré su palabra; En Dios he confiado; no temeré; ¿Qué puede hacerme el hombre?

Pegó un brusco tirón en mi tobillo y llegó el dolor; un dolor tan malo que hizo que todo lo pasado antes fuese como darme en el dedo. Grité mordiendo la madera.

Después, nada.

LAURA

Cuando Henry me dijo que Florence no volvería, sentí algo cercano al pánico. No sólo echaría en falta su ayuda en casa; era su compañía, su tranquila y femenina presencia en mi hogar. Sí, tenía a las niñas, y a Henry por las tardes, pero los tres eran insoportablemente felices en la granja. Sin Florence me quedaría a solas con mi ira, mi duda y mi miedo.

—Solo será hasta julio —me dijo Henry—. Podrá volver en cuanto se haya plantado el algodón.

Quedaban tres meses para julio… Una eternidad. Hablé sin pensar.

—¿No podemos prestarle una de nuestras mulas?

Me arrepentí de mis palabras apenas las hube pronunciado. «Prestar» era una palabra maldita para Henry, cercana a la peor de las blasfemias. Desconfiaba de los bancos y siempre pagaba en metálico. Guardó el dinero para *Mudbound* en una caja fuerte escondida bajo las tablas del suelo de nuestro dormitorio. No tenía ni idea de cuánto había allí, aunque me dijo dónde estaba y me enseñó la combinación: 8-30-62; la fecha en la que las fuerzas confederadas, bajo las órdenes del general Robert E. Lee, machacaron al ejército de la Unión en la batalla de Richmond.

—No, no podemos «prestarles» una mula —dijo bruscamente—. Tú no vas por ahí y «prestas» una mula. Y te voy a decir algo más, si Florence y esos chicos no plantan esa semilla rápido podrán emplear nuestra mula, pero nos pagarán por el privilegio.

—¿Qué quieres decir?

—Pues que es como lo de los Atwood. Si no tienen una mula y no pueden sacar el trabajo a tiempo, tendrán que utilizar una de las nuestras. Lo que significa que nos tendrán que pagar la mitad de la cosecha de algodón. Mala suerte para ellos y buena para nosotros.

—¡Henry! No puedes aprovecharte de ellos de esa manera.

Su rostro se puso rojo de ira.

—¿Aprovecharme? Voy a dejarle a Hap Jackson mi ganado para que saque su cosecha. Una mula por la que pagué un buen dinero, y por la que aún pago para alimentarla. ¿Y tú crees que debería dejársela gratis? Como Hap está enfermo y todo eso, quizá te pareciese mejor si se la regalase. Ya puestos, ¿por qué no le damos nuestro coche? Demonios, ¿por qué no le damos toda la finca?

A mí me parecía un buen plan.

—Creo que debemos ayudarles, cariño —le dije—. Después de todo, Hap se hirió trabajando para nosotros, intentando reparar nuestra propiedad.

—No. Hap se lastimó trabajando para Hap. Si no reparaba ese establo, sus herramientas se oxidarían y sus ingresos sufrirían las consecuencias. Explotar el campo es un negocio, Laura. Y tiene sus riesgos, como cualquier otro negocio. Hap lo entiende y tú también tienes que entenderlo.

—Lo entiendo, pero...

—Deja que te lo explique de otro modo —dijo—. He invertido todo lo que tengo en este lugar. Todo. Este año tenemos que hacer dinero. Si no lo hacemos, *nuestra* familia se verá en apuros. ¿Puedes entenderlo?

Sufrí una derrota sin paliativos, como el ejército de la Unión en Richmond.

—Sí, Henry —contesté.

Se dulcificó un poco, generoso en la victoria.

—Cielo, sé que esto está siendo duro para ti. Ya nos ocuparemos de encontrarte una nueva criada en cuanto termine la temporada de siembra. Mientras, ¿por qué no te vas mañana de compras a Greenville? Cómprate un sombrero nuevo y algún vestido de Semana Santa para las niñas. E invita a Eboline a comer. Papaíto y yo podremos arreglárnoslas por un día.

No quería un sombrero nuevo, no quería ver a Eboline y, sobre todo, no quería una nueva criada.

—Vale, Henry —le dije—. Me parece muy bien.

Las niñas y yo partimos a la mañana siguiente, temprano. Paramos de camino al pueblo en casa de los Jackson para interesarnos por Hap y dejarles algo de comida. No había visto a Florence desde el día del accidente y me alarmó su aspecto, demacrado y descuidado.

—El Hap está terriblemente malo —me dijo—. Su pierna *no'stá* curando bien y ya lleva tres días con la fiebre. Lo he *intentao to*, pero no puedo hacer que baje.

—¿Quieres que traigamos al doctor Turpin?

—¡Ese *dimonio*! Nunca debí haberle *dejao* poner sus manos en el Hap, eso *pa* empezar. La *mitá* la gente de color que va a él acaba peor lo que estaba. Como el Hap pierda su pierna por culpa de ese hombre… —se calló, sin duda contemplando varios finales truculentos para el doctor Turpin. Mi mente también trabajaba aprisa, pero con otro propósito: si Hap perdía su pierna, yo jamás recuperaría a Florence.

Y así me fui de compras a Greenville… No por sombreros y vestidos de Semana Santa, sino en busca de un médico dispuesto a conducir dos horas de ida, y otras dos de vuelta, para atender a un arrendatario de color. Hubiese sido más fácil encontrar un perro verde. Los dos primeros doctores que visité actuaron como si les estuviese pidiendo que me hiciesen la colada. El tercero, un hombre con más de setenta años cumplidos, me dijo que ya no conducía. Pero cuando me disponía a marcharme, añadió:

—Está ese doctor Pearlman, en la calle Clay. Puede que lo haga, es extranjero y judío. O puede ir al barrio de los negritos, allí tienen médico.

Decidí probar suerte con el judío extranjero, aunque no estaba segura de qué debía esperar. ¿Sería competente? ¿Intentaría engañarme? ¿Acaso llegaría a aceptar atender a un negrito? Pero mis temores resultaron infundados. El doctor Pearlman parecía alguien amable e instruido, y su oficina, aunque falta de pacientes, se veía ordenada. Apenas había terminado de explicarle la situación cuando ya había recogido su maletín y se encaminaba aprisa hacia la puerta. Nos siguió a las niñas y a mí hasta el hogar de Hap y Florence, donde le pagué los muy razonables honorarios convenidos y lo dejé.

Ya casi había oscurecido cuando llegué a casa. Henry esperaba en el porche.

—Eh, chicas, debéis de haber comprado la mitad de Greenville —dijo a modo de saludo.

—Ah, no encontramos mucho —dije.

Se acercó al coche y, al ver que no había paquetes, enarcó las cejas.

—¿No habéis traído nada?

—Trajimos un médico —dijo Amanda Leigh—. Hablaba raro.

—¿Un médico? ¿Es que hay alguien enfermo?

Sentí una sacudida nerviosa.

—Sí, Henry, es Hap. Su pierna no está sanando. El médico era para él.

—¿En eso has empleado todo el día? —dijo—. ¿En buscar un médico para Hap Jackson?

—No salí con esa intención. Pero es que había una consulta justo al lado de la tienda, y pensé…

—Amanda Leigh, mete a tu hermana en casa —dijo Henry.

Conocían el tono y obedecieron con presteza, dejándome a solas con él. Bueno, no tan sola; vi al viejo en la ventana, regodeándose con cada palabra.

—¿Por qué no acudiste a mí? —preguntó—. Hap es mi arrendatario, mi responsabilidad. Si está enfermo, soy yo quien tiene que saberlo.

—Sólo fue que paré en su casa de camino a la ciudad. Y Florence me dijo que se había puesto mucho peor, así que...

—¿Pensaste que yo no me ocuparía de él? ¿Que no hubiese ido a buscar al doctor Turpin?

De pronto advertí que no estaba tan enfadado como herido.

—No, cariño, por supuesto que no —le dije—. Pero es que Florence no confía en el doctor Turpin, y como ya estaba en Greenville...

—¿Qué quieres decir con que no confía en él?

—Me dijo que no trató la pierna de Hap del modo adecuado.

—Y tú fuiste y aceptaste su opinión sobre el asunto. La opinión de una partera con apenas una educación primaria frente a la de un doctor en medicina.

Puesto así, sonaba ridículo. Había aceptado su opinión sin dudarlo. Y a pesar de todo, mientras estuve allí, en pie bajo el sol, marchitándome frente a la mirada de mi esposo, supe que lo volvería a hacer.

—Sí, Henry, la acepté.

—Bien, pues necesito que hagas lo mismo por mí, tu esposo. Que aceptes mi palabra de que lo que voy a hacer es lo mejor para los arrendatarios, para ti y para las niñas. Necesito que confíes en mí, Laura. —Y con voz sorda, añadió—: Nunca pensé que tuviese que pedirte esto.

Me dejó plantada junto al coche. El sol se había deslizado bajo el horizonte y estaba cayendo la temperatura. Sentí un escalofrío y me apoyé en el capó del DeSoto, agradecida por su calor.

HAP

Al recobrar el conocimiento, el doctor Turpin ya se había ido y yo todavía estaba vivo; esas eran las buenas noticias. Las malas eran que mi pierna dolía como el mismísimo demonio. Estaba vendada de arriba abajo, así que no podía verla, pero podía sentirla muy bien. De ella salía calor, y sentía su piel seca y tirante. Eso era mala señal, lo sabía de atender a las mulas.

—El médico dijo que ibas sentirte *mejó* en uno o dos días —me dijo Florence.

Pero no me sentí mejor, me estaba sintiendo peor a medida que pasaba el tiempo. El terrible dolor fue terrible de verdad y yo no hacía más que perder el conocimiento y despertar. Recuerdo caras flotando sobre mí. La de Florence, las de los chicos. La de mi mamá, y eso que ya llevaba veinte años bajo la arcilla. Después apareció sobre mí un hombre blanco desconocido, un hombre entrado en años, de barba gris y una ceja larga y gruesa como un bigote.

—Este es el doctor Pearlman —dijo Florence—. Va a curarte la pierna.

El hombre me cogió de la muñeca y la sostuvo mientras miraba el reloj de bolsillo. Después me encendió una luz delante de los ojos, luego puso el suyo junto al mío y miró dentro.

—Su marido sufre un choque —dijo con acento raro.

Comenzó a sacudir la cabeza como si hubiese visto algo que le disgustaba, y supuse que estaba enfadado por tener que atender a un negrito. No quería que me atendiese ningún blanco furioso, y así se lo dije, pero él continuó como si nada y empezó a quitar las vendas de mi pierna. Yo comencé a retorcerme.

—Sujételo —le dijo a Florence.

Ella se acercó y me agarró los hombros. Intenté quitarla de un empujón, pero estaba muy débil. No podía ver qué hacía el médico y tuve un mal pálpito.

—¿*Tié* una sierra? —pregunté a Florence.

—No, Hap.

—No dejes que me corte la pierna. Sé que está *enfadao*, pero no le dejes.

—Ahora *tiés* que quedarte quieto —me dijo Florence.

El doctor volvió a inclinarse sobre mí, tan cerca que pude oler el tabaco de pipa en su aliento.

—No han atendido su pierna del modo adecuado y está ardiendo —anunció.

—¿Qué? —de nuevo comencé a forcejear con Florence, intentando levantarme, pero fue como pelear contra Goliat.

—¡Chist! —dijo—. Solo está *hinchá*, *na* más. Eso es lo que te causa la fiebre.

—Ahora voy a dormirlo —anunció el médico.

Colocó una cestita sobre mi nariz y mi boca y echó algo de líquido. Tenía un olor mareante y dulzón.

—Por favor, doctor, necesito mi pierna.

—Usted descanse, señor Jackson. Y no se preocupe.

Intenté quedar despierto, pero el sueño tiraba y tiraba de mí. La última cosa que recuerdo es ver al doctor inclinándose para sacar algo de su bolsa. Llevaba una pequeña gorra en su calva cabeza, parecía una blonda, y me pregunté cómo conseguía mantenerla allí. Después el sueño se apoderó de mí y me tragó.

Al despertar ya era de mañana y aún me dolía la pierna, pero menos que antes. Esta vez me alegré de sentir dolor, hasta que recordé al viejo Waldo Murch y el brazo que tuvieron que quitarle allá en 1929. Waldo juraba que el brazo aún le dolía incluso cuando ya no estaba allí. Lo vi muchas veces, rascando en el aire, y me pregunté si era esa clase de dolor imaginario el que sentía. Pero supongo que Dios debió haber decidido que ya me había humillado lo suficiente, porque quité la manta y allí estaba mi pierna, vendada y entablillada de arriba abajo. Y voy a decir algo: ver que tienes dos piernas cuando piensas que estás condenado a tener una, da un enorme sentimiento de alivio.

Oí a Florence andando por la otra habitación y la llamé.

—Estoy preparándote el desayuno —dijo—. Voy *p'allá*.

Me trajo un plato de huevos revueltos con sesos. Apenas los olí y empezó a gruñirme el estómago; parecía como si no hubiese comido en una semana.

—Toma esto primero —me dijo, dándome una pastilla.

—¿Qué es?

—Pastillas de *pinicilina*. Son *pa* quitar la *infeción*. *Tiés* que tomar dos al día hasta que se acaben.

Tragué la pastilla y ataqué la comida. Florence me puso una mano en la frente.

—La fiebre ha *bajao* —dijo—. Ayer no *tabas* bien de la cabeza. Fue una cosa buena que apareciese el médico. La *señá* McAllan lo trajo de la misma Greenville.

—¿Fue y lo trajo en persona?

—Sí. Conducía el coche, con él siguiéndola.

—Cuando la veas, dile que la estoy muy *agradecío*.

Ella resopló.

—*Tiés* suerte de tener aún la pierna después del trabajo que la hizo el carnicero ese. El doctor Pearlman estaba muy *enfadao* por eso, te lo digo de *verdá*. Dijo que el doctor Turpin no merece ser llamado de doctor.

—Supongo que el doctor Pearlman no es de por aquí —dije yo.

—No, es de algún lugar de Europa. Australia, creo que dijo.

—Querrás decir Austria. Ese fue el sitio donde estuvo el Ronsel que decía que nevaba *to* el tiempo.

Florence se encogió de hombros.

—Que se llame como sea, estoy muy contenta de que haya *acabao* aquí y no allí.

—¿Cuánto tiempo tengo que quedarme *tumbao*?

—Ocho o diez semanas, si no hay *infeción*.

—¡Ocho semanas! ¡No puedo estar *tumbao* hasta junio!

Ella continuó como si yo no hubiese dicho una palabra.

—El doctor dijo que tenemos que cuidar mucho de eso. Y que *tiés* que tener esa pierna muy quieta. Volverá el lunes *pa* verte, y que si había bajado el hinchazón te pondría una escayola.

—¿Cómo voy a cortar algodón con una escayola? ¿Cómo voy a dar los sermones los domingos?

—No vas —espetó Florence—. Los niños y yo vamos a cortar y Junius Lee *venirá* en coche desde Tchula *pa'l* sermón, y tú no vas a poner ni una miaja del tu peso en esa pierna, como dijo el doctor. Si no haces caso, acabarás siendo cojo, o algo peor.

—Y si lo hago y acabamos siendo aparceros, jamás escaparemos de las manos de Henry McAllan.

—Ahora no *pués* preocuparte por eso —dijo Florence—. Dios proveerá, de una *o* otra manera. Mientras, vas a hacer lo que te dijo el médico.

—Dolor es para su padre el hijo necio, y gotera continua las contiendas de la mujer —cité—. Proverbios, 19:13.

—La casa y las riquezas son herencia de los padres; mas de Jehová la mujer prudente —replicó ella—. Proverbios, 19:14.

La mujer conocía las Escrituras, tengo que reconocerlo. Nunca aprendió de los libros, pero no tenía problemas de memoria.

—Será mejor que salga al campo —anunció—. La Lilly May estará aquí por si necesitas algo. Ahora descansa.

Tardaba en pasar, tardaba en pasar. Tumbado en aquella cama sabiendo que mi mujer estaba fuera haciendo mi trabajo por mí. Ni siquiera podía hacer mis necesidades sin que alguien me ayudase. Intentaba aguantarme hasta que Florence y los chicos llegasen a casa, pero un día no pude resistir y tuve que pedirle a Lilly May que me ayudase con la bacinilla. Hay algunas cosas que una hija nunca debería de hacer por su papá. Me hacían desear cagarme encima y quedarme así hasta que Florence volviese a casa.

Mientras, ella y los gemelos estaban a punto de reventar por el trabajo del campo. Las manos de Florence estaban llenas de bojas y la veía frotándose la espalda cuando creía que yo no miraba. Aunque ella nunca se quejó, ni una palabra; se limitó a seguir y hacer lo que tenía que hacerse. Trabajaron todos los días, incluso los domingos, y eso que Florence no estaba de acuerdo con no respetar el Día de Descanso. Tuvieron que hacerlo a las bravas. Tenían que tener los campos plantados antes de que Henry McAllan decidiese traer su mula.

Llegó el lunes y el doctor Pearlman vino tal como había dicho. Quitó las vendas de mi pierna y la miró.

—Esto es buena —dijo, que yo supuse quería decir «bueno»—. La inflamación ha desaparecido. Ahora debemos poner la escayola. Para eso necesitaré agua hervida.

Florence envió a Lilly May a hacerlo. Mientras, el doctor Pearlman examinaba todo mi cuerpo, mirando en mis ojos, escuchándome el corazón y meneándome los dedos de los pies. No parecía importarle tocarme. Me pregunté si toda la gente blanca de su país sería así.

—La Florence dice que eres de Austria —le dije.

—*Ja* —respondió—. Mi mujer y yo vinimos hace ocho años.

Antes de que pudiese pensar en lo que iba a decir, le dije:

—Nuestro hijo Ronsel estuvo allí. Es un tanquista, y luchó a las órdenes del general Patton.

—Entonces le estoy muy agradecido.

Lancé una mirada a Florence. Ella parecía tan confusa como yo. Hablando muy despacio, para asegurarme de que me entendía, le dije:

—Ronsel luchó contra el pueblo austriaco.

Sus ojos mostraron un brillo amable que me erizó los pelos del brazo.

—Pues espero que matase a muchos —dijo.

Después dejó la habitación y fue a lavarse las manos.

—Bien, ¿y eso qué te parece? —pregunté a Florence.

Ella sacudió la cabeza.

—En el mundo hay *to* tipo de locos entre los blancos.

La lluvia llegó al día siguiente, un chaparrón grande y poderoso que apretó la tierra de los campos bajo ella como si fuese cera. No hubo nada que pudiésemos hacer sino quedarnos allí sentados, mirándola y preocupándonos durante dos días hasta que por fin despejó. Florence y los chicos regresaron al campo, incluso Lilly May acudió. El trabajo era duro para ella, con su pie malo y todo eso, pero no se podía hacer nada.

Yo estaba en la cama con la pierna levantada, picándome, y despotricando. Sentía como si tuviese un puñado de hormigas arrastrándose bajo mi escayola, buscando algo para comer. Tampoco es que hubiese modo de rascar, pues la escayola me iba desde el tobillo hasta lo alto del muslo.

Hacía una canasta con el tronco de un abedul de río, intentando apartar el picor de mis pensamientos, cuando oí un ruido infernal, miré por la ventana y vi a Henry McAllan acercándose conduciendo aquel tractor. Apagó el motor y bajó.

—¿Hap? —llamó.

—¡Aquí! —respondí.

Se acercó a la ventana del dormitorio y miró dentro. Me saludó y me preguntó cómo me iba.

—Todo más mejor, gracias a ese doctor que me trajo la *señá* McAllan —le dije—. Sí que le estoy *agradecío* por traérmelo.

—Y ya puedes estarlo —dijo, y encendió un cigarrillo—. ¿Cuánto tiempo más vas a pasar con esa escayola?

Por detrás de él, lejos, podía ver a la Florence y los mis chicos arando. Lo digo muy en serio, estar allí dándole a la sinhueso con Henry McAllan mientras mi familia trabajaba duro bajo ese sol achicharrante me dolía mucho más que la pierna.

—Un mes más o así —contesté.

—¿En serio?

—Sí, caramba.

—¿Sabes? Me partí una pierna en la Gran Guerra. Tal como lo recuerdo, pasaron un par de meses antes de que me quitasen la escayola, y mucho más antes de que pudiese desarrollar cualquier labor de verdad.

—Yo sano rápido, siempre lo hice —comenté.

Le dio una calada al cigarro. Esperé, sabiendo qué iba a venir.

—La cosa es, Hap, que ya estamos en la segunda semana de abril —dijo—. Y por estas fechas vosotros ya tendríais que llevar avanzada la siembra, pero ni siquiera habéis empezado a limpiar esa parcela.

—Es que hay que arreglar los surcos por la lluvia.

—Ya lo sé. Pero si estuviesen empleando una mula acabarían enseguida. Tal como van, llegará el fin de semana antes de que empiecen incluso a fertilizar, y no hablemos de colocar esas semillas en el terreno. Solo son tres, Hap. No puedo permitirme esperar más. Eres un campesino, entiendes el asunto.

—No tardará tanto. También tenemos a la Lilly May ayudándonos.

—Una niña lisiada no va a suponer una gran diferencia; pero ya lo sabes —tiró el cigarrillo al suelo—. Dile a uno de tus chicos que venga a recoger esa mula hoy, después de comer.

Miré yo luego todas las obras que habían hecho mis manos, y el trabajo que tomé para hacerlas; y he aquí, todo era vanidad y aflicción de espíritu, y sin provecho debajo del sol.

—Caray —dije. La palabra se me atragantó, no había mucho más que pudiese decir. *Ahí estamos, Hap*, dije para mí, *vuelves a ser un aparcero; será mejor que te vayas acostumbrando.*

Cuando Florence regresó con los chicos para comer, no tuve ni que decírselo. Observó la expresión de mi cara y dijo:

—Va a mandar la mula esa, ¿*verdá*?

—Sí. A partir de esta tarde.

—Bueno —comentó—, sea como sea, hará que la arada vaya más rápido.

Nos sentamos a comer. No era un gran banquete, solo tocino salado y sémola de maíz que una de las feligresas nos había traído por la mañana, pero bendije la mesa de todos modos. Cuando terminé, Florence aún mantuvo la cabeza baja un buen rato más. Sabía qué pedía en el rezo. Era lo mismo que cada día le había estado rogando yo desde que caí de esa escalera: que Ronsel regresase a casa y nos librase.

Segunda parte

LAURA

Henry estaba enfadado conmigo, y me lo demostraba sin hacerme caso en la cama. Mi marido nunca había sido un hombre especialmente apasionado, pero siempre me había hecho el amor al menos dos veces por semana. Durante los primeros meses de nuestro matrimonio me sentía torpe y renuente (no obstante, nunca lo rechacé... no lo hubiese hecho ni en sueños). Pero al final nos acostumbramos a una intimidad dulce y familiar, aunque no completamente satisfactoria. Le gustaba hacerlo por la noche, con una lámpara encendida. En *Mudbound* teníamos una candela. Así era su señal: la cabeza de una cerilla raspando la lija. Unida a Henry, con su cuerpo estremeciéndose contra el mío, me sentía muy cercana a él, y al mismo tiempo, apartada a kilómetros de distancia. Él experimentaba sensaciones que yo no, para mí era bastante insulso, pero tampoco esperaba un éxtasis. No tenía idea de que siquiera fuese posible para una mujer. No siempre había disfrutado del estilo amatorio de Henry, pero me hacía sentir como una verdadera esposa. Nunca me había dado cuenta de cuánto lo necesitaba hasta que se alejó de mí.

Si aquel abril mi cama fue fría, mis días fueron tórridos, sudorosos y extenuantes sin tener a Florence para ayudarme. Henry contrató a la hija de Kester Cottrill, Mattie Jane, para que viniese a hacer la limpieza, pero era descuidada y parlanchina, por si fuese poco, así que después del primer día solo le permití hacer la colada y otras tareas en el exterior. Casi siempre veía a Florence a lo lejos, inclinada sobre una azada, arrancando los hierbajos que amenazaban los tiernos brotes de algodón. Una vez me la encontré en el pueblo y comencé a quejarme de Mattie Jane. Florence me lanzó una mirada de incrédulo desdén (*¿eso es lo que llamas tener problemas?*) que me hizo callar de vergüenza. Sabía que tenía que estar agradecida por no tener que pasar doce horas o más en esos campos de algodón, pero era un triste consuelo.

Un sábado, a finales de abril, fuimos los cinco al pueblo para hacer unos recados y cenar en Dex's Diner, famoso por su siluro frito y el cartel exterior que decía:

JESÚS TE AMA
LUNES - VIERNES DE 6:00 A 2:00
SÁBADO DE 6:00 A 8:00

Después de comer paramos en la tienda de Tricklebank para hacer la compra de la semana. Henry y Papaíto se quedaron la entrada, bajo la galería, con Orris Stokes y otros hombres, y las niñas y yo entramos para visitar a las señoras. Mientras charlaba con Rose, Amanda Leigh e Isabelle fueron corriendo a jugar con sus dos hijas. Alice Stokes también estaba allí, radiante en su embarazo, comprando un largo de popelina para hacer ropa premamá. Yo, desdichada como me sentía, no pude sino envidiar su felicidad. Llevábamos un rato de conversación cuando un negrito uniformado entró por la puerta trasera. Era un joven alto, con la piel del color del té fuerte. Lucía galones de sargento en sus mangas y muchas condecoraciones en el pecho. Sobre uno de sus anchos hombros colgaba un petate de gruesa tela de lana.

—¿Cómo está, *señá* Tricklebank? —dijo—. Ha pasado mucho tiempo.

Su voz era sonora y de gran musicalidad. Resonó con fuerza al fondo de la tienda, sobresaltando a las damas.

—¿Eres tú, Ronsel? —preguntó Rose sorprendida.

Él exhibió una ancha sonrisa.

—Sí, señora, al menos la última vez que miré.

Así que ese era el hijo de Florence. Ella me había hablado de él, por supuesto. De lo inteligente que era, de cuán guapo y valiente era. Del empeño que había puesto en estudiar. De cómo la gente se agolpaba a su alrededor como las abejas a la miel, y cosas así.

—No es que hable con pasión de madre —afirmó—. Ronsel *tié* algo que brilla, lo verá en el momento en que le eche la vista encima. Las chicas *to'as* quieren estar con él, y *to's* los hombres quieren ser como él. No lo *puén* evitar, los atrae su resplandor.

De todos modos, había tomado todo aquello como simple pasión de madre, aunque no se lo dijese. ¿Qué madre no cree que su primogénito tiene más dones del Señor de los que le corresponden? Pero al ver a Ronsel allí plantado en la tienda de Tricklebank, comprendí exactamente qué quiso decir.

A mí y a las demás señoras nos dedicó una cortés inclinación de cabeza.

—Buenas tardes.

—Pero, bueno, digo yo —empezó Rose—, ¿no has crecido?

—¿Cómo van las cosas, *señá* Tricklebank?

—De momento bien. ¿No has visto a los tuyos todavía?

—No, señora —respondió—. Acaba de llegar el autobús. Paré para comprarles unas cosas.

Lo observé mientras Rose le ayudaba con sus compras. Se parecía más a Hap, pero tenía la misma capacidad que Florence para hacerse notar en una sala, y algo más. No podías evitar mirarlo; tenía esa clase de poder. Me observó con curiosidad, y me di cuenta de que me había sorprendido observándolo.

—Soy la señora McAllan —me presenté, un poco avergonzada—. Tus padres trabajan en nuestra granja.

—Encantado —saludó. Sus ojos se cruzaron con los míos sólo un instante, pero durante esos segundos tuve la sensación de haber sido estudiada de arriba abajo.

—¿Sabían Hap y Florence que volvías a casa? —pregunté.

—No, señora. Quería darles una sorpresa.

—Bueno, me consta que estarán encantadísimos de verte.

Arrugó la frente, preocupado.

—¿Se encuentran bien?

A este hijo de Florence no se le escapaba nada. Dudé, y después le hablé del accidente de Hap, enfatizando los aspectos positivos.

—Ahora anda con muletas, y el médico dijo que en junio ya debería de estar caminando de nuevo.

—Gracias a Dios. Mi papá no puede estar ocioso. Probablemente esté volviendo loca a mamá, estando controlado todo el día.

Aparté la vista de él, inquieta.

—¿Qué sucede? —preguntó.

De pronto me di cuenta de que las demás mujeres guardaban el más absoluto silencio y nos observaban sin hacer el menor esfuerzo por disimular. Algunas parecían impresionadas, otras hostiles. Rose mostraba una expresión preocupada y sus ojos lanzaron una señal de advertencia.

Me volví hacia Ronsel.

—Tus padres perdieron su mula —le dije—, y después tuvimos que lidiar con el mal tiempo. Ahora están empleando nuestro ganado. Y tu madre trabaja en el campo junto a tus hermanos.

Sus mandíbulas se apretaron y sus ojos se volvieron fríos.

—Gracias por decírmelo —dijo. Resultaba imposible no detectar la ironía puesta en la primera de sus palabras. Escuché cómo Alice Stokes tomaba aire con fuerza.

—Disculpa —le dije a Ronsel—, tengo que hacer la compra.

Mientras me apartaba de él, lo oí decir:

—Volveré más tarde por esa tela, *señá* Tricklebank. Ahora será mejor que me vaya a casa.

Se apuró en pagar a Rose y se dirigió a la salida frontal con sus compras y su petate. Justo antes de que llegase a la puerta, esta se abrió y entró Papaíto seguido por Orris Stokes y el doctor Turpin. Ronsel se detuvo, a punto de chocar con ellos.

—Discúlpenme —dijo.

Intentó rodearlos, pero Orris se movió para situarse frente a él.

—Pero mira esto. Un chimpancé con uniforme.

El cuerpo de Ronsel se puso muy rígido, y sus ojos se clavaron en los de Orris. Pero humilló la mirada de inmediato.

—Lo siento, *señó*. No estaba atento.

—¿Adónde crees que vas, chico? —dijo el doctor Turpin.

—Solo pretendo llegar a casa para ver a los míos.

Volvió a abrirse la puerta y entró Henry acompañado de unos cuantos hombres más, agrupándose tras Papaíto, Orris y el doctor Turpin. Todos ellos con cara de pocos amigos. Sentí una punzada de temor.

—¡Cariño! —exclamé, llamando a Henry—. Ese es Ronsel, el hijo de Hap y Florence, que acaba de llegar de ultramar.

—Bueno, eso lo explica todo —dijo Papaíto.

—¿Explica qué? —preguntó Ronsel.

—Por qué intentas salir por la puerta principal. Debes de haber confundido el lugar donde estás.

—No estoy confundido, *señó*.

—Ah, pues yo creo que sí, muchacho —añadió Papaíto—. No sé qué te dejaban hacer por ahí fuera, pero ahora estás en Misisipi. Aquí los negracos no salen por la puerta principal.

—¿Por qué no sales por la puerta de atrás, como te corresponde? —preguntó Orris.

—Creía que eras más listo —le dijo Henry—. Vete de una vez.

Todo quedó en silencio. La hostilidad del ambiente casi podía cortarse con un cuchillo. Vi músculos tensos y puños cerrados con fuerza. Pero si Ronsel estaba asustado, no lo mostró. Pasó la vista muy despacio por toda la tienda, cruzando la mirada con la de cada hombre y mujer allí presentes, la mía incluida. *Vete ya*, le imploré en silencio. Dejó que la escena se alargase, apurándola al límite antes de hablar.

—¿Sabe una cosa, *señó*? —le dijo a Papaíto—. No salíamos por la puerta trasera cuando estábamos ahí fuera; nos colocaron en el frente. Justo en la línea de combate, cara a cara con el enemigo. Y allá nos mantuvimos todo el tiempo que estuvimos ahí. Los boches mataron a unos cuantos de los nuestros, pero al final les dimos una tunda de miedo. Caramba, le aseguro que sí.

Haciendo una inclinación de cabeza hacia Rose, se volvió y salió por la puerta trasera dando grandes zancadas.

—¿Habéis oído lo que acaba de decir? —preguntó Papaíto.

—Un negraco como ese no va a durar mucho por aquí —apuntó Orris.

—Quizá debiésemos enseñarle a tener mejores modales —apostilló el doctor Turpin.

Las cosas podrían haberse puesto feas, pero entonces Henry se situó frente a ellos con las manos alzadas, mostrándoles las palmas.

—No hace ninguna falta. Tendré unas palabras con su padre.

Por un instante temí que no se retirasen, pero entonces dijo Orris:

—Será mejor que lo hagas, McAllan.

Los hombres se dispersaron y se relajó la tensión. Hice mis compras, recogí a las niñas y salimos de la tienda de los Tricklebank. De camino a *Mudbound*, encontramos a Ronsel andando por el medio del camino. Se hizo a un lado para dejarnos pasar. Al rebasarlo, intercambié otra mirada con él a través de la ventanilla abierta del coche. Sus ojos eran desafiantes, y brillaban.

RONSEL

El patio de mi casa es particular... Chimpancé, betún, negraco, negro de mierda. Marcho a pelear por mi país y vuelvo a casa para encontrarme con que no ha cambiado nada en absoluto. Los paisanos negros todavía viajan en la parte trasera del autobús, entran por la puerta de atrás, recogen el algodón de los blancos y les piden perdón a los blancos. No importaba que hubiésemos respondido a su llamada y combatido en su guerra, para ellos todavía no éramos más que unos negros de mierda. Y los soldados negros que murieron solo eran negros de mierda muertos.

Al rebelarme en el local de Tricklebank sabía exactamente en el follón en el que me estaba metiendo, pero a pesar de todo, no pude cerrar la boca a tiempo para evitar morir por ella. Me comporté como mi amiguete Jimmy durante el periodo de entrenamiento. Le dije una y otra vez que sería mejor que fuese más humilde si sabía lo que le convenía, pero Jimmy se limitaba a negar con la cabeza y decir que prefería recibir una paliza que portarse como un negraco asustado. Y se llevó las palizas, una en Luisiana y dos en Tejas. La última vez, una caterva de policías militares le arrearon semejante tunda que pasó diez días en la enfermería, pero Jimmy jamás se humilló. Si no nos hubiesen destacado fuera, creo que bien podrían haberlo matado. Cuando se lo dije se rio y me contestó «me hubiese gustado verlos intentándolo».

Jimmy hubiera estado orgulloso de mí aquel día en Tricklebank, pero mi papá me habría arrancado las orejas. Todo lo que él conocía se limitaba al Delta. Nunca había caminado por la calle llevando la frente alta, y mucho menos con gente alineada a los lados vitoreándolo y lanzándole flores. Las batallas que libró fueron de la clase que nadie aplaude tu victoria: fueron contra el dolor de pies, y el dolor de huesos también, contra la escasez de lluvia y contra su abundancia, contra el calor, los gusanos del algodón y las piedras enterradas que podrían partir la espada del arado. Sin una tregua o un alto el fuego. Ganas hoy para levantarte mañana y librar las mismas batallas una y otra vez. Pierdes y puedes perderlo todo. Sólo un idiota se mete en una guerra con esas condiciones en contra; o un hombre que no tiene otra opción.

Papá había envejecido bastante durante los dos años pasados desde la última vez que lo vi. Tenía canas y nuevas líneas de preocupación alrededor de los ojos. También había perdido una cantidad de peso que no necesitaba perder; mamá dijo que fue desde que se partió la pierna. El día que regresé a casa pude oír el rezo apenas entré en el patio, agradeciendo a Dios por los alimentos que iban a tomar y el sol que había enviado esos últimos días para hacer que creciese el algodón, y por la salud de todos los allí presentes, incluyendo a las gallinas ponedoras y la cerda preñada, y por cuidar de mí allá donde quisiera que estuviese. Que en ese preciso instante era justo a la puerta de casa.

—Amén —dije.

Durante un rato no se movió nadie, se limitaron a quedarse allí sentados mirándome embobados, como si no me conociesen.

—¿Y bien? —les dije—. ¿Nadie va a ofrecerme algo de comer?

—¡Ronsel! —chilló Ruel, con Marlon medio segundo detrás de él, como siempre.

Entonces todos se levantaron para abrazarme, y mamá y Lilly May me besaron en la cara y me halagaron diciéndome lo grande y guapo que era, y me preguntaron cómo fue el viaje, cuándo regresé a los Estados Unidos y por qué no les había escrito diciéndoles que estaba de regreso a casa. Al final, papá gritó:

—¡Parar de revolotear al su alrededor y dejar que salude al su padre!

Estaba allí sentado, con su pierna apoyada en un taburete. Extendió los brazos, me acerqué y le di un fuerte abrazo, después me arrodillé a su lado para que no tuviese que levantar la vista para mirarme.

—Sabía que habías *venío* —me dijo—. Recé por eso, y aquí estás.

—Y aquí estás tú con una pierna escayolada. ¿Cómo te las apañaste?

—Es una larga historia. ¿Por qué no te sientas y comes algo mientras te cuento el caso?

No pude evitar sonreír. Todo lo concerniente a mi padre es una larga historia. Me llené el plato. Había tocino en salazón, alubias y quingombó en escabeche, con las galletas de mamá para untar en la salsa.

—Solía soñar despierto con estas galletas —dije—. Solía sentarme en la torreta de mi carro para comer mi ración de hierro...

—¿Qué es una ración de yerro? —preguntó Ruel.

—¿Son los fallos del día? —aventuró Marlon.

—Hierro, con H, no yerro como el fallo. Es comida del ejército, raciones de combate. He traído algunas a casa para que las podáis probar. Están en mi petate. Id, echad un vistazo.

Los gemelos corrieron a mi petate militar, abriéndolo y desparramando su contenido por el suelo. Todavía eran un par de críos, aunque casi tan altos como yo. Me entristeció un poco verlos tan jóvenes y ansiosos. Sabía que no serían así durante mucho más tiempo.

—Bueno, no importa —le dije a mamá—. El caso es que les hablé a todos los muchachos acerca de tus galletas. Cuando llegó el momento de la rendición boche, tenía a todos los hombres de la compañía soñando con ellas, incluso a los tenientes yanquis.

—Yo soñaba contigo —dijo mamá.

—¿Qué soñabas?

Sacudió la cabeza mientras se pasaba las manos por los brazos como si tuviese frío.

—Dime, mamá.

—No importa, ninguno se hizo realidad. Has vuelto con nosotros, sano y salvo.

—De vuelta a donde te corresponde —dijo papá.

Después de comer salimos los dos a charlar en el porche, y entonces vimos una camioneta bajando por el camino. Paró frente a nuestro patio y de ella bajó Henry McAllan.

—A ver qué quiere ahora ese hombre —dijo papá.

Me levanté.

—Creo que quiere hablar conmigo.

—¿Y por qué diantre querría Henry McAllan hablar contigo? —preguntó.

No contesté. McAllan ya estaba a los pies de la escalera.

—Buenas tardes, *señó* McAllan —saludó papá.

—Buenas, Hap.

—Ronsel, este es nuestro arrendador. Este de aquí es mi hijo Ronsel, del que le he *hablao*.

—Nos conocemos —dijo McAllan.

Papá se volvió hacia mí, ahora preocupado.

—Será mejor que hablemos a solas, Hap —dijo McAllan.

—No soy ningún crío, señor —le espeté—. Si tiene algo que decir, dígamelo a la cara.

—Pues muy bien. Deja que te haga una pregunta. ¿Piensas quedarte aquí y ayudar a tu padre?

—Sí, señor.

—Pues bien, no lo estás ayudando comportándote como hiciste antes, en la tienda de Tricklebank. Sólo estás ayudando a crearte un montón de problemas, y a tu familia también.

—¿*Qu'*hiciste? —preguntó papá.

—Nada —contesté—. Sólo quería salir por la puerta. Eso es todo.

—Por la puerta principal —señaló McAllan—, y cuando mi padre y otros hombres pusieron una objeción nos dio un bonito discurso. Nos pusiste a todos en nuestro sitio, ¿verdad?

—¿Es *verdá*? —preguntó papá.

Asentí.

—Entonces creo que *tiés* que disculparte.

McAllan esperó con sus ojos pálidos clavados en mí. No tenía opción y él lo sabía. En cuanto a lo que a nosotros respectaba, bien podría haber sido Dios Todopoderoso. Me obligué a decir las palabras:

—Lo siento, señor McAllan.

—Mi padre también querrá escucharlo.

—Ronsel le hará una visita mañana, después de la iglesia —dijo papá—. ¿*Verdá*, hijo?

—Sí, papá.

—Entonces, arreglado —dijo McAllan—. Deja que te diga algo más, Ronsel. No comulgo con todo lo que dice mi padre, pero hay algo en lo que tiene razón. Ahora vuelves a estar en Misisipi, y será mejor que empieces a pensar en eso. Estoy seguro de que a Hap le gustaría tenerte por aquí mucho, mucho tiempo.

—Pues sí, caramba —dijo papá.

—Muy bien. Disfrutad del sábado.

Al disponerse a marchar, le dije:

—Una cosa más, señor.

—¿Qué?

—No vamos a necesitar esa mula suya durante mucho más tiempo.

—¿Y cómo es eso?

—Pretendo comprar una para nosotros en cuanto pueda encontrar una buena.

Papá se quedó con la boca abierta. Oí un pequeño gemido procedente del interior de la casa y supe que mamá también estaba escuchando. Hubiese querido comprarla primero y sorprenderlos con ella, pero entonces aún quería más bajarle los humos a Henry McAllan.

—Las mulas cuestan un montón de dinero —señaló.

—Sé cuánto cuestan.

McAllan miró a mi padre.

—Está bien. Hap, cuando encuentre una, házmelo saber. Mientras tanto te alquilaré la mía por días. Lo apuntaré en tu cuenta y así podremos ajustar el pago después de la cosecha.

—Yo lo abonaré en metálico en cuanto encuentre esa mula —le dije.

Bien pude ver que a Henry McAllan aquello no le gustaba nada, pero ni una pizca. Su voz mostró un tono afilado al responder:

—Como te dije, Hap, lo apuntaré en tu cuenta.

Papá posó una mano en mi brazo.

—Está bien, caramba —le dijo.

McAllan subió a su camioneta y encendió el motor. Cuando estaba a punto de salir, gritó:

—No te olvides de pasar mañana por casa, muchacho.

Observé su camioneta desapareciendo entre la creciente oscuridad. Las chotacabras habían comenzado con sus súplicas y el brillo intermitente de las luciérnagas resplandecía en un paisaje que iba adquiriendo un oscuro color púrpura. La tierra parecía suave y acogedora. Pero yo sabía qué gran mentira era aquella.

—No merece la pena luchar contra ellos —comentó papá—. Ellos *na* más que ganan siempre.

—No estoy acostumbrado a huir de una pelea. Ya no.

—Pues será mejor que te acostumbres, hijo. Por el bien de *tos*.

Combatimos durante seis meses seguidos a través de Francia, Bélgica, Luxemburgo, Holanda, Alemania y Austria. Matamos a miles de soldados alemanes colaborando con los diferentes batallones de infantería a los que estuvimos asignados. No se trataba de algo personal. Los boches eran el enemigo y no los odiaba, aunque intenté dar buena cuenta de todos los que pude. No hasta el día 29 de abril de 1945. Aquel día llegamos a Dachau.

Ni siquiera sabíamos qué era aquello, solo que estaba en nuestro camino. Ninguno de nosotros había oído hablar antes de un campo de concentración. Corrían rumores acerca de cómo los alemanes maltrataban a los prisioneros de guerra, pero creíamos que eran cuentos para asustarnos y hacernos combatir más duro.

Para entonces yo ya estaba al mando de mi propio carro. Sam era mi servidor de ametralladora. Nos dirigíamos a Múnich, progresando varios kilómetros a la vanguardia de la infantería, cuando nos llegó el olor; un hedor peor que nada de lo que hubiese olido en toda mi vida, y eso que a esas alturas ya había olido un buen montón de cadáveres. Cosa de una milla y media después llegamos a un complejo rodeado por un muro de hormigón que, desde el exterior, parecía el típico puesto militar. En el muro se abría una gran puerta de metal que tenía sobre ella palabras escritas en alemán. Y entonces vimos a la gente alineada frente a ese portón, gente desnuda con brazos y piernas como palos. Soldados de las SS iban arriba y abajo disparándoles con ametralladoras. Caían a oleadas, caían muertos justo delante de nosotros. Sam eliminó a los soldados mientras el carro del capitán Scott derribaba la puerta.

Cientos de personas (si se puede entender como persona a un pellejo estirado sobre un manojo de huesos) salieron tambaleándose de allí. Tenían las cabezas afeitadas, estaban mugrientos y cubiertos de llagas. Algunos corrieron carretera abajo, pero la mayoría se limitaba a caminar aturdida. Entonces vieron un caballo muerto, alcanzado por un obús. Fue como ver hormigas sobre la cáscara de una sandía. Se apiñaron sobre la carroña, arrancando trozos de ella y comiéndola. Fue horrible ver aquello, horrible de verdad. Oí a uno de los muchachos vomitando detrás de mí.

Seguimos el sonido de disparos hasta un edificio que parecía un granero. Estaba en llamas y pude oler carne abrasada. Doblamos la esquina y vimos más SS disparando a la gente del interior. El edificio estaba abarrotado de cuerpos amontonados unos sobre otros hasta los seis pies de altura, humeando y ardiendo. Algunos aún se encontraban con vida y se arrastraban sobre los muertos intentando salir. Los soldados de las SS estaban situados allí, con toda la calma del mundo, disparando a cualquiera que se moviese. Abrimos fuego sobre aquellos cabrones. Algunos echaron a correr y tuvimos que salir del carro para perseguirlos y abatirlos. Yo mismo maté a dos disparándoles en la espalda mientras huían de mí, y no sentí otra cosa más que alegría.

Caminaba de regreso a mi carro cuando una mujer se acercó tambaleándose, con sus manos extendidas hacia mí. Llevaba puesta una andrajosa camisa de rayas, pero iba desnuda de cintura para abajo... Sólo así pude saber que se trataba de una mujer. Tenía los ojos muy hundidos en las cuencas y las llagas plagaban sus piernas. Parecía un cadáver ambulante. Comencé a retroceder ante ella, pero tropecé en un agujero y caí, y entonces llegó sobre mí, agarrándome, parloteando sin cesar en cualquiera que fuese la lengua que hablase. La estaba apartando a empujones, y gritándole que me dejase de una puta vez, cuando todas sus fuerzas parecieron abandonarla y se relajó. Me quedé allí, tumbado bajo ella, mirando al cielo... de un color azul pálido muy hermoso, como si nada malo hubiese pasado bajo él o como si no pudiese pasar. Su peso era ligero como una manta sobre mí, tan ligero que parecía como si la mujer no estuviese allí. Pero entonces sentí el calor de su cuerpo a través de mi uniforme. Jamás me sentí más avergonzado de mí. No era culpa suya si ni siquiera parecía un ser humano, era culpa de los que le hicieron eso y de los que no alzaron su voz en contra.

Me incorporé intentando ser cuidadoso. Su cabeza descansaba sobre mi regazo y me miraba como si fuese su novio, como si verme fuese todo lo que ella podía esperar de este mundo. Rebusqué en mis bolsillos y encontré una barra de chocolate. La desenvolví y se la di. Se sentó y embutió la pieza entera en la boca, como si temiese que cambiara de idea y se la quitase. Sentí una sombra sobre mí, levanté la mirada y vi a otros prisioneros rodeándonos, docenas de ellos, harapientos, apestosos y de aspecto lamentable. Algunos hablaban y hacían gestos con manos y boca indicando comer, otros simplemente se quedaban allí de pie, quietos como fantasmas. Estaba palpando mis bolsillos para ver qué más comida llevaba conmigo cuando la mujer encima de mí se hizo un ovillo sujetándose el estómago.

—¿Qué pasa? —le pregunté—. ¿Qué pasa contigo?

Pero ella se quedó ahí, retorciéndose y gimiendo como si hubiese recibido un balazo en el vientre. Duró bastante rato, y mientras no hubo nada que pudiese hacer. Al final se quedó quieta. Posé mi cabeza en su pecho y escuché, pero no pude oír los latidos de su corazón. Sus ojos estaban muy abiertos y fijos. Era azules, del mismo tono pálido que el cielo.

—¡Ronsel!

Miré entre aquellas piernas como palos de los prisioneros y vi a Sam caminando hacia mí. Había lágrimas corriendo por su rostro.

—El médico dice que no les demos de comer —anunció—. Dice que los puede matar porque no han *zampao* desde hace mucho.

Bajé la mirada hacia ella, la mujer que acababa de matar con una barra de chocolate. Me pregunté cuál sería su nombre y quiénes su familia. Me pregunté si alguna vez alguien la había agarrado como yo, si alguien habría acariciado su cabello. Confiaba en que así fuera, antes de que llegase a ese lugar.

Nunca pensé que la echaría tanto de menos. No me refiero a la Alemania nazi, uno tiene que estar loco para echar de menos semejante lugar. Me refiero a la situación que viví mientras estuve allí. Allí era un libertador, un héroe. En Misisipi solo era otro negraco empujando un arado. Y cuanto más tiempo me quedase, más sería así.

Estaba en la ciudad recogiendo algo de pienso para la nueva mula cuando me encontré con Josie Hayes. Bueno, entonces ya era Josie Dupock… Se había casado con Lem Dupock el pasado septiembre. Josie y yo solíamos salir antes de la guerra. Me gustaba de verdad, incluso pensaba en casarme con ella. Pero al alistarme se molestó tanto conmigo que no quiso verme ni hablarme, y acabé abandonando Marietta sin despedirme de ella. Le escribí algunas cartas, pero nunca me contestó, y después de un tiempo lo dejé estar. Así que cuando me la encontré en la calle Main no sabía qué esperar.

—Oí que habías vuelto —dijo.

—Sí. Volví a casa hace cosa de dos meses. ¿Cómo te fue?

—Me fue bien. Me he casado.

—Ya, papá me escribió contándomelo.

Se hizo el silencio entre nosotros. Los tiempos que recuerdo con Josie siempre eran de risas y guasa. Solía hacerle cosquillas hasta que chillaba, pero nunca intentó alejarse; se limitaba a retorcerse y reír como una tonta y si paraba me picaba hasta que volvía a empezar. Pero entonces no parecía que se riese mucho. Todavía era una muchacha de buen ver, aunque sus ojos se habían endurecido; y yo sabía más o menos por qué. Lem y yo fuimos juntos a la escuela. Era uno de esos tipos que lían la madeja y nunca se llevan la culpa, siempre salen del atolladero con una media sonrisa mientras a nosotros nos dan una buena panadera. Cuando crecimos no dejaba de revolotear entre las chicas, tenía dos o tres a la vez. Lo único que Lem Dupock le daría a una mujer sería lágrimas; hacía mucho tiempo que podría habérselo dicho a Josie.

—No te he visto en la iglesia —le dije.

—No he ido. Lem no es de los que van a misa.

Dudé antes de preguntar.

—¿Te trata bien?

—¿A ti qué te importa cómo me trata?

Ni una mierda, te lo aseguro.

—Bueno, Josie —le dije—, será mejor que vaya a casa. Cuídate.

Comencé a dirigirme a la carreta cuando ella me detuvo sujetándome un brazo.

—Ronsel, no te vayas, tengo que hablar contigo.

—¿De qué?

—De nosotros.

—No hay ningún nosotros, Josie. Te ocupaste de eso hace cinco años.

—Por favor, hay cosas que quiero decirte.

—Te escucho.

—Aquí no. Reúnete conmigo esta noche.

—¿Dónde?

—En mi casa. Lem se ha ido, bajó a Jackson. No espero que vuelva hasta la semana que viene.

—No sé, Josie —le dije.

—Por favor.

Sabía que no debería haber ido, pero fui de todos modos. Comí la cena que me preparó y hablamos de los viejos tiempos. La dejé contarme cuánto lo sentía. Dejé que me lo mostrase. Josie y yo solíamos tontear por ahí, pero nunca nos acostamos juntos. Aunque yo había fantaseado con ello muchas veces, con cómo sería poseerla y que me poseyese. Después nos acurrucaríamos uno contra otro para hablar y reír, así fue como siempre lo imaginé.

No se pareció en nada. Fue triste y solitario durante y silencioso después. Pensaba que Josie se había dormido, pero entonces habló con voz ronca y preguntó:

—¿Dónde fuiste, Ronsel? ¿En quién pensabas?

No le dije la verdad: durante todo el tiempo que estuve en Alemania pensaba en una mujer blanca llamada Resl y en el hombre que era cuando estuve con ella.

Su nombre completo era Theresia Huber; Resl sólo era un apodo. Al principio me sorprendió que los alemanes tuviesen apodos, como nosotros. Buena prueba de lo bien que nos entrenó el Ejército para que no los contemplásemos como seres humanos.

El esposo de Resl también era tanquista, lo mataron en Estrasburgo. Esa fue una de las primeras cosas que me preguntó:

—¿Tú estuviste en Estrasburgo?

Me alegré de poder decirle que no. Tenía una hija de seis años, de nombre María; una cosita tímida, con los ojos de color azul oscuro y el cabello blanco como el algodón. Así fue como vi a Resl por primera vez, a través de María. Cuando llegábamos a una población, las mujeres enviaban a sus hijos para rogarnos que les diésemos comida. Alemanes o no, era muy duro ver a niños hambrientos rebuscando entre las latas de la basura, así que siempre guardábamos algunas raciones extra en nuestro servicio de campaña. El día que llegamos a Teisendorf había más niños de lo habitual pululando alrededor de nuestros carros. María se quedaba un poco atrás, como si estuviese asustada. Me acerqué a ella y le pregunté su nombre. No contestó, entonces supuse que no me entendía, así que señalé mi pecho y dije:

—Ronsel.

Después la señalé a ella. Pero no hacía más que quedarse allí quieta, mirándome con aquellos ojos demasiado grandes para su cara. A esa edad, los niños aún deberían tener grasa infantil en las mejillas, pero las suyas estaban chupadas. Aquel día le di todas mis raciones extra, y al siguiente también. Al tercer día me cogió de la mano y me llevó a su casa. Sam me acompañó. Siempre íbamos en parejas, por si acaso. Aunque los boches ya se habían rendido, uno aún podía tener problemas en algunas de aquellas pequeñas ciudades bávaras... Soldados de las SS ocultos en la bodega de alguien, esa clase de cosas. Pero al llegar a esa casa lo único que encontramos fue a Resl esperándonos con sopa caliente y un pequeño bollo viejo de pan negro, más o menos del tamaño de mi mano. Le dimos nuestras raciones y le dijimos que no teníamos hambre, pero insistía ofreciéndonos la comida. Estábamos seguros de herir sus sentimientos si no la comíamos, así que tomamos algo. La sopa era poco más que agua con unos trozos de patata y cebolla flotando en ella, y el pan podría habernos partido los dientes, pero hicimos sonidos del tipo «mmmm» y le dijimos que estaba buena.

—¡Bueno! —dijo ella.

Entonces sonrió por primera vez y se me cortó la respiración. Resl tenía esa clase de hermosura triste que era aún más hermosa que la alegre. Algunas mujeres se vuelven así, los tiempos duros las reducen de tal modo que lo único que queda en ellas es su belleza. También lo había visto en casa, entre nuestra gente; pero en cierto modo allí era algo diferente, y no solo porque las caras fuesen blancas. Allí estaba una mujer que jamás había pasado una necesidad y de pronto se quedó sin nada... sin esposo, sin comida, sin esperanza. Bueno, no sin nada, tenía su hija y su orgullo, y esas eran las cosas por las que vivía.

El inglés de Resl no era demasiado bueno y yo apenas hablaba diez palabras en alemán, pero eso no importa entre un hombre y una mujer que se comprenden. Hasta ese momento me había mantenido apartado de las *fräuleins* (después de todo lo que había visto en Dachau no tenía ninguna gana de mezclarme con ellas), pero muchos de los chicos tenían novias alemanas. Jimmy se había liado con esa chica que ni siquiera era una *fräulein*, sino una *frau*, es decir, una señora casada cuyo esposo estaba con vida. Jimmy la conoció en Bissingen, la primera ciudad que ocupamos tras el alto el fuego, y la mujer lo siguió cuando abandonamos la población para ir a Teisendorf. Había muchas más como ella. Solía preguntarme qué hacía que una mujer quisiera venderse de ese modo, quisiera dejar a su esposo e irse con un hombre de color que había traído la destrucción a su país y matado a su gente. Pero después de tener contacto con Resl durante un tiempo comencé a comprenderlo mejor. No sólo era que hubiese pasado dos años sin un hombre y que ahí estaba yo dándole comida y todo lo que necesitase de mí. En parte así era, seguro, pero había mucho más que eso. Ambos teníamos algo en común. Su pueblo fue conquistado y despreciado, igual que el mío. E igual que yo, Resl tenía la necesidad de ser tratada como un ser humano.

Pasé cada minuto libre en su casa. Con el dinero y las provisiones que le proporcioné cocinó bollos rellenos de manzana, chucrut, pan de centeno y salchichas, cuando las podíamos conseguir. Cada noche, después de llevar a María a la cama, Resl y yo nos sentábamos en el sofá para pasar un rato. A veces hablaba en alemán con una voz baja y triste… recordando cómo solían ser las cosas, supongo. A veces yo le hablaba del Delta: cómo el cielo era tan grande que te reducía a la nada, y cómo en época estival la pelusa del algodón dejaba un enmarañado manto blanco sobre todo lo que hubiese en casa. Después de un rato sentía cómo me tiraba de la mano y subíamos a otro piso. Para entonces ya había estado con unas cuantas mujeres; nunca presumí de ello, como hacen algunos de los muchachos, pero tuve mis romances. Sin embargo, jamás había sentido nada como lo que sentí aquellas noches con Resl. Se entregó a mí por completo, no se guardó nada y poco tiempo después yo tampoco. Me pasaba el tiempo pensando en ella mientras me encontraba de servicio, podía aspirar su aroma incluso cuando no estaba. En cierta ocasión, durante el tranquilo periodo posterior, colocó una mano en mi pecho y susurró:

—*Mein Mann*.

Me sentía contento de ser su hombre, y así se lo dije, pero gracias a Jimmy más tarde descubriría que eso también significaba «mi marido». Eso me preocupó durante unos días, hasta que me obligué a ver la realidad. Según estábamos, muy bien podríamos ser marido y mujer.

Por eso en septiembre, cuando la mayoría de los muchachos se licenció y regresó a casa, yo me presenté voluntario para quedarme en Teisendorf. Llegaban muchos novatos desde los Estados Unidos para reemplazar a los chicos que volvían a casa, y el Ejército necesitaba veteranos para enseñarles cómo funcionaban las cosas. Jimmy y Sam me dijeron que estaba loco si me quedaba, pero yo no podía dejar a Resl. La primera vez que mentí a papá y a mamá fue al escribirles contándoles que el Ejército no iba a darme la licencia. No me gustó hacerlo, pero papá no hubiese comprendido la verdad. Yo amando a una mujer blanca, eso podría haberlo comprendido, aunque primero me hubiese dicho que era un maldito imbécil. Pero que no aprovechase la primera oportunidad para volver a casa... Eso jamás podría haberlo entendido, ni aunque pudiese pasar cien años dándole vueltas a la cosa.

Pero al llegar marzo, el ejército me dio a elegir. O te reenganchas o vuelves a Estados Unidos. Yo no pensaba firmar por cuatro años más de servicio militar, así que recogí mi licencia. Se derramaron muchas lágrimas a causa de eso, pero no había nada que pudiese hacer. No podía quedarme en Alemania, y que me parta un rayo si podía llevar a Resl y a María conmigo. Durante la travesía a Nueva York me dije que solo era una cosa de esas que pasan, un romance en tiempos de guerra que jamás se suponía que fuese a durar, entre dos personas que no tenían a nadie más.

Hasta aquella noche con Josie incluso llegué a creerlo.

FLORENCE

Cada día rogaba al Señor. *Por favor, devuélvelo a casa. Devuélvelo a casa de una pieza y en sus cabales. Y si eso es mucho pedir, ay, Dios, deja que vuelva con la cabeza en su sitio y no como el tío Zeb, que regresó de la Gran Guerra con todos sus miembros pero medio loco.* Una mañana, mi mamá y yo salimos al patio y encontramos a todas nuestras gallinas, las seis, alineadas formando una fila perfecta, con sus cuellos retorcidos y el tío Zeb durmiendo como un leño al final de la hilera siendo él el número siete. Unas semanas después se fue por ahí y nunca volvimos a verlo.

Recé durante cuatro años para que mi hijo regresase a casa. Los dos primeros sólo lo vimos en un par de ocasiones; fue cuando todavía estaba en los campos de entrenamiento de Luisiana y Tejas. Esperábamos que no llegase a entrar en combate, pero en verano de 1944 lo enviaron para allá, de golpe en medio del fregado. De vez en cuando salía un artículo acerca de su batallón en la revista *AFRO American*, y Hap me lo leía. Por supuesto, cuando conseguíamos la revista, esta solía ser del mes pasado, o más antigua aún, y Ronsel ya se había ido de donde quiera que escribiesen ese artículo. Lo mismo sucedía con las cartas, que tardaban una eternidad en llegar a nosotros. Cada vez que recibíamos una la sostenía en mis manos preguntándome si le habrían pegado un tiro o si estaba tumbado en alguna parte, desangrándose, o si en ese momento ya estaría muerto, pero las marcas en el papel no me lo decían. Y cuando terminó la guerra y él no volvió a casa, esas marcas no me dijeron por qué. Ronsel siempre andaba detrás de mí para enseñarme a leer. Yo no le encontraba la utilidad. Tenerlo escrito en un papel no era tenerlo en carne y hueso bajo tu techo.

Pero hay un proverbio que dice «ten *cuidao* con lo que deseas, podría hacerse *realidá*». Dios respondió a todas mis plegarias. Envió a mi hijo a casa sano y salvo, y con dinero suficiente para comprar una mula. Volvíamos a trabajar por un cuarto de la cosecha y yo volvía a ocuparme con la casa de la *señá* McAllan mientras Lilly May se quedaba en nuestro hogar cuidando de su padre. (Bueno, no recé exactamente para cuidar de la casa de Laura McAllan, pero a buen seguro que agradecía el dinero extra). Hap se iba defendiendo bien con sus muletas, volvía a predicar los domingos y retomó sus viejos sueños de comprar una segunda mula, arrendar más acres y ahorrar lo suficiente para comprar su propia parcela. A Marlon y Ruel les encantaba que su hermano mayor volviese a estar en casa. Lo seguían como cachorros, dándole la lata para que les contase historias de los lugares donde había estado y las batallas que había librado. Ay, sí, todos vimos nuestros deseos cumplidos, todos gracias a Ronsel; todos los deseos menos los suyos.

Lo que él quería era marchar. Nunca lo hizo saber, no crie a mis hijos para que fuesen unos quejicas, pero desde el día que llegó a casa supe que no era feliz. Al principio pensé que estaba enfadado a causa de ese feo incidente en la tienda de Tricklebank, con el viejo *señó* McAllan y los otros despreciables blancos. Me dije que había pasado mucho tiempo fuera y necesitaba acostumbrarse a la vuelta, pero eso no llegó a pasar. Estaba nervioso y meditabundo, y tenía espasmos y gemía en sueños. Cuando no estaba trabajando la tierra pasaba el tiempo escribiendo cartas a sus camaradas del ejército o sentado en las escaleras del porche mirando a la nada. No hablaba en la mesa, durante la comida, y no charlaba con las chicas en la iglesia. Eso me preocupaba más que ninguna otra cosa. ¿Qué hombre no quiere ser estrechado por unos brazos de mujer después de haber combatido en la guerra?

Parte de él aún la combatía; lo sabía por lo que decía en sueños. Supongo que vio algunas cosas horribles por allí, y quizá también cometió algunas; cosas que no acababan de asentarse en su conciencia. Pero también sabía que no solo lo mortificaba la guerra. Era el Delta, presionándolo y arrancándole su vitalidad. Y también nosotros, por querer que se quedase.

Hap dijo que eso eran tonterías. Dijo que me preocupaba demasiado por Ronsel y que siempre lo había hecho. Quizá fuese verdad o quizá no, pero yo conocía a mi hijo y no formaba parte de su carácter estar tan callado. Cuatro de mis cinco hijos llegaron tranquilos a este mundo, pero Ronsel no. Mientras lo tuve en mi seno se pasaba los días retorciéndose y las noches dando patadas. Mi tía Sarah, ella me enseñó el oficio de partera, me dijo que ese jaleo era buena señal; quería decir que el niño tenía buena salud.

—Bueno —le dije—, te digo que *m'alegro* de que *alguén* lo pase bien, porque yo estoy *derrangá*.

Después, cuando llegó el momento de dar a luz, Ronsel decidió quedarse quieto. Pasé con él treinta y dos horas de parto. Era como si quisiera partirme en dos para salir, y cuando por fin lo hizo, a punto estuvo de destrozarnos los oídos con sus lloros. La tía Sarah ni siquiera tuvo que sujetarlo cabeza abajo y darle un azote, sus pulmones ya sabían qué hacer.

Después de todo eso, creí que tendría en mis manos a un niño malvado; pero Ronsel fue tan dulce como una se pueda imaginar. Y también fuerte. Caminaba antes incluso de cumplir un año. Lo dejaba en un camastro al final de la fila que estuviese recogiendo y ahí venía, recorriendo el surco con paso inseguro en busca de mi pecho. Siempre estaba balbuceando y canturreando para sí. La primera palabra que dijo fue *¡Ah!*, y la repetía unas cincuenta veces al día señalando a sus pies, a una nube, a un gusano del algodón o a cualquier cosita que le llamase la atención. A los tres años hablaba como una cotorra, queriendo saberlo todo acerca de todo. Llegó el momento de llevarlo a la escuela y siempre estuvo deseoso de ir; siempre andaba abatido durante la época de siembra y cosecha, cuando el colegio cerraba. Al terminar la educación básica, su maestra vino a verme y me dijo que Ronsel tenía un don. Bueno, no me decía nada que no supiese. Me dijo que si le dejábamos ir por las tardes, continuaría enseñándole. Tuve una riña con Hap a causa de eso, pues quería que Ronsel trabajase en el campo a jornada completa. Pero me mantuve firme, le dije a Hap que dejase a nuestro hijo emplear todo lo que el Señor había tenido a bien concederle, no solo su fuerte espalda y sus poderosos brazos.

—¿*Tás* seguro de *que'sto* es lo que quieres? —le preguntó Hap.

—Sí, papá.

—Aun así tendrás que ayudarme cada día hasta las dos la tarde, además *d'hacer* tus tareas. No te quedará tiempo *pa* ir a pescar o divertirte.

—No me importa —respondió Ronsel.

Hap se limitó a negar con la cabeza y dejarlo ir. Y cuando estalló la guerra y Ronsel se empeñó en alistarse en el ejército del hombre blanco, Hap tampoco lo entendió pero le dejó ir.

Al mirar a mis hijos podía verme a mí y a Hap en cada uno de ellos. Y como yo me amaba, y amaba a mi esposo, también amaba a mis hijos. Pero al mirar a Ronsel veía algo más, algo que Hap y yo no le habíamos dado porque no lo teníamos. Un resplandor tan brillante que a veces dañaba los ojos, pero que a pesar de ello tenías que contemplar.

Amaba a todos mis hijos, pero al que más quería era a Ronsel. Si eso era un pecado, supongo que Dios sabrá perdonarme, pues nadie sino Él fue quien repartió las cartas.

LAURA

El algodón floreció a finales de mayo. Fue mágico, como estar rodeada de miles de pequeñas hadas blancas brillando a la luz del sol. Unos días más tarde las flores adquirieron un tono rosáceo y después cayeron, revelando unas cápsulas verdes no más grandes que la punta de mi dedo. Madurarían durante el verano y abrirían en agosto. Mis mareos matutinos habían comenzado a principios de mayo, así que supongo que llevaba dos meses embarazada.

Quería estar segura antes de decírselo a Henry. No había obstetra en Marietta, y mucho menos un hospital; la mayoría de las mujeres daban a luz en casa, con el doctor Turpin. Yo no tenía intención de seguir ese camino, si podía evitarlo. Estaba a punto de preguntarle a Eboline el nombre de su médico en Greenville cuando recibí una oportuna invitación de Pearce para asistir a la confirmación de Lucy, a finales de junio, en

Calvary. Lucy era mi ahijada y sobrina; por supuesto, tenía que ir. Y mientras estuviese en Memphis visitaría a mi antiguo obstetra, el doctor Brownlee.

Henry no pudo sacar tiempo para acompañarme, pero estuvo de acuerdo en dejarme ir con las niñas durante una semana. ¡Siete días de civilización! Siete días sin barro, sin retrete exterior y sin Papaíto. Era una perspectiva emocionante. Me daría un baño caliente cada día, dos veces al día si me apetecía. Llamaré a gente por teléfono y por la tarde merendaré en el Peabody y visitaría los Renoir del museo. Por la noche podría incluso quedarme despierta en la cama leyendo un libro a la luz de una lámpara que no parpadease.

Henry nos llevó en coche a la estación de tren. Condujo con su habitual ritmo lento, a menudo reduciendo la velocidad para observar las granjas que pasábamos y comparar el crecimiento de su algodón, soja y maíz con el nuestro. Quería decirle que se apurase o perderíamos el tren, pero sabía que él no podía evitarlo. Henry nunca había encontrado utilidad a la Naturaleza en su estado salvaje. Los bosques no lo impresionaban, ni las montañas, ni siquiera el mar, pero le mostrabas una hacienda bien atendida y el entusiasmo lo dejaba sin respiración.

Llegamos a la estación con diez minutos de adelanto. Henry se despidió de las niñas besándolas y extrayendo de ellas la promesa solemne de que serían buenas conmigo. Después se dirigió a mí.

—Te echaré de menos —dijo.

El tiempo y la vigilancia diaria del desarrollo de su algodón habían hecho que se relajase de un modo considerable, aunque todavía se mostraba un tanto susceptible acerca del asunto de su autoridad y solo habíamos reanudado nuestras relaciones íntimas la semana anterior.

—Me gustaría que vinieses con nosotras —le dije yo.

Apenas esas palabras salieron de mi boca me di cuenta de que no eran ciertas. Quería pasar cierto tiempo lejos de él, no sólo de Papaíto y la granja. Me preguntaba si Henry sospechaba lo que sentía.

—Sabes que no puedo ausentarme tanto tiempo, no en esta época del año —apuntó—. Además, chicas, os divertiréis más sin mí.

—Te escribiré cada día.

Se inclinó y me besó.

—Tú asegúrate y regresa, ¿me oyes? No podría sacar esto adelante sin ti.

Lo dijo a la ligera, con una sonrisa, pero creí detectar un leve tono de preocupación en su voz. Sentí una punzada de culpa, pero la verdad es que no fue lo bastante fuerte como para hacerme decir *pues, a pesar de todo, no voy. No sin ti.*

El viaje en tren se me antojó interminable. Hacía un calor sofocante, y el aire cargado de hollín que entraba por las ventanas abiertas me mareaba. Pero para las niñas, que nunca habían viajado en tren, aquello era una gran aventura. Mis padres nos recibieron en la estación, papá con un gran abrazo y madre con su previsible torrente de lágrimas.

Era maravilloso, tras cinco meses de exilio, estar de nuevo entre los míos. Acudir en la iglesia y oír las voces de mi familia, jóvenes, adultas y medianas, resonando por todos lados. Sentarme entre mis hermanas en la mecedora de mimbre que tenía Etta y dar sorbos de té dulce mientras nuestros hijos buscaban luciérnagas en la perezosa y creciente oscuridad. Y lo mejor de todo, compartir mis alegres noticias una vez el doctor Brownlee las hubo confirmado; hacerlo con todos ellos y ser objeto de su tierna preocupación. En cualquier otra circunstancia me hubiese encadenado a mi vieja cama en casa de mis padres y arrojado la llave por la ventana antes que regresar a *Mudbound*. Pero a los pocos días comencé a querer a Henry: al crujido que causaba cuando por la noche acomodaba su peso sobre el colchón, a mi lado; a la húmeda y pesada presión de su brazo en mi cintura; a su áspera respiración mientras yo me dormía. Nunca me sentí más enamorada de mi esposo que cuando llevaba a sus hijos.

Pa mí eso es obra del *Siñor*, hubiese dicho Florence.

La noche antes de regresar, justo cuando iba a apagar la lámpara de la mesita de noche, oí el suave repiqueteo de unos dedos llamando a mi puerta. Mi madre entró y se sentó al borde de la cama, trayendo consigo el habitual aroma a Shalimar. Era el perfume favorito de papá y ella jamás empleaba otro, igual que nunca se cortaría el cabello, pues a él le gustaba largo. Durante el día lo llevaba recogido hacia arriba, pero entonces lo llevaba como una niña, sujeto en una larga trenza plateada que le colgaba por la espalda. Tenía setenta y un años, y para mí era tan hermosa como siempre. Y también tan irritantemente indirecta.

—He estado pensando en tu hermano —dijo.

—¿En Pearce?

Pearce, el hijo por el que más se preocupaba, porque para él todo era muy serio y se había casado por dinero.

—No, en Teddy —aclaró.

Teddy era su favorito, aunque ella siempre hacía nobles esfuerzos por ocultar esa realidad. Teddy era el favorito de todos. Era un payaso por naturaleza; no dudaba en reírse de sí mismo y todos lo adorábamos por eso, incluso Pearce.

—¿Qué le pasa?

—Yo tenía más o menos tu edad cuando estaba embarazada de él, ya sabes.

Había oído esa historia muchas veces: cómo dio a luz a los treinta y ocho años, después de que el médico le dijese que jamás tendría otro hijo; cómo había sido el embarazo más tranquilo y el parto más rápido de todos.

—El último hijo es el que sale con más facilidad —dije, citando el conocido final de la historia—. Espero que para mí sea igual.

—Solo que Teddy no fue el último hijo —añadió mi madre en voz baja.

—¿Qué quieres decir?

—Tenía un gemelo. Su hermana pequeña nació muerta diez minutos después. Apenas pesaba dos kilos.

—Ay, madre, ¿lo sabe Teddy?

—No, y nunca se lo digas —dijo—. No quiero que lo atormente a él como me atormenta a mí. Debería haber hecho caso al médico cuando me advirtió que no volviese a quedarme embarazada. Dijo que ya era demasiado mayor, que mi cuerpo no podía soportar el esfuerzo; pero yo creí ser más lista. Y por eso la pobre niña, tu hermana… —rompió a llorar y miró sus manos.

—¿Por eso me lo cuentas? —pregunté—. ¿Porque estás preocupada por mí? —asintió—. Pero mamá, si no hubieses vuelto a quedarte embarazada no habrías tenido a Teddy. ¿Y cómo habríamos podido sobrevivir sin él? No lo hubiésemos logrado.

Me apretó la mano con fuerza.

—Sólo quiero que pongas mucho cuidado y que no te esfuerces de más —me dijo—. Deja que Henry y tu chica de color hagan las cosas por ti, y si te sientes cansada, descansa. Descansa incluso si no te sientes cansada, hazlo durante un par de horas todas las tardes. Prométemelo.

—Lo haré, madre, te lo prometo. Pero te estás preocupando sin motivo. Estaré bien.

Se estiró y me atusó el cabello como hacía cuando era niña. Cerré los ojos y dejé que el sueño me llevase, sintiéndome completamente a salvo.

Regresé a la hacienda al día siguiente, si bien no muy entusiasmada, al menos de buena gana. Henry se emocionó con mis noticias.

—Este va a ser un chico —dijo—. Algo me lo dice.

Esperé que ese algo tuviese razón. No es que no adorase a mis hijas, pero quería ese amor feroz, menos complicado, libre de juicios y comparaciones con uno mismo, como el de mis hermanas con sus hijos y mis hermanos con sus hijas.

—Bueno, una cosa es segura —dijo Florence el día que le dije que estaba embarazada—. Sin duda ahí dentro lleva un varón.

—¿Qué te hace pensar eso?

—Lo supe casi hace dos meses. *To'as* las señales están ahí, más claras *que'l* agua.

No hice caso a la insinuación de que ella supo que yo estaba embarazada antes de que me yo misma me enterase.

—¿Qué señales? —pregunté.

—Bueno, no ha *tenío* muchos de esos mareos de mañana, esa es una manera de saber *que's* un chico. Y *tié* más ansia por la carne y el queso que por los dulces.

—Siempre la tuve.

—*Ademá* —añadió haciendo un gesto con la mano que pretendía ser definitivo—, las almohadas de su cama apuntan al norte.

—¿Y qué diferencia supone eso?

Enarcó una ceja enviando un mensaje claro: ¿cómo era posible que fuese ignorante de una tan conocida realidad universal?

—Lo verá dentro de seis meses —anunció.

Las cosas entre nosotras iban más o menos como siempre, pero la notaba bastante más rígida con Papaíto, y hasta cierto punto, con Henry. Sabía que se debía al problema con su hijo Ronsel. No lo habíamos visto mucho desde el día que vino a disculparse con el viejo, y me alegré por el bien de Ronsel. Papaíto y él no eran aceite y agua, eran aceite y fuego. Mejor para todas las partes implicadas si se mantenían separados.

Por desgracia, yo no disfrutaba de esa opción con mi suegro. Pasaba el tiempo controlando y más cascarrabias que nunca desde que Henry lo puso a trabajar para ayudarnos a Florence y a mí en casa. Henry siempre fue muy protector conmigo cuando estuve embarazada, pero en esa ocasión podía tildarse de draconiano: bajo ninguna circunstancia iba a arriesgarme a realizar ningún esfuerzo. Florence no podía hacerlo todo ella sola, así que recayeron en Papaíto las tareas de ayudarme a llevar cosas, ordeñar y batir.

—Uno creía que a un hombre se le permitiría deleitarse con los frutos de su labor al llegar a la vejez —se quejaba—. Nunca pensaría que iban a ponerlo a trabajar como un negraco.

—Va a ser solo durante poco tiempo, Papaíto —le dije—. Esto es solo para asegurar que tenga un nieto saludable.

Resopló.

—Eso es justo lo que necesitaba. Otra nieta.

Julio pasó rápido. El tiempo se hizo más cálido y el algodón creció. Yo no estaba muy hinchada, pero podía sentir dentro la presencia del niño, una leve chispa que alimentaba con mis rezos y exhortaciones susurradas para que creciese y fuese bien. Mi embarazo había cerrado por completo la brecha abierta entre Henry y yo, diluyendo nuestra ira y entrelazándonos de nuevo. Comenzamos a hablar acerca de qué haríamos cuando naciese el bebé. No había manera de que permaneciésemos en la hacienda con un infante. Henry prometió que buscaría una casa de alquiler en cuanto finalizase la cosecha. Si fuese necesario, me dijo, viviríamos en uno de los pueblos cercanos, Tchula o Belzoni, aunque eso supusiera para él un buen recorrido en coche. La idea de vivir en una casa de verdad fue emocionante. Comencé a sentir cierta nostalgia de *Mudbound*, después de saber que iba a abandonarla, e incluso disfruté de su rústico encanto.

Fue un día corriente, un sábado de julio desacostumbradamente templado y agradable, cuando se desató el desastre. Como solía suceder cuando pasaba algo malo, Henry estaba lejos. Papaíto y él habían ido a Lake Village para ver unos cerdos, así que estaba sola con las niñas. Ellas se entretenían haciendo sus tartas de barro junto a la bomba de agua y yo estaba sentada bajo el roble, remendando una camisa de Henry. Soplaba una brisa placentera y por el aire flotaba el dulce olor del veneno; los fumigadores de cosechas habían pasado volando aquella mañana. Debí de quedarme dormida, pues no vi a Vera Atwood entrando en el patio. Me sobresalté con el sonido de su voz infantil, alta y estridente.

—*¿Dónde'stá* la vuestra mamá? —preguntaba—. *¿Dónde'stá*?

—Estoy aquí, Vera —respondí.

Giró y me miró. Su respiración salía en resuellos silbantes y su vestido estaba empapado de sudor. Debía de haber corrido todo el camino desde su casa.

—¿Qué pasa? —dije.

—*Tié* que llevarme al pueblo —contestó—. *V'y* a matar al Carl.

Fue entonces cuando vi el cuchillo de carnicero en su mano. Sentí una oleada de puro furor. Las niñas se encontraban apenas a un par de metros de ella. Me levanté y le dije:

—Ven aquí, Vera. Ven y dime qué ha pasado.

Ella vino tambaleándose un poco. Las niñas comenzaron a seguirla, pero las aparté con un gesto de mis dedos. Amanda Leigh cogió la mano de su hermana y la mantuvo atrás.

—Él ha *empezao* con la Alma —dijo Vera.

—¿Qué quieres decir?

—Empezó con ella igual que hizo con la Renie. Tengo que pararlo. *Tié* que llevarme.

—¿Pegó a la niña?

—No.

Cuando comprendí qué quería decir, mi cuerpo se estremeció de frío a pesar del calor. Renie era la hija mayor de los Atwood, a la que Florence ayudase en febrero a traer a su bebé al mundo, justo dos meses antes de que naciese el de Vera. Ambos niños habían muerto a los pocos días de nacer... Muerte de cuna, me dijo Florence.

—No va tener a la Alma también, no si puedo *impedilo* —dijo Vera.

—¿Dónde está ahora?

—Fue *pa'l* pueblo a por unos cartuchos *pa* la escopeta. Dice que esta tarde la va llevar de caza.

Deja que hable, pensé. Henry y Papaíto deberían de llegar en poco tiempo.

—¿A cazar? —pregunté.

—Así fue como empezó con la Renie, llevándosela a los bosques con él.

—¿Cómo puedes estar segura? ¿Acaso él...?

—La Renie no comía *na* de lo que traían. *Venao*, conejo, ardilla... No importa qué era, ella no lo tocaba. Decía que no *tía* hambre. Pero el Carl sí que la *tía*. Se sentaba allí zampando la *comía* como si no hubiese *comío* en una semana, royendo los huesos y sin decir *ná* más que no hay *ná* que sepa mejor que la carne que uno mismo caza y trae. «¿No es *verdá*, Renie?», le decía. Y ella allí *sentá*, flaca como el raíl del tren, mirando aquella *comía* como si estuviese llena gusanos.

Vera se balanceaba adelante y atrás sobre las puntas de sus pies descalzos, con el cuchillo meciéndose a su lado. Tenía la cabeza inclinada, y los ojos muy abiertos y desenfocados. Se parecía a una mujer que había visto en un espectáculo de hipnosis durante la feria de otoño.

Tú deja que hable.

—¿Le dijiste algo acerca de eso? —pregunté.

—No. Él lo hubiese *negao*. Cuando la Renie comenzó a mostrar señales de estar *preñá* le pregunté quién lo *bía* hecho, pero no me lo dijo ni siquiera cuando fui tras ella con una vara. Se quedó ahí, quieta de *verdá*, y aguantó como si *meresiese* la tunda. Entonces lo supe, pero no lo quise saber. Me dije que si era niño no era, pero si era niña sí; esa sería la prueba, porque el Carl no *tié* en él *na* más que niñas. Y cuando salió el bebé y vi sus partes, supe que era de su simiente.

Lancé una mirada furtiva hacia Amanda Leigh e Isabelle. Sus vestidos de cuadros, hechos con tela de algodón, estaban salpicados de barro. Una veta corría por la frente de Isabelle, donde había apartado el flequillo de los ojos. Se chupaba el pulgar, observándonos.

—Míreme —exigió Vera.

Obedecí al instante.

—Unos días después que naciera entré en el dormitorio y vi al Carl cogiéndola en brazos. Tenía un dedo en su boca y la niña lo chupaba, y la Renie estaba allí *tumbá*, mirándolos. En ese momento decidí hacerlo.

—¿Hacer qué? —pregunté, aunque ya lo sabía.

—Esperé hasta que estuvieron *tos dormíos* esa noche. Y entonces cogí una almohada y puse a la niña fuera de su alcance, como no *bía* hecho por la Renie.

—¿Y tu bebé?

Su rostro se contrajo, y en ese momento se colocó junto a mí con su cuchillo tocando un lado de mi cuello. Podía oír los latidos de mi corazón martillando en mis oídos.

—*Tié* que llevarme al pueblo, ¡ahora! —dijo.

Su aliento olía a dientes podridos. Reprimiendo una náusea, le dije:

—Vera, escúchame, mi marido regresará pronto. Hablaremos con él en cuanto llegue. Henry sabrá qué hacer.

—No —respondió Vera—. No puedo esperar. *Te'mos* que ir ahora. Vamos.

Me cogió del brazo, tirando de mí hacia el camión, pero no tenía puesta la llave; la llave colgaba de una punta clavada en la puerta principal. Amanda Leigh e Isabelle nos observaban con los ojos desorbitados por el miedo. ¿Qué podía hacer con ellas? No iba a dejarlas solas en la hacienda… Eran demasiado pequeñas, les podría pasar cualquier cosa. Pero ¿cómo iba a llevarlas con nosotras? No creía que Vera fuese a hacerles daño, aunque tampoco podía estar segura, dado el desequilibrado estado en el que se encontraba. Me imaginé los rojos labios de Carl aplastados contra los de Alma. Me imaginé a Vera sentada junto a mis hijas en la camioneta con el cuchillo de carnicero en la mano.

—No puedo, Vera —le dije.

—¿Por qué no?

—Henry no me deja conducir la camioneta. Ni siquiera estoy segura de dónde guarda la llave.

—Miente.

—Te juro que es verdad. La única vez que intenté conducirla casi la destrozo. ¿Ves ese abollón de ahí, en la defensa frontal? Lo hice yo. Henry se enfadó tanto que guardó la llave.

Me agarró del hombro con fuerza. Sus ojos estaban exorbitados y tenían las pupilas dilatadas a pesar del resplandeciente día.

—¡Tengo que pararlo! —dijo, sacudiéndome—. *¡Tié* que *ayudame* a pararlo!

Sentí otra arcada. Me zafé de su agarre.

—No puedo, Vera. No tengo la llave. Según creo, Henry la lleva con él.

Se apartó de mí y cayó al suelo. Echó la cabeza hacia atrás y emitió un chillido agudo. Sonaba con tanta desolación que tuve que obligarme a no entrar corriendo en la casa y coger la llave.

—¿Mamá? —era la voz de Amanda Leigh, débil a causa del miedo. Les lancé una mirada y después observé a Vera. Vi la locura reflejada en su rostro.

—No os asustéis —dije a las niñas—. No os va a hacer daño, ni a mamá tampoco.

Vera se dirigió hacia mí. Tenía los ojos serenos y terribles.

—Me marcho —dijo.

—Hablaré con Henry en cuanto llegue a casa. Él te ayudará, te lo prometo.

—Entonces será *demasiao* tarde.

—Vera…

—*Usté* cuide de las sus niñas.

Se fue camino abajo hacia el pueblo corriendo con un trote continuo; el cuchillo destellaba a su lado. Sentí el primer calambre cuando las niñas corrieron hacia mí… Una burla frente a los dolores del parto. Caí de rodillas y me presioné el vientre con las manos.

—¿Qué pasa, mamá? —preguntó Amanda Leigh.

—Necesito que te portes como una niña mayor y vayas a buscar a Florence a su casa. ¿Sabes cómo llegar?

Hizo un solemne asentimiento.

—Date prisa —le dije—. Corre todo lo que puedas.

Se fue. Sufrí otro calambre, como si una mano apretase mis intestinos, retorciéndolos, y después humedad entre las piernas. Isabelle se agarró a mí, llorando. Me tumbé en la tierra y curvé mi cuerpo alrededor del suyo, dejando que ella llorase por las dos y por el niño que jamás sería su hermano.

Encontraron el cuerpo de Carl tirado en la carretera, a medio camino entre la hacienda y el pueblo. Vera lo había apuñalado diecisiete veces; después prosiguió hasta Marietta y se entregó al sheriff Tacker. Rose y Bill la vieron caminando por la calle Main. Dijeron que iba cubierta de sangre, como si se hubiese bañado en ella.

Sabría de esos detalles más tarde. En esos momentos estaba demasiado perdida en mi propia agonía para preocuparme por las penas de otros. Yacía en cama, durmiendo tantas horas como me lo permitía el cuerpo, despertándome de mala gana para quedarme con el rostro vuelto hacia la pared. Solo me levantaba para usar el retrete exterior. Florence cuidó de mí, engatusándome para que comiese y metiéndome por la cabeza camisones limpios. Las niñas me trajeron regalos: flores silvestres, dibujos hechos por ellas y el pellejo de la muda de una serpiente de cascabel, con el que fingí estar encantada aunque me repelía. Rose me visitó un par de veces, informándome de las noticias del pueblo entre torpes carraspeos. Henry intentaba consolarme por la noche, al volver a la cama, pero yo me quedaba rígida junto a él, y tras unos días se quedó en su lado del lecho.

Así pasó una semana, y después dos. Las niñas comenzaron a inquietarse y la compasión de Henry se convirtió en impaciencia.

—¿Qué pasa con ella? —oí que le preguntaba a Florence—. ¿Por qué no se levanta?

—*Tié* que darle tiempo, *señó* McAllan. El bebé dejó un vacío que todavía no *sa'llenao.*

Sin embargo, Florence se equivocaba en eso. Se había llenado, y hasta reventar, con ira… hacia Vera y Carl, hacia Henry y Dios, y sobre todo hacia mí misma. Ardía dentro de mí y la alimentaba como alimentaría al bebé, manteniéndola viva con «¿y si…?» y otras recriminaciones. Si no hubiese sido el día libre de Florence. Si Henry no me hubiese dejado sola con las niñas. Si, para empezar, no me hubiese traído a este sitio bestial. Si le hubiese hecho caso cuando me dijo que en una hacienda no había lugar para la piedad. Repetía esa frase para mí una y otra vez, como una fuga, regodeándome en ella. Pensando en la cara de Henry cuando entró en casa y me encontró en la cama, vacía de niño alguno; del modo en que dominó sus facciones, apartando su pesar para que yo no lo viera y me hiriese, dejando solo aflorar su ternura. Ternura hacia mí, la mujer que acaba de perder a su hijo por culpa de su estúpida tozudez. Sí, sabía que los abortos espontáneos son cosa habitual, sobre todo en mujeres de mi edad, y a pesar de todo no podía quitarme de la cabeza que la tensión causada por el asalto de Vera había provocado el mío; que si hubiese dejado a Harry poner a los Atwood en la calle, como él quería, yo no habría perdido al bebé. Había sido un niño, tal como esperábamos todos. Florence no me lo dijo y tampoco me lo dejó ver, pero yo lo vi en su rostro, y en el de Henry.

Reanudé mi vida unas tres semanas después del aborto, un lunes. No hubo fanfarria, no hubo escenas entre Henry y yo, ni entre Florence y yo, en las que se me aleccionase acerca de mis responsabilidades y se me arrastrase fuera de la cama pataleando y maldiciendo. Bañé mi dolorido cuerpo, me peiné el cabello, me puse un vestido limpio y retomé mis quehaceres como esposa y como madre, aunque sin desvivirme por ellos. Después de una temporada descubrí que no hacía falta desvivirse. Mientras hiciese lo que se esperaba de mí... preparar las comidas; besar cortes y heridas, y curarlos; aceptar las renovadas atenciones nocturnas de Henry... mi familia estaba contenta. Los odiaba por eso. Un poco. A veces, bien entrada la madrugada, me despertaba en medio del sofocante bochorno donde no corría una gota de aire, con la piel de Henry ardiendo junto a la mía como el hierro de marcar ganado, y me imaginaba levantándome, vistiéndome, yendo a la habitación de las niñas a posar mis labios en sus frentes con suavidad, para después coger las llaves del coche de la punta clavada junto a la puerta, atravesar el patio embarrado, subirme al DeSoto y conducir... camino abajo, atravesar el puente, llegar a la carretera de grava, luego a la autopista y después continuar en dirección Este hasta que la carretera llegase a la arena. Había pasado tanto tiempo desde que oliera el océano y me sumergiese en aquel frescor azul verdoso.

No seguí ese impulso, por supuesto. Pero a veces me preguntaba si podría haberlo hecho, en otra semana o en otro mes, si Jamie no hubiese venido a vivir con nosotros.

No lo esperábamos. La última noticia que teníamos de él era que estaba en Roma. Recibimos una postal allá por mayo, con una foto del Coliseo en el anverso y un mensaje escrito aprisa en forma de garabatos contándonos que las muchachas italianas eran casi tan bonitas como las sureñas. A mí me hizo sonreír, a Henry no.

—Esto no va bien —dijo—. Jamie vagabundeando por ahí sin venir a casa.

—Sé que esto te resultará difícil de creer, pero no todo el mundo se muere por vivir en el Misisipi rural —comenté—. Además, es joven y no tiene responsabilidades. ¿Por qué no va a viajar si quiere?

—Te digo yo que no está bien —reiteró Henry—. Conozco a mi hermano. Algo le pasa.

No quería creerlo, y no lo hice. A Jamie nunca podía pasarle nada.

Vino a nosotros a finales de agosto, durante los cálidos y perezosos días anteriores a la cosecha. Fui la primera en verlo: una figura inconfundible resplandeciendo ligeramente bajo el calor, subiendo por el camino a buen paso y con una maleta en cada mano. Llevaba sombrero, así que no pude distinguir su cabello rojo, pero sabía que era Jamie por su manera de andar… espalda recta, hombros atrás, las caderas absorbiendo todo el movimiento. El andar de una estrella de cine.

—¿Quién es ese? —preguntó Papaíto, entornando los ojos entre la nube de humo que lo rodeaba.

Los dos estábamos sentados en el porche, yo batiendo mantequilla y el viejo retomando su nada-que-hacer, como de costumbre. Las niñas jugaban en el patio. Henry se ocupaba en el establo alimentando al ganado.

Negué con la cabeza como respuesta a la pregunta de Papaíto, simulando ignorancia por razones que no sabría explicar, ni siquiera a mí misma. A medida que Jamie se acercaba comencé a distinguir detalles: gafas de piloto, manchas ovaladas oscureciendo las axilas de su camisa blanca, pantalones anchos caídos sobre sus estrechas caderas. Nos vio y alzó una maleta a modo de saludo.

—¡Es Jamie! —dijo Papaíto agitando la cachaba hacia su hijo. Al viejo no le pasaba nada en las piernas; era vivaz como un raposo. La cachaba era un mero ornamento efectista, un accesorio que empleaba cuando quería parecer patriarcal o salir a trabajar.

—Sí, creo que tiene razón.

—¡Bueno, no te quedes ahí sentada, muchacha! ¡Vete a recibirlo!

Me levanté tragándome una chusca respuesta, pues por una vez deseaba obedecerlo, bajé las escaleras y atravesé el patio. Era plenamente consciente del sudor que manchaba mi vestido, de mi piel quemada por el sol y mi cabello sucio. Pasé las manos sobre él sintiendo cómo se enganchaba en los callos de las palmas. Las manos de una granjera; así las tenía entonces.

Estaba a unos treinta metros de él cuando Papaíto berreó:

—¡Henry! ¡Tu hermano ya está en casa! ¡Henry!

Henry salió del establo sujetando un caldero para alimentar el ganado.

—¿Qué? —gritó. Entonces vio a Jamie. Dio un chillido, tiró el cubo y echó a correr, igual que Jamie. La pierna mala de Henry lo hacía torpe, pero no pareció importarle ni notarlo. Iba disparado, con el gozoso abandono de un colegial. Me di cuenta de que nunca había visto a mi esposo corriendo. Era como vislumbrar otra faceta de él, una oculta e insospechada.

Se encontraron a casi cuatro metros de mí. Se dieron palmadas en la espalda y se apartaron, mirándose las caras: un ritual. Me quedé fuera y esperé.

—Tienes buen aspecto, hermano —dijo Jamie—. Siempre te gustó trabajar en el campo.

—Pues tú pareces hecho polvo —replicó Henry.

—Venga, no me dores la píldora.

—Tienes que poner algo de carne sobre esos huesos y que te dé algo del buen sol de Misisipi en la cara.

—Para eso he venido.

—¿Cómo has llegado hasta aquí?

—Hice dedo desde Greenville. Conocí a uno de tus vecinos en el almacén del pueblo. Me dejó en el puente.

—¿Por qué no te trajo Eboline?

—Una de las niñas no se sentía bien. Dolor de cabeza o algo así. Eboline me dijo que bajarían este fin de semana.

—Me alegro de que no esperases —apostilló Henry.

Entonces Jamie se volvió hacia mí, mirándome con ese estilo que tenía… como si de verdad me viese y abarcase por completo. Alzó las manos.

—Laura —dijo.

Me acerqué a él y lo abracé. Me pareció un ser ligero, insustancial. Sus costillas sobresalían como las teclas negras de un piano. *Podría levantarlo*, pensé, y sentí una súbita e irracional necesidad de hacerlo. Retrocedí de inmediato, nerviosa. Consciente de sus ojos sobre mí.

—Bienvenido a casa, Jamie —le dije—. Me alegro de verte.

—Y yo, mi dulce cuñada. ¿Qué cuentas? ¿Te gusta vivir aquí, en la versión que tiene Henry del Paraíso?

El viejo evitó que mintiese.

—Uno pensaba que quizá el hijo quisiera saludar al padre —bramó desde la galería.

—Ah, la dulce y entrañable voz de nuestro papaíto —dijo Jamie—. Había olvidado cuánto echaba de menos escucharla.

Henry cogió una de sus maletas y nos dirigimos hacia la casa.

—Creo que aquí se siente solo —comentó Henry—. Echa de menos a mamá, y a Greenville.

—Ah. ¿Esa es la excusa que pone ahora?

—No. Él no pone excusas, ya lo sabes —dijo Henry—. También te echaba de menos a ti, Jamie.

—Apuesto a que sí. Apuesto a que también ha dejado de fumar y se ha unido a la NAACP[8].

Me reí con la respuesta, pero la réplica de Henry fue seria.

—Te estoy diciendo que te echó de menos. Nunca lo admitirá, pero es cierto.

—Si tú lo dices, hermano —dijo Jamie pasando un brazo por los hombros de Henry—. Hoy no pienso discutir contigo. Pero debo decirte que ha sido muy bondadoso por tu parte que lo hayas traído contigo y hayas lidiado con él todos estos meses.

Henry se encogió de hombros.

—Es nuestro padre —dijo.

Sentí una punzada de envidia, que también vi reflejada en el rostro de Jamie. ¡Qué sencillas eran las cosas para Henry! Cómo deseaba a veces compartir su mundo fuerte y cartesiano, donde todo era o bueno o malo y no había duda de qué era qué.

---

8 Siglas correspondientes a la Asociación Nacional para el Progreso de Gente de Color (*National Association for the Advancement of Colored People*). (*N. del T.*)

Qué lujo inimaginable no tener que luchar con posibilidades o razones, no pasar noches en vela preguntándose «¿y si...?»

Aquella noche, durante la cena, Jamie nos regaló con historias acerca de sus viajes por ultramar. Había llegado tan al norte como Noruega y tan al sur como Portugal, sobre todo viajando en tren, aunque a veces en bicicleta o a pie. Nos habló de esquiar en los Alpes suizos, donde las montañas eran tan altas que sus cumbres atravesaban las nubes, y la nieve tan suave y espesa que cuando caes es como hacerlo sobre un colchón de plumas. Nos llevó a terrazas de cafeterías parisinas, donde camareros ataviados con camisas blancas recién planchadas y delantales negros servían pasteles compuestos por mil hojas, cada cual más fina que una uña; a corridas de toros en Barcelona, donde los matadores eran alabados como dioses por rugientes multitudes de miles de personas; al casino de Mónaco, donde ganó cien dólares en una sola mano de Bacarrá, y que gracias a esas ganancias enviaría una botella de champán a Rita Hayworth. Hacía que todo eso sonase grande y maravilloso, pero no podía evitar su aspecto demacrado y el temblor de sus manos cada vez que encendía uno de sus Lucky Strike. Comió poco, prefiriendo fumar un cigarrillo tras otro hasta que la habitación estuvo tan brumosa que los ojos de las niñas se pusieron rojos y llorosos, aunque no se quejaron. Se encontraban completamente atrapadas por el embrujo de su tío, sobre todo Isabelle, que pasó toda la cena haciéndole ojitos y al acabar exigió sentarse en su regazo. Nunca la había visto tan loca por alguien.

Henry era el único de nosotros que parecía inquieto con las historias de Jamie. Lo sabía por el surco entre sus cejas, que iba profundizándose más y más a medida que avanzaba la tarde. Al final, espetó:

—¿Y eso has estado haciendo todos estos meses en vez de regresar a casa?

—Necesitaba tomarme un tiempo —dijo Jamie.

—Para jugar en la nieve y comer el exótico pan extranjero.

—Cada uno sana a su manera, hermano.

Henry hizo un gesto dirigido al aspecto de Jamie.

—Bueno, si eso es lo que tú llamas curar, odiaría saber qué es estar herido.

Jamie suspiró y se pasó la mano por la cara. Las venas de su dorso sobresalían como cuerdas azuladas.

—¿Estás herido, tío Jamie? —preguntó Isabelle, preocupada.

—De un modo u otro, en la guerra todo el mundo acaba herido, pequeña Bella. Pero me pondré bien. ¿Sabes qué significa *bella*? —ella negó con la cabeza—. Es la palabra italiana para «hermosa». Creo que así es como te llamaré a partir de ahora. ¿Te gustaría, Bella?

—¡Sí, tío Jamie!

Yo lo sanaré, pensé. Le cocinaré comida para fortalecerlo, tocaré música para relajarlo, le contaré historias para hacerlo sonreír. No con la sonrisa cansada que lucía aquella noche, sino con la radiante, alocada y ancha sonrisa que me regaló en la pista de baile del hotel Peabody, hacía ya tantos años.

La guerra lo había apagado, pero yo haría que volviese a ser él.

HENRY

La guerra destrozó a mi hermano... Descompuso su cabeza, allí donde nadie sabe ver. No importan todas esas bromas inteligentes, ni sus flirteos con Laura y las niñas. Supe que no se encontraba bien en el momento en que lo vi. Estaba flaco y tembloroso, y sus ojos mostraban el brillo angustiado que ya había visto durante mi servicio en el Ejército. Sabía demasiado bien qué clase de cosas verían cuando se cerraran por la noche.

Para empezar, Jamie era blando; lo había sido toda su vida. Siempre intentaba recibir elogios y sus sentimientos se herían si no los recibía, o si no recibía los suficientes. Y jamás supo de su verdadera valía, nunca lo supo en sus entrañas, que es donde un hombre debe saberlo. De eso hay que culpar a nuestro padre. Siempre lo socavaba, haciéndolo de menos. Papaíto cree que ha engañado a todos, pero yo sé por qué lo hizo. Lo hizo porque amaba a mi hermano más de lo que nunca había amado a nadie en toda su vida, ni siquiera a mamá, y quería que Jamie fuese como él. Y cuando Jamie no podía, o no quería, que era la mayor parte de las veces, Papaíto lo castigaba. Era una cosa desagradable de ver, pero aprendí a no inmiscuirme. Todos lo hicimos, incluso mamá. Defender a Jamie solo hacía que Papaíto lo menospreciase más.

En cierta ocasión había ido a casa por Navidad, Jamie debía de tener seis o siete años, y estábamos recogiendo leña cuando sacamos una serpiente cobriza de debajo de la pila. Cogí un hacha, la decapité y Jamie chilló.

—Deja de portarte como una mariquita —dijo Papaíto dándole un pescozón—. Cualquiera diría que tengo tres hijas en vez de dos.

Jamie cuadró los hombros e hizo como si no le importase —ya de pequeño era bueno actuando— pero yo sabía lo herido que se sintió.

—¿Por qué has hecho eso? —le pregunté a Papaíto cuando estuvimos a solas.

—¿Hacer qué?

—Cortarlo de ese modo.

—Es por su propio bien —dijo Papaíto—. Tú, tu madre y tus hermanas casi me lo habéis arruinado con todos vuestros mimos. Alguien tiene que endurecerlo.

—Va a odiarte, si no te andas con cuidado —le advertí.

Papaíto me dedicó una mirada desdeñosa.

—Lo entenderá cuando sea un hombre. Y me lo agradecerá. Espera y verás.

Mi padre murió esperando ese agradecimiento. No me produce ninguna satisfacción decirlo.

Jamie no habló conmigo de la guerra. La mayoría de los hombres no lo hace, al menos los que han participado en combate. Quienes han pasado sus periodos de servicio bien alejados de las líneas son los que quieren contártelo todo, y los que jamás han servido son quienes lo quieren saber. Nuestro padre no perdió el tiempo antes de comenzar con las preguntas. Era la primera noche que Jamie pasaba en casa, y en cuanto Laura y las niñas se fueron a la cama, Papaíto dijo:

—Entonces, ¿cómo es eso de ser un gran héroe?

—No lo sé —respondió Jamie.

Papaíto resopló.

—No me vengas con esas. Me han escrito contándome lo de tus bonitas medallas.

Las «bonitas medallas» de Jamie incluían una Estrella de Plata y la Cruz de Vuelo Distinguido, dos de los más grandes honores que pueda recibir un piloto. Nunca lo mencionó en sus cartas. Si el Ejército no se lo hubiese notificado a Papaíto, jamás hubiésemos sabido de ellas.

—Tuve suerte —dijo—. Muchos de los chicos no la tuvieron.

—Apuesto a que también te facilitaron a unas cuantas.

Mi hermano se limitó a encogerse de hombros.

—Jamie nunca necesitó de medallas para conseguir chicas —le dije.

—Maldita sea, eso no —convino Papaíto—. En eso salió a mí. No tenía ni un céntimo en el bolsillo cuando vuestra madre se casó conmigo. La chica más bonita de Greenville; podría haber escogido a cualquier tipo de la ciudad, pero fue a mí a quien quiso.

Eso era verdad, por lo que yo sabía. Al menos mamá nunca contradijo su versión del noviazgo. Creo que se casaron por su aspecto.

—Tu madre tampoco era la única —continuó Papaíto—. Las tenía olisqueando detrás de mí, igual que tú, hijo.

Jamie se enderezó en la silla. Odiaba ser comparado con nuestro padre.

—Bueno, una cosa es segura —dijo Papaíto—. Debes de haber matado a un montón de cabezas cuadradas para conseguir todas esas medallas.

Jamie no le hizo caso y me miró.

—¿Tienes algo de beber por aquí?

—Creo que tengo algo de *whisky* por alguna parte.

—Con eso vale.

Encontré la botella y nos serví un par de dedos. Jamie tragó el suyo y rellenó el vaso con dos veces más cantidad que antes.

Eso me sorprendió. Nunca había tenido a mi hermano por un bebedor.

—¿Y bien? —dijo Papaíto—. ¿A cuántos te cargaste?

—No lo sé.

—Una estimación.

—No lo sé —repitió Jamie—. ¿Qué importa eso?

—Un hombre debe saber a cuántos ha matado.

Jamie le dio un buen trago a su *whisky*; después sonrió de modo desagradable.

—Lo que puedo decirte —replicó— es que fue a más de uno.

Los ojos de Papaíto se entornaron y yo renegué entre dientes. Allá por 1934, cuando aún trabajaba para el ferrocarril, Papaíto había matado a un hombre, a un preso fugado de Parchman que intentaba atracar a unos pasajeros a punta de pistola. Papaíto sacó su propia arma y le pegó un tiro en el ojo. Un solo disparo efectuado con mortífera precisión... Al menos así lo contó siempre. Con el paso de los años los detalles de la historia alcanzaron la categoría de míticos. Las mujeres y niños aterrorizados, el maquinista de cabeza fría que nunca sintió un momento de temor. Los mirones que vitoreaban mientras él sacaba el cuerpo del tren y lo arrojaba a los pies de un agradecido sheriff. Matar a aquel convicto fue la cúspide del orgullo en la vida de nuestro padre. Jamie sabía que no debería menospreciarlo.

—Bueno —dijo Papaíto—, al menos miré al *mío* a los ojos antes de dispararle. No es como tirar bombas a una milla de altura.

Jamie mantenía la mirada fija en su vaso, con las mandíbulas apretadas.

—Pues vale. Ya es hora de irnos. Mañana tenemos que empezar el día bien temprano —señalé.

—Yo acabaré mi copa —dijo Jamie.

Papaíto se levantó con un gruñido y cogió una de las candelas.

—No me despiertes al entrar —le dijo a Jamie.

Me senté con mi hermano mientras acababa su *whisky*. No le duró mucho, y al acabar sus ojos saltaron a la botella como si quisiera más. La cogí y volví a colocarla en la estantería.

—Lo que necesitas es una buena noche de descanso —le dije—. Vamos, Laura te ha preparado una cama.

Cogí la otra candela y lo acompañé hasta el cobertizo. Al llegar a la puerta le di un rápido abrazo.

—Bienvenido a casa, hermano pequeño.

—Gracias, Henry. Os agradezco a Laura y a ti que me hospedéis.

—No digas tonterías. Somos tu familia, y esta será tu casa durante todo el tiempo que te quieras quedar, ¿me oyes?

—No puedo quedarme mucho —me dijo.

—¿Por qué no? ¿A qué otro sitio tienes que ir?

Volvió a negar con la cabeza y miró al cielo. Era una noche despejada que me gustó ver. Quería que el algodón estuviese quieto y seco hasta la cosecha. Después, que lloviese todo lo que quisiera.

—En realidad —apuntó Jamie—, eran más bien unas cuatro millas de altura.

—¿El qué?

—La altitud desde la que arrojábamos las bombas.

—¿Cómo eres capaz de ver nada desde ahí arriba?

—Puedes ver más de lo que crees —me dijo—. Carreteras, ciudades, fábricas. Lo único que no ves son personas. A veinte mil pies no son ni hormigas —emitió una carcajada áspera. Sonó exactamente igual a la de nuestro padre—. ¿A cuántos mataste tú, Henry, en la Gran Guerra?

—No lo sé exactamente. Cincuenta, quizá sesenta hombres.

—¿Eso fue todo?

—Sólo estuve en Francia seis semanas antes de que me hiriesen. Supongo que tuve suerte.

Jamie permaneció en silencio durante un buen rato.

—Papaíto tiene razón —dijo al fin—. Un hombre tiene que saberlo.

Apagué la candela después de que se fuese y me senté un rato en la galería escuchando a las plantas de algodón susurrar con la brisa nocturna. *Jamie necesita algo más que una buena noche de descanso*, pensé. Necesitaba tener su propio hogar, y una dulce muchacha sureña que le diese hijos y le hiciese echar raíces en la tierra donde nació. Todo eso llegaría en buena hora, no me cabía duda. Pero en ese momento necesitaba trabajo duro para sacar el veneno de sus heridas. Trabajo duro y noches serenas en casa, con una familia cariñosa. Laura, las niñas y yo le daríamos eso. Le ayudaríamos a ponerse mejor.

Al ir a la cama pensé que estaría dormida, pero en cuanto me metí bajo las sábanas me llegó su suave voz en la oscuridad.

—¿Cuánto piensa quedarse? —preguntó.

—No mucho, según dijo. Pero pretendo hacerle cambiar de opinión.

Laura suspiró, una ráfaga cálida en mi nuca.

La cosecha comenzó dos semanas después. Las plantas de algodón estaban tan cargadas de cápsulas que apenas podían mantenerse derechas. Debía de haber cien cápsulas por planta, gruesas y rebosantes de pelusa. El aire picaba con su olor. Al mirar los campos, respirando aquel polvoriento olor del algodón, percibí una sensación de estar haciendo lo correcto como no la había tenido en años, quizá nunca en mi vida. Aquella era mi tierra, mi cosecha, la que había sacado del terreno con mi labor e ingenio. Para un hombre no hay conciencia en el mundo más satisfactoria que esa.

Contraté a ocho familias de color, todas las que pude encontrar, para que recogiesen. Orris Stokes tenía razón... El trabajo del campo era duro de llevar, y a pesar de ello jamás logré comprender cómo alguien, blanco o de color, podía preferir la pestilencia infernal de una fábrica o la miseria de una barriada urbana a pasar la vida bajo el sol. Todas las conversaciones en la tienda de Tricklebank giraban en torno a esas nuevas máquinas cosechadoras que estaban empleando en algunas de las grandes plantaciones; yo no hubiese querido una aunque hubiera podido permitírmela. A mí dame un cosechador de color. Nada ni nadie puede recoger mejor el algodón. Cosechar algodón se ha inculcado en los negritos sureños, lo llevan en la sangre. Basta con que veas a los niños de color en los campos para comprenderlo. Sus dedos ya saben qué hacer antes de que te lleguen a la rodilla. Por supuesto, cosechar algodón es como cualquier otra tarea que les encargues, debes vigilarlos de cerca y asegurarte de que no te están estafando llevándose la pelusa con la cápsula para incrementar el peso de la carga. Llevas esa basura a la desmotadora y verás cómo tu cosecha pierde valor de inmediato. Le reducíamos la paga a la mitad a cualquier cosechador al que sorprendiéramos haciendo trampa. Y, créanme, así conseguimos que recogiesen algodón limpio de inmediato.

Jamie me resultó de gran ayuda. Se dedicaba con empeño a cualquier tarea que le encomendase, sin quejarse ni una vez del trabajo o del calor. Se esforzaba mucho, a veces demasiado, pero no intenté detenerlo. Respecto al ánimo, tenía sus altibajos. Iba bien durante tres o cuatro días, y después tenía una de sus pesadillas y nos despertaba a todos con sus gritos. Yo salía para calmarlo mientras nuestro padre refunfuñaba cosas acerca de que lo mantuviesen despierto. Papaíto creía que era debilidad de carácter, algo que Jamie podría arreglar tan solo con poner algo de su parte. Intenté explicarle cómo era, recordándole cómo una vez tuve esa misma clase de pesadillas, y yo estuve en combate mucho menos tiempo que Jamie.

—Tu hermano necesita que lo endurezcan —decía Papaíto—. Tú nunca me verías graznando y chillando como una cría.

Los fines de semana Jamie cogía el coche y desaparecía una noche, a veces dos. Yo estaba bastante seguro de que iba a Greenville a beber y liarse con mujeres de alterne. Tampoco intenté detenerlo entonces. Supuse que sería lo bastante mayor para tomar sus propias decisiones. Ya no necesitaba a un hermano mayor que le dijese lo que debía hacer.

Pero supuse mal. Un lunes de octubre estaba con el tractor en la parcela meridional acabando con la cosecha de soja, cuando vi la camioneta de Bill Tricklebank subiendo por el camino a toda prisa. Jamie se había ido el sábado y ya estaba empezando a preocuparme. Al ver la camioneta de Bill supe que algo debía de haberle pasado. No teníamos teléfono, así que cuando alguien quería contactar con nosotros llamaba a la tienda de Tricklebank.

Bajé del tractor y atravesé la parcela corriendo hasta el camino. Estaba sin resuello cuando llegué junto a Bill.

—¿Qué pasa? —dije—. ¿Qué ha sucedido?

—Llamaron de la oficina del sheriff de Greenville —contestó Bill—. Han arrestado a tu hermano. Lo tienen en la prisión del condado.

—¿Bajo qué cargos?

Apartó la mirada y murmuró algo.

—¡Bill, habla más alto!

—Conducía borracho. Atropelló a una vaca.

—¿A una vaca?

—Eso dijeron.

—¿Está herido?

—Sólo un golpe en la cabeza y unos cuantos moratones, eso es lo que me contó el agente.

Me inundó una sensación de alivio. Cogí a Bill por el hombro y vi que hacía un leve gesto de dolor. Era un hombre flaco como el tallo de un diente de león y más o menos igual de resistente.

—Gracias, Bill. Gracias por venir a decírmelo.

—Eso no es todo —añadió—. Había... una jovencita en el coche, con él.

—¿Está herida?

—Concusión y brazo roto. De todos modos, el agente dijo que se pondría bien.

—Te estaría muy agradecido si Rose y tú manejaseis este asunto con discreción —le dije.

—Por supuesto, Henry. Pero tienes que saber que fue Mercy quien recibió la llamada.

—Demonios.

Mercy Ivers era la más entrometida de las operadoras del pueblo, y la más bocazas. Si había alguien en Marietta que no supiese que Jamie estaba en prisión, a buen seguro que lo sabría a la caída de la noche.

Bill me dejó en casa y continuó su camino. Laura y Papaíto esperaban en la galería. Les informé, reservando la parte de la jovencita. Me dolía que mi esposa tuviese que saber nada de esto, pero con los Tricklebank y Mercy de por medio no había modo de evitarlo. Supuse que Laura se enfadaría, y se enfadó... solo que no de la manera que esperaba.

—Después de todo lo que ha hecho por este país —dijo—, ¡lo encierran en la cárcel como a un criminal! Debería darles vergüenza.

—Bueno, cielo, estaba borracho como una cuba.

—No lo sabemos —prosiguió—. Y aunque lo estuviese, estoy segura de que tenía una razón para estarlo después de todo por lo que ha pasado.

—¿Y si llega a chocar contra otro coche en vez de una vaca? Alguien podría haber resultado herido de gravedad.

—Pero nadie lo fue.

Me molestó que lo defendiese de ese modo. Mi esposa era una mujer sensata, pero cuando Jamie estaba implicado se mostraba tan ciega como cualquier otra sobre la faz de la Tierra. Si hubiese sido yo el que saliera por ahí conduciendo borracho y matando ganado, a buen seguro que no sería tan indulgente; ni de lejos.

—¿Henry? ¿Hubo alguien más herido?

Estaba a punto de decírselo y derribarlo del pedestal donde lo había subido… Así de molesto estaba con los dos. Jamie tuvo suerte de que no fuera un chivato.

—No, solo él —contesté.

—Entonces bien —dijo—, deja que te dé algo de comida para que le lleves, seguro que no lo han alimentado como es debido.

Entró en la casa.

—¿Quieres que vaya contigo? —me preguntó Papaíto.

—No —contesté—. Yo me ocupo de esto.

—Necesitarás dinero para la fianza.

—Tengo bastante en la caja fuerte.

Papaíto sacó su cartera del bolsillo del pantalón, extrajo un raído billete de cien dólares y me lo tendió. Miré al billete y después a él. Mi padre era escocés hasta la médula. Sacarle dinero era como intentar sacar leche de una mula.

—Vamos, cógelo —me indicó con brusquedad—. Pero no le digas que te lo di yo.

—¿Por qué no?

—No quiero que espere más.

—Lo que tú digas, Papaíto.

Pedí ver al sheriff Partain en cuanto llegué a la penitenciaría de Greenville. Lo conocía un poco. Él y mi hermana Thalia fueron novios en el instituto. Quería casarse con ella, pero mi hermana tenía unas expectativas más elevadas. Escogió a un acaudalado plantador de tabaco, de Virginia, y se mudó al Norte con él. Le dijo a todo el mundo que había destrozado sin remedio el corazón de Charlie Partain. Por el bien de Jamie, esperaba que se hubiese equivocado. Thalia siempre tuvo una idea un tanto exagerada acerca de su importancia personal.

Charlie salió de detrás de su escritorio, una vez el agente me hubo llevado a su oficina, y me estrechó la mano quizá con un poco más de fuerza de la necesaria.

—Henry McAllan. ¿Cuándo fue la última vez?

—Pues unos quince años, más o menos.

Charlie no había cambiado mucho en todo ese tiempo. Había echado algo de barriga, pero todavía era un tipo guapo, grande y afable, con una sonrisa tímida que no lograba ocultar la ambición bajo ella. Un político de raza.

—¿Cómo te ha ido? —me preguntó.

—Pues bien. Ahora vivo en Marietta. Me he comprado una plantación de algodón allí.

—Eso he oído.

—Tú también has sabido manejarte —le dije, señalando la placa colgada en su camisa—. Enhorabuena por ganar las elecciones para sheriff.

—Gracias. Fui policía militar durante la guerra, supongo que me gusta eso de hacer cumplir la Ley.

—¿Qué hay de mi hermano?

Negó con la cabeza, serio.

—Un asunto feo.

—¿Cómo está?

—Está bien, pero tiene un dolor de cabeza de mil demonios. Claro que eso es lo que te puede ocurrir si te bebes una botella de *bourbon*.

—Charlie, ¿puedes decirme qué ha pasado? Todo lo que sé me vino de terceros.

Regresó a su escritorio, tomándose su tiempo, y después tomó asiento.

—¿Sabes? —dijo—, me gusta que me llamen sheriff cuando estoy de servicio. Me ayuda a separar lo personal de lo profesional. ¿Comprendes? —La expresión de su rostro seguía siendo amistosa, pero no se me escapó el aguzado destello en su mirada.

—Por supuesto, sheriff.

—Siéntate.

Me senté en la silla que indicó, frente al escritorio.

—Al parecer, el sábado por la noche tu hermano y una acompañante femenina habían aparcado el coche en la zona Este de la ciudad. Para contemplar la luna, según ella —el tono de Charlie indicaba cuánto creía en esa declaración.

—¿Quién es la chica?

—Se llama Dottie Tipton. Trabaja de camarera en el hotel Levee. Su marido, Joe, era amigo mío. Murió en Bastogne.

—Lo siento. Jamie también combatió en la batalla de las Ardenas. Fue donde ganó su Estrella de Plata. Era piloto de bombardero, ya sabes.

—No me digas —dijo Charlie, cruzando los brazos sobre el pecho.

Mis esfuerzos por impresionarlo apenas habían tenido resultado. Decidí continuar con el asunto que teníamos entre manos.

—Así que esos dos habían aparcado, ¿y qué pasó después?

—Bueno, ahí es donde la cosa no está tan clara. Tu hermano no recuerda nada, o eso dice él.

—¿Y la mujer?

—Dottie dice que atropelló a la vaca de regreso a la ciudad, por accidente. Lo cual podría creer si la hubiésemos encontrado tirada en medio de la carretera y no en pleno pasto de Tom Easterly.

—Tú mismo dijiste que Jamie estaba borracho. Probablemente se saldría de la carretera.

Charlie se arrellanó en su silla, colocando los pies sobre el escritorio. Lo pasaba bien.

—Ajá. Solo que hay un par de problemas con eso.

—¿Cuáles?

—El primero es que se llevó por delante la mediana. Y el segundo es que mató a la vaca como si lo hubiese hecho adrede. También tuvo que ir muy aprisa. Había que ablandar un buen pedazo de carne.

Negué con la cabeza, incapaz de imaginar por qué Jamie atropellaría aposta a una vaca. No tenía el menor sentido.

—¿Tu hermano tiene algo contra el ganado? —preguntó Charlie enarcando una ceja.

Decidí ser franco con él.

—Jamie no está bien. No ha sido él desde que regresó a casa tras la guerra.

—Puede ser —dijo Charlie—. Pero eso no le da derecho a hacer lo que le salga de las narices. A ir por ahí y hacer lo que se le antoje. Ya no está en la todopoderosa Fuerza Aérea —aplastó su cigarrillo—. Todos esos revoloteadores se lo tienen muy creído. Andan por ahí con sus cazadoras de cuero como si el mundo y todo lo que contiene fuera suyo. Por el modo en que los persiguen las chicas, uno pensaría que fueron los únicos que arriesgaron el pellejo en el frente. Pero si quieres saber mi opinión, los verdaderos héroes fueron los hombres sobre el terreno. Hombres como Joe Tipton. Por supuesto, a Joe no le dieron una Estrella de Plata. Él solo era un simple soldado.

—También hay honor en eso —señalé.

Los labios de Charlie se fruncieron.

—Es muy profundo eso que dices, McAllan.

Quise darle un puñetazo en la cara para borrarle aquella expresión de desdén. Lo único que me detuvo fue saber que Jamie se encontraba en una celda al otro lado del muro. Clavé mis ojos en los de Charlie Partain.

—Mi hermano voló en sesenta misiones dentro de territorio alemán —le dije—. Arriesgó su vida sesenta veces para que más de los nuestros pudiesen regresar a casa de una pieza. Quizá no a tu amigo Joe, pero Jamie salvó a muchos otros. Y ahora... ahora tiene un buen lío en la cabeza y necesita algo de tiempo para enderezarse. Creo que se lo merece, ¿verdad?

—Yo creo que la viuda de Joe Tipton merece algo mejor que ser tratada como una puta.

Entonces no debería actuar como tal, pensé.

—Estoy seguro de que mi hermano nunca intentó faltarle al respeto —afirmé—. Como ya te he dicho, no es él. Pero, sheriff, te doy mi palabra de que si retiras los cargos y dejas que lo lleve a casa, no tendrás más problemas con él.

—¿Qué pasa con la factura de Dottie por los gastos en el hospital y la vaca de Tom?

—Me ocuparé de eso. Lo haré hoy mismo.

Charlie sacó otro cigarrillo del paquete que tenía en el escritorio y lo encendió. Le dio tres relajadas caladas sin decir ni una palabra. Al final, se levantó y fue hacia la puerta.

—¡Dobbs! —gritó—. Ve a por McAllan. Vamos a soltarlo.

Me levanté y tendí mi mano.

—Gracias, sheriff. Te lo agradezco mucho.

No hizo caso ni de mi mano ni de mi agradecimiento.

—Dile a tu hermano que se mantenga alejado de Dottie, y de Greenville —dijo—. Si vuelvo a pillarlo causando problemas por aquí, será él quien necesite ser salvado.

Después de que lo sacasen y me lo entregaran no pudo mirarme a los ojos, sólo balbucear una disculpa mientras Charlie Partain y su agente nos observaban. Apestaba a *whisky* y vómito. También mostraba un aspecto deplorable. Tenía un corte profundo en la frente y un ojo muy hinchado, casi cerrado.

A pesar de todo, se encontraba en mejor forma que el DeSoto, al que habían remolcado hasta el depósito municipal. Allí fuimos en primer lugar, para intentar llevárnoslo, pero no hacía falta ser mecánico para ver que aquello no se podía conducir. La delantera estaba tan arrugada que parecía una calabaza demasiado madura, y el motor era un amasijo de hierros. La cara de Jamie se puso pálida al verlo.

—Jesús. ¿Yo he hecho eso?

—Sí, tú hiciste eso —repliqué—. ¿Qué demonios pasó?

—No lo sé. Lo último que recuerdo fue a Dolly diciéndome que redujese la velocidad.

—Se llama Dottie. Y la has mandado al hospital.

—Lo sé. Me lo dijeron —apuntó en voz baja—. Pero voy a compensárselo, y a ti también. Lo juro.

—Conmigo haz lo que te dé la gana, pero a ella no la vuelvas a ver.

—¿Quién ha dicho eso?

—Charlie Partain. Su esposo era amigo suyo.

—Me preguntaba por qué estaba tan cabreado. Él me puso el ojo a la funerala, ¿sabes?

—¿Te pegó? Menudo hijo de puta.

—Creo que me lo merecía.

Estaba encorvado y parecía triste.

—La próxima vez, hazme un favor —le pedí.

—¿Cuál?

—Vete a por un conejo, ¿vale?

Tardó unos segundos en pillarlo, y después estalló en carcajadas, como yo. Ambos reímos como no lo hacíamos desde hacía años, hasta que las lágrimas corrieron por nuestro rostro. Simulé no darme cuenta de que la cara de Jamie permaneció húmeda mucho después de que se nos pasase el ataque de risa.

Lo dejé en el hotel Levee, donde se alojaba. Mientras se arreglaba, conduje hasta el hospital y pagué la factura de Dottie Tipton. La iban a dar de alta aquella misma tarde, cosa que me alegró saber. No la visité, ¿qué diablos iba a decirle?, pero le pedí a una enfermera que le dijese que Jamie estaba desolado y que esperaba que se recuperase pronto.

Al recogerlo olía algo mejor, y también tenía mejor aspecto. Paramos en la hacienda de Tom Easterly al salir de la ciudad. El muy bastardo quería doscientos dólares por su vaca, que eran unos buenos cincuenta dólares más de lo que esa o cualquier otra vaca costaría, pero recordé a Charlie Partain y pagué. Todo el embrollo acabó costándome cerca de trescientos dólares, sin contar el coche. Supuse que necesitaría un mínimo de cuatrocientos para arreglarlo y el doble para cambiarlo. Tenía pensado invertir ese dinero en una casa de alquiler para Laura y las niñas, pero eso ya no sería posible.

Pasé el camino de vuelta con miedo a decírselo, asustado por tener que volver a ver aquella expresión de decepción en su rostro.

—Estamos sin blanca —le dije cuando estuvimos a solas en la cama—. Este año no tendríamos para una casa en el pueblo aunque recogiésemos una buena cosecha. Lo siento, cielo.

No dijo ni una palabra y no pude ver su expresión en la oscuridad.

—La buena noticia es que Jamie ha prometido quedarse otros seis meses para compensarnos. Con su ayuda, debería de ser capaz de sacar lo suficiente para poder coger una casa el año que viene.

Suspiró y salió de la cama. Oí sus plantas desnudas arrastrándose por el suelo hasta los pies de la cama, y después rodeándola hasta mi lado. Luego escuché un conocido sonido rasposo y vi la llama de una cerilla. Encendió la candela, apartó la mosquitera y se metió en la cama apretándose contra mí. Me rodeó con un brazo.

—Está bien, Henry —me dijo—. Tampoco me importa tanto.

Sentí sus labios en mi cuello y su mano bajando por mi pijama.

JAMIE

Gracias a Henry. De alguna manera, las cosas siempre acababan en ese punto.

Ahí volvía a estar yo, en deuda con él por sacarme el culo del atolladero en el que yo solito me había metido. Jamás me iba a decir a cuánto ascendía mi cuenta, pero supuse que deberían de ser casi mil dólares.

Y Henry no era el único al que debía. Gracias a mí, Laura no tendría su casa en el pueblo, su servicio interior y su jardín con césped. En vez de eso, pasaría otro año entre la cochambre y la pestilencia. La verdad es que jamás me lo reprochó, ni siquiera enarcó una ceja al mirarme. Me dio la bienvenida con la misma dulzura que habría empleado si regresase de la iglesia y no de la cárcel del condado. Muchas mujeres actúan con dulzura, y en muchos casos no es más que eso, una manera de actuar aprendida desde la infancia y llevada a la perfección hasta los veintiún años. Mis dos hermanas eran unas maestras en la materia, pero Laura era un caso completamente distinto. Ella era dulce de verdad.

Además estaba Dottie Tipton. Entré a hurtadillas en Greenville para verla una semana después del accidente. (Así era como todo el mundo, excepto mi padre, se refería al caso... «el accidente». Papaíto se refería a él como «tu alcohólico desmán» y comenzó a llamarme «mata-vacas»). Dottie se puso contentísima de verme. Nada le parecía lo bastante bueno para el hombre que le había ocasionado una concusión y hecho que llevase un brazo escayolado. Se cambió de ropa y se puso pintalabios, con una mano me preparó una copa de *whisky* en vaso ancho y acarició mis moratones. ¿De verdad no tenía hambre? Estaría encantada de improvisar algo para comer, no sería ningún problema. Nos imaginé sentados en la mesa del comedor, cenando en la vajilla de porcelana que le diesen como regalo de bodas y tomando después el postre en su dormitorio, sin duda. El impulso por levantarme de un salto y salir corriendo por la puerta fue más poderoso que cualquiera de los que sintiese antes de una batalla. Fue el fallecido esposo de Dottie quien me lo impidió. Joe Tipton me miraba con fijeza desde su marco de plata colocado sobre la repisa de la chimenea, con una severa expresión bajo su gorra reglamentaria. *No lo hagas, cobarde hijo de puta*, eso es lo que decía su expresión. Así que me quedé un rato, tomé unos tragos y me reí un poco con ella. Los tragos hicieron que la risa saliese con más facilidad, y las mentiras también. Al llegar el momento de la despedida, fui un ser tierno y atribulado... como Marco Antonio con su Cleopatra. *Bravo*, me dijo Joe, *ahora vete a tomar por culo de aquí*. Dottie me retuvo un instante cuando le dije que no podía volver a verla, pero no lloró. Otra cosa que le debo.

Me habían dejado todas las personas con cuyas vidas me había tropezado, así de simple. Lo único que me quedaba era hacer otro tanto, y no era difícil. La bebida ayudaba, también los recuerdos: aviones en llamas dejando un rastro de humo, cayendo del cielo. Hombres cayendo de aviones; cayendo con los paracaídas en llamas; cayendo sin paracaídas, lanzándose al vacío antes de quemarse vivos. El *bum bum bum* del fuego antiaéreo enemigo haciéndolo todo pedazos, a los aviones derribados y a los hombres que caían; y también a los pedazos de esos hombres.

Dicen que tienes que odiar para servir en infantería; pero la premisa no se aplica en la Aviación. Nunca veíamos los rostros de nuestros enemigos. Las veces que pensaba en ellos me imaginaba óvalos lisos y blancos enmarcados en cabelleras rubias cortadas al rape... nunca flequillos, rizos o coletas, aunque sabía que nuestras bombas también caían muchas veces sobre mujeres y niños. En algunas ocasiones simplemente elegíamos una gran ciudad y la dejábamos como un solar. En otras íbamos en busca de un «objetivo oportuno» si no lográbamos cumplir nuestro objetivo principal, normalmente alguna instalación militar o una fábrica. Los llamábamos AWC, acrónimo de *Auf Wiedersehen Cabrones*. Existía la norma tácita de no regresar a la base con bombas. Durante mi última salida, una tormenta de truenos nos impidió llegar al polvorín que se supone debíamos destruir, así que terminamos soltando toda nuestra carga sobre un gran parque atestado de refugiados. Por los informes de Inteligencia sabíamos de la existencia de soldados de las SS intentando escudarse entre civiles. A pesar de todo, matamos a miles de inocentes junto con ellos. Al regresar a la base y entregar las novedades al oficial al mando, nos felicitaba por un trabajo bien hecho.

Unos segundos antes de chocar contra aquella vaca, esta volvió la cabeza y miró directamente hacia mí. Podría haberse apartado, pero no lo hizo. Se limitó a quedarse allí mientras la embestía.

Supongo que podría haber hablado con Henry acerca de la guerra, pero cada vez que intentaba sacar el tema me sorprendía a mí mismo contando un chiste o inventando alguna historia. Él no habría comprendido lo que sentía. El horror sí, pero no la culpa, y desde luego no el impulso que a veces tuve de estrellar mi avión contra un caza enemigo y convertirnos ambos en un sol en miniatura. Henry deseando olvidar... El mero pensamiento daba ganas de reír. Lo que mi hermano deseaba se encontraba justo bajo sus pies. Lo raspaba quitándolo de las botas cada noche con tierno cuidado. La hacienda era su elemento igual que antaño el cielo fuese el mío. Aquella fue otra razón por la que no me confié en él: no quería embarrar su felicidad.

El *whisky* era la única cosa que mantenía mis pesadillas a raya. Sabía que después del accidente Henry, Laura y Papaíto me vigilaban de cerca, por eso tuve buen cuidado de no beber más que un par de cervezas frente a ellos. Mi verdadera ración de bebida la consumía en secreto. Tenía botellas ocultas por todos lados: sobre el retrete exterior, junto al establo, bajo los tablones del suelo de la galería... Y siempre llevaba una lata con zumo de limón para camuflar el olor de mi aliento. Nunca me caía borracho, solo me mantenía en un agradable estado de euforia a lo largo de la jornada. Sudaba buena parte de la bebida y le daba utilidad a la que no. Era el designado para alegrar la casa, el responsable de mantener a todo el mundo animado. Para cumplir mi parte necesitaba la bebida.

Si tuviese que calificarme, diría que la cumplí con notable éxito. Nadie supo de mi secreto excepto Florence Jackson. A sus inteligentes ojos no se les escapaba casi nada. Una vez descubrí una botella de Jack Daniel's oculta bajo mi almohada, como un regalo del ratoncito *bourbon*. Sabía que fue Florence quien la puso allí, pues era día de hacer la colada y había cambiado las sábanas. Debí de haberla olvidado en alguna parte y ella la encontró y me la devolvió. Dejando aparte este único acto de amabilidad, a esa no le gustaba mucho. Intenté ganármela, pero era inmune a mi encanto... La única mujer que he conocido que lo fuese. Creo que debió de haber sentido el papel que me tocaría desempeñar en los sucesos venideros. Henry se hubiera reído de mí si se lo hubiese dicho, pero creo que los negritos tienen una habilidad innata para sentir cosas que nosotros, hombres blancos, hemos perdido. Una especie de instinto. Algo diferente al raciocinio, que nosotros tenemos más que ellos, y procedente de un lugar más antiguo y oscuro.

Florence debía de haber sentido algo, pero no tuve ni idea de qué iba a poner en marcha el día que recogí a Ronsel Jackson en el pueblo. Fue justo después de Año Nuevo. Hacía cuatro meses que había regresado a Misisipi, pero más bien me parecían cuatro años. Fui en coche a Marietta para cortarme el pelo, comprar algunos comestibles para Laura y algo de *bourbon* para mí. Normalmente adquiría la bebida en Tchula o Belzoni, pero aquel día no tenía tiempo. Salía de la tienda de los Tricklebank con mis compras cuando escuché una fuerte explosión a mi izquierda. Me tiré al suelo cubriéndome la cabeza con las manos y dejando caer la caja de comestibles, que se desparramaron por la calle.

—No pasa nada —dijo una voz profunda a mi espalda—. Sólo es un coche —un negrito alto, vestido con un peto, salió de detrás de una camioneta aparcada. Señaló a un viejo Ford modelo A que se alejaba de nosotros calle abajo—. Fue un petardeo, eso es todo —añadió—. Debe de tener una válvula de alimentación atascada.

Tardé en reconocer a Ronsel Jackson. Sólo había hablado con él en un par de ocasiones, y siempre sobre cosas de la hacienda, pero sabía por boca de Henry que había combatido en uno de los batallones de color.

Alguien soltó una risita, levanté la mirada y vi una docena de pares de ojos mirándonos con fijeza bajo las alas de sus sombreros. Los feligreses pasaban las tardes de los sábados en la galería de la tienda de los Tricklebank, intercambiando opiniones sobre cualquier cosa que en Marietta se considerase noticia... Sin duda en ese momento era el hermano chiflado de Henry McAllan, el que en Greenville había matado una vaca con el coche. Con ganas de llorar me incliné y comencé a colocar de nuevo los comestibles en la caja. Ronsel me ayudó trayéndome algunas naranjas que se habían alejado rodando. El saco de harina se había desatado, derramando la mitad de su contenido en el suelo, pero el *whisky* resultó ileso, gracias a Dios. Al recogerlo, mis manos temblaban de tal manera que se me volvió a caer.

Si Ronsel hubiese dicho algo, si tan siquiera hubiese proferido un sonido que pretendiese mostrar lástima o proporcionar alivio, podría haberme puesto hecho una furia y lo hubiese golpeado... Y bien sabía Dios que quería golpear a alguien. No obstante, no me dio la excusa. Se limitó a tenderme una mano con la palma hacia abajo, de modo que la vi temblando tan mal como temblaba la mía. Vi en su rostro la misma frustración que sentía yo, la misma rabia, quizá más.

—¿Debo creer que algún día parará? —preguntó, bajando la mirada hacia su mano.

—Dicen que así es, con el tiempo —contesté—. ¿Has venido andando?

—Sí, caramba. Papá está usando la mula para arar los campos.

—Vamos, te llevo en coche.

Se dirigió a la plataforma de la camioneta. Estuve a punto de decirle que podía subir a la cabina conmigo, fuera hacía frío y comenzaba a lloviznar, pero entonces vi a los hombres en la galería mirándonos y recordé las palabras de Henry cuando me contó que Ronsel se había metido en problemas hacía una temporada. Esperé hasta que salimos del pueblo, después paré, saqué la cabeza por la ventanilla y grité:

—¿Por qué no vienes aquí delante?

—Voy bien aquí atrás —respondió.

La llovizna había dado paso a una lluvia constante. No podía verlo, pero tenía que estar empapado y pasando frío, y más a cada minuto que pasaba.

—¡Suba, soldado! —berreé—. ¡Es una orden!

Sentí la camioneta moverse cuando saltó fuera, después se abrió la puerta del pasajero y entró oliendo a lana mojada y sudor. Esperaba que me diese las gracias, pero lo que dijo fue:

—¿Cómo sabes que tienes un grado superior al mío?

—Obedeciste la orden, ¿no? Además, yo era capitán.

Levantó la barbilla.

—Había negritos que eran capitanes —señaló—. Serví a las órdenes de unos cuantos.

—Déjame adivinar. Eras sargento.

—Eso es —dijo.

Busqué en la caja colocada entro los dos, descorché la botella de *whisky* y le di un buen trago.

—Bueno, sargento, ¿qué te parece estar de regreso en el Delta?

No contestó, solo volvió la cabeza y se quedó mirando por la ventanilla. Al principio pensé que lo había contrariado, pero después me di cuenta de que me estaba dando cierta privacidad para beber. *Un buen tipo, este Ronsel Jackson*, pensé pegándole otro trago. Después me di cuenta de algo más, y más acertado: no me miraba porque suponía que no iba a ofrecerle. Protegía su dignidad y al mismo tiempo me daba libertad absoluta para ser un hijo de puta. Molesto, le tendí la botella.

—Toma, pega un trago.

—No, gracias.

—¿Siempre eres así de tozudo, o solo es con los blancos que intentan ser amables contigo?

Aceptó la botella y le dio un sorbo rápido, sin que sus ojos se apartasen de mi rostro. La verdad era que poco tiempo atrás no le habría ofrecido ni una gota, no a menos que fuese el último trago de la botella. No estaba seguro de si era bueno o malo que eso ya no me importase.

—¿Qué tipo de suboficial eres? —le pregunté cuando intentó devolverme la botella después de beber aquel único y breve sorbo. En esa ocasión le dio un buen trago, tan bueno que se atragantó y derramó un poco sobre su peto—. Ahora no vayas a tirarlo —le dije—. Esa es mi medicina, y necesito hasta la última gota.

Al recoger la botella vi que advertía la falta de uno de mis dedos.

—¿Fue en la guerra? —preguntó.

—Sí, congelación.

—¿Cómo se las apaña un piloto para sufrir congelación?

—¿Tienes idea del frío que hace a veinte mil pies de altura con el viento soplando como una bestia? Hablo de cincuenta o sesenta grados bajo cero.

—¿Y por qué dejabas la ventana abierta?

—Tenía que hacerlo. No había limpiaparabrisas. Cuando llovía, tenías que sacar la cabeza por la ventana para ver.

Negó con un gesto.

—Y yo pensaba que lo pasaba mal metido en una lata de sardinas rodante.

—¿Eras tanquista?

—De eso puedes estar seguro. Vanguardia de Patton.

—¿Alguna vez measte en tu casco?

—Sí. Muchas.

—Nosotros teníamos tubos de drenaje en la cabina para aliviarnos, pero a veces era más fácil usar los cascos. Y a veinte mil pies la orina se congela en menos de un minuto. Una vez meé en el casco y me olvidé del asunto. Fue un recorrido prolongado. Al llegar cerca del objetivo volví a ponerme el casco. Bombardeamos, y ya estábamos esquivando el fuego antiaéreo del enemigo cuando sentí algo corriendo por la cara. Entonces lo olí y comprendí que era.

Ronsel soltó una fuerte carcajada.

—Debió de tener que aguantar una buena en la cafetería de oficiales.

—Mis amiguetes nunca me dejaron contarles el final. Me refiero a los que sobrevivieron.

—Sí, lo comprendo.

Se acercaba la noche y hacía el frío suficiente para que viese nuestros alientos mezclándose en el aire. Puse la camioneta en marcha y cubrimos el resto del camino hasta la hacienda en silencio, dejando nuestra conversación para el *bourbon* pasando de uno a otro. Al parar frente a casa de los Jackson, Hap se encontraba fuera llenando un caldero en la bomba de agua. La expresión de alarma en su mirada al ver a su hijo en la cabina de la camioneta fue tan exagerada que resultó cómica.

Bajé la ventanilla.

—Buenas, Hap.

—¿*To* bien, *señó* Jamie?

—Todo bien. Solo que traje a Ronsel desde el pueblo.

Ronsel abrió la puerta y salió con paso un tanto inseguro.

—Gracias por el paseo —dijo.

—De nada. —Cuando estaba a punto de cerrar la puerta, añadí—: Creo que volveré al pueblo el próximo sábado por la tarde. Si te parece, paro por aquí a ver si necesitas que te lleve.

Ronsel lanzó una mirada a su padre y después a mí. Asintió una vez con la cabeza, solemne como un juez. Y en ese momento selló su destino.

Quizá sea una cobardía por mi parte hacer de Ronsel el brazo ejecutor. Hay otras maneras de verlo, otros puntos de inflexión que podría haber escogido. *Una, dos, tres y cuatro, Margarita tiene un gato*: cuando petardeó aquel coche; cuando entró en la cabina de la camioneta; cuando le tendí la botella de *whisky*. Pero creo que fue justo entonces, cuando se plantó en medio de la lluvia y asintió con la cabeza. Y creo que Ronsel diría lo mismo si se le pudiese preguntar y él pudiera contestar.

Tercera parte

LAURA

Me enamoré de mi cuñado del mismo modo que uno se duerme en el coche cuando conduce alguien de confianza... Poco a poco, con pasos imperceptibles, dejando que el balanceo del movimiento te cierre los ojos. *Dejando*, esa es la palabra clave. Podría haberme detenido. Podría haber enterrado esos sentimientos en algún oscuro rincón de mi mente y cerrarlo bajo llave, como había hecho con otras muchas sensaciones que me parecieron inquietantes. Lo intenté durante un tiempo pero, en el mejor de los casos, se trató de un esfuerzo sin demasiado empeño, condenado al fracaso.

Jamie hizo que lo amase desde el primer día que llegó. Haciendo cumplidos a mis guisos y ayudando un poco con las tareas domésticas. Cosas que decían: *Te veo. Pienso qué puede agradarte.* Yo me moría por esa clase de atención, y me empapé de ella como las galletas se empapan en la salsa de carne. Henry nunca fue un hombre atento, no con las cosas pequeñas, no con los asuntos cotidianos, que tan importantes son para las mujeres. En Memphis no me había importado demasiado, rodeada de docenas de adorables Chappells y Fairbairns, pero en *Mudbound* sentía mucho la falta de atención. Toda la preocupación de Henry se dedicaba a la hacienda. Hubiera recibido más atenciones de él si me hubiese crecido rabo y comenzado a rebuznar.

Quiero aclarar una cosa: cuando digo que Jamie hizo que lo amase no quiero decir que me sedujera. Ah, sí, flirteaba mucho conmigo, pero él flirtea con todo el mundo, incluso con los hombres. Le gusta ganarse a la gente. Eso hace que parezca un juego, y quizá para cierta clase de hombre lo sea, pero Jamie no era un calavera. Él *necesitaba* ganarse a la gente. No lo comprendí entonces. Solo veía su manera de inclinarse hacia mí cada vez que le hablaba, con la cabeza ladeada como para entender mejor mis palabras. Veía las flores silvestres que me dejaba en una botella de leche sobre la mesa de la cocina, y las sonrisas de felicidad que mostraban mis hijas cuando se metía con ellas.

Isabelle era su mascota, y yo estaba encantada de eso. Nunca supe amarla lo suficiente, ni proporcionarle la suficiente atención. Jamie fue capaz de entender su necesidad y se dedicó a ella con un extravagante afecto, el cual le fue devuelto en su justa medida. Cuando él se encontraba en la sala, para ella no existíamos ninguno de nosotros. Entraba sucio y extenuado del trabajo en el campo y la niña alzaba sus brazos hacia él como un predicador baptista invocando al Todopoderoso. Jamie entonces le revolvía el pelo y le decía:

—Esta noche estoy muy cansado para tenerte en brazos, pequeña Bella.

La niña, conociéndolo bien, pataleaba imperiosa y se estiraba hacia él, y él se inclinaba y la envolvía en sus brazos haciéndola girar y girar mientras la pequeña chillaba encantada. No solo era que la quería, es que la quería a *ella* en concreto. Y eso lo significaba todo para la niña. Antes de que pasase mucho tiempo ya estaba insistiendo en que la llamásemos Bella. Se negó a atender por Isabelle, incluso después de que Henry le diese unos azotes por eso. Pero ella es tan hija suya como mía, al menos en la testarudez, y al final se salió con la suya.

Aun con su ánimo afligido, Jamie supo encantarnos y sacar el buen humor de todos. Papaíto se quejaba menos, Henry reía más a menudo y dormía mejor. Yo reviví como nunca antes del aborto. Estaba menos resentida con mi esposo y no prestaba tanta atención a las privaciones de la granja. Él tuvo que saber que Jamie era la causa de mi mejoría de ánimo, pero si le molestaba no lo hizo saber. Parecía aceptar que Jamie lograse eso con las mujeres. «Resplandecen para él», como me había dicho entonces, hacía ya tantos años. Para Henry habría sido impensable plantearse que su mujer tuviera deseos de índole sexual hacia su hermano menor.

Y eso era exactamente lo que tenía yo: deseos sexuales, y con una intensidad que nunca había experimentado en mi vida. Cualquier cosa podía despertarlos: cortar un tomate, desraizar maleza en el jardín, pasarme el peine por el cabello. Mis sentidos estaban alerta. La comida era más sabrosa y los olores más ásperos. Tenía más hambre que de costumbre y sudaba más a menudo. Ni siquiera el embarazo hizo que sintiese mi propio cuerpo tan extraño.

Incluso así, todo eso podría haber acabado en nada si Jamie no hubiese construido una ducha para mí. Aquella ducha se convirtió en el crisol de mis sentimientos hacia él. Para entender la razón hay que imaginar una vida sin cuarto de baño ni agua corriente. Mantener la familia limpia era una tarea que llevaba todo el día, así que solo nos bañábamos los sábados. En los meses de verano llenaba la bañera y dejaba que los rayos de sol caldeasen el agua. Primero bañaba a las niñas, después iba yo, rezando para que nadie viniese a llamarme mientras estaba desnuda. Colgábamos sábanas en un par de tendederos para tener algo de privacidad, colocando la bañera entre ellas… Un arreglo que dejaba la pila expuesta por dos lados y proporcionaba a toda la finca un amplio panorama en días ventosos. Después de mi baño rellenaba la bañera para Papaíto. Al terminar la vaciaba y volvía a llenarla —a veces con la ayuda a regañadientes del viejo, pero la mayoría de las ocasiones yo sola— para cuando Henry y Jamie regresasen de trabajar en el campo. En invierno había que meter la bañera en casa, llevar el agua y calentarla en la cocina. A pesar de todo, y del enorme trabajo que suponía, el sábado era mi día favorito de la semana. Era el único día que me sentía limpia de verdad.

El resto del tiempo apestábamos. Uno puede decir todo lo que quiera acerca del sudor limpio, pero apesta igual que el de cualquier otra clase. A Henry no parecía importarle, pero yo nunca me pude acostumbrar. Recordaba mi pequeño cuarto de baño en la calle Evergreen con desmayada nostalgia. Era algo que yo daba totalmente por garantizado, incluso de vez en cuando mascullaba por la escasa presión del agua y las desportilladuras en la bañera de porcelana. Tiempo después, mientras tomaba apresurados baños en una lágrima de agua fría en la cocina, aquel pequeño cuarto de baño se me antojaba un lugar de lujo inimaginable.

Las peores temporadas llegaban con mis menstruaciones. El dulzón hedor a almizcle de mi sangre en las compresas de trapo que llevaba parecía llenar la casa hasta que apenas me dejaba respirar. Cada noche esperaba a que los demás se durmiesen y entonces iba de puntillas a la cocina y lavaba los trapos. Una noche, mientras estaba en cuclillas sobre la bañera con el camisón envuelto alrededor de la cintura y mi mano moviéndose con torpeza entre mis piernas, Henry llegó a donde estaba. Dio media vuelta de inmediato y se fue pero, ¡ay, qué avergonzada me sentí!

Jamie tuvo que adivinar cómo me sentía. Un día de marzo regresaba de hacer compras en Greenville, había pasado la noche allí, y descubrí un estrecho tendejón en la parte posterior de la casa, con un enorme cubo sujeto a un aparato de polea montado encima. Jamie había terminado la obra justo cuando las niñas y yo llegamos con el coche.

—¿Qué es eso, tío Jamie? —preguntó Amanda Leigh.

—Es una ducha, mi pequeña petunia.

—¡No me gustan las duchas, me gustan los baños! —gritó Bella.

—No la he construido para ti, cielo. La he construido para tu mamá.

Bella frunció el ceño al oír eso. Jamie le revolvió el cabello a la niña, pero sus ojos estaban fijos en mí.

—Y bien —dijo—, ¿qué te parece?

—Me parece la cosa más maravillosa que he visto nunca.

Y lo era. Por supuesto, la ducha requería cierto esfuerzo, como todo en *Mudbound*. Todavía había que calentar el agua en la cocina y llevarla fuera… Dos o tres calderos, dependiendo de si una iba a lavarse la cabeza o no. Había que bajar el gran cubo de ducha, rellenarlo de agua caliente y después volverlo a subir tirando de la cuerda puesta en la polea. Luego una entra en el tendejón, se desnuda y cuelga la ropa sobre las paredes. Cuando una ya está preparada, tira con suavidad de una segunda cuerda unida al borde del cubo, haciendo que se incline y derrame la cantidad de agua justa para enjabonarse. A continuación se va tirando y soltando la cuerda hasta que se acaba el agua.

Me di mi primera ducha aquella misma tarde. Era una de esas noches suaves de principios de primavera, cuando el aire parece un ser vivo, rodeándote y sosteniéndote con suavidad. En cuanto entré en el tendejón y cerré la puerta, me encontré en un mundo privado. Podía oír el profundo tamborileo de insectos y batracios al otro lado de las paredes, la constante música del Delta, y más a lo lejos las voces de los hombres entremezcladas con el sonido de Amanda Leigh practicando escalas en el piano. Me quité la ropa y así me quedé durante varios minutos en el cálido y envolvente aire. Por encima de mi cabeza flotaban grandes nubes teñidas por los rayos del sol poniente, de fantásticos tonos rosáceos y dorados. Tiré de la cuerda, sentí el agua corriendo por mi cuerpo y pensé en mi cuñado, en sus manos aserrando los tablones, uniéndolos, clavándolos. Incluso me hizo un plato para colocar el jabón, según vi. Estaba sujeto a la base y contenía una pequeña barra de jabón repujada color púrpura, de la clase que venden en las tiendas de moda en Memphis. Al llevármelo a la nariz olí la oscura y punzante dulzura de la lavanda. Era mi aroma favorito; se lo había dicho a Jamie una vez, hacía años. Y él lo recordaba.

Froté mi cuerpo con el jabón, preguntándome si mientras construía la ducha me habría imaginado así, desnuda y libre bajo el cielo nocturno. No sé qué me impresionó más, si el pensamiento o la poderosa oleada de placer que me proporcionó.

Henry fue el beneficiario de todo aquel ardor redescubierto. Casi siempre había sido él quien iniciase nuestros actos amorosos, pero entonces me descubrí buscándolo en nuestro lecho, para sorpresa suya y mía. A veces me rechazaba. Nunca me daba una explicación, simplemente cogía mi mano exploradora y la devolvía a mi lado de la cama, despidiéndose con unos toquecitos antes de volverse. La ira que me embargaba aquellas noches era tan ardiente y cruda que me sorprendía que no incendiase el lecho. Yo nunca lo rechacé, ni una sola vez en todos nuestros años de matrimonio. ¿Cómo osaba apartarme a un lado como si fuese una mascota inoportuna?

Intentaba mantener en secreto mis sentimientos hacia Jamie, pero nunca se me dio bien el subterfugio; mi padre solía llamarme su Cornetilla por el modo en que mi rostro plasmaba cada una de mis emociones. Un día Florence y yo trabajábamos juntas en casa, yo cocinando y ella separando la ropa para la colada, cuando dijo:

—El *señó* Jamie va *mejó*.

—Sí —le dije yo—. Creo que sí.

Siete meses en la hacienda le habían sentado bien. No me hacía ilusiones acerca de que estuviese sano del todo, pero sufría menos pesadillas y físicamente parecía más fuerte. Mis guisos habían añadido algo de carne en su cuerpo; sentía un orgullo especial por conseguirlo.

—Encontró una *mujé*, es por eso —añadió Florence con una sonrisa maliciosa.

Sentí un nudo en la garganta, como si hubiese tragado una piedra.

—¿De qué estás hablando?

—¿Ve aquí? —levantó una de sus camisas. Tenía una mancha carmín en el cuello.

—Eso es sangre —apunté—. Probablemente se cortó al afeitarse.

Pero sabía que no. La sangre seca hubiese sido marrón.

—Bueno, pues entonces seguro que es sangre con buen *oló* —apostilló Florence.

La piedra en mi garganta pareció crecer hasta que apenas me permitía tragar.

—No es bueno *pa* un hombre estar sin una *mujé* —continuó, con ánimo de conversar—. A una *mujé pué* que le guste un hombre, pero *pué* ir bien sin él. El Todopoderoso se encargó *d'eso*. Pero un hombre nunca va prosperar sin una *mujé* a su *lao*. Buscará *p'arriba* y *p'abajo* hasta encontrar una. Claro que el *señó* Jamie es de los que les vienen fácil. Se ponen en la fila como las margaritas a los *laos* del camino, esperando que las recojan. Sólo *tié* que estirar la mano y...

—Cierra el pico —le dije—. No pienso oír ni una palabra más de esas bajezas.

Nos quedamos un instante mirándonos una a otra y después Florence humilló los ojos, pero no antes de que pudiese adivinar un brillo de conocimiento en esos ojos oscuros.

—Ve y trae algo de agua —ordené—. Quiero hacer un poco de café.

Obedeció moviéndose con una tranquilidad que rayaba la insolencia. Cuando hubo cerrado la puerta a su espalda, me acerqué a la mesa y cogí la camisa. Me la llevé a la nariz y olí el empalagoso aroma del perfume *Lily of the Valley.* Me pregunté qué clase de mujer emplearía esa fragancia. Sus ropas serían cortas y sus uñas estarían pintadas con el mismo tono carmín que su pintalabios. Tendría una risa gutural, fumaría cigarrillos con una larga boquilla y dejaría ver su combinación a propósito cuando cruzase las piernas. *No será más que una mujerzuela de tres al cuarto,* pensé.

—¿Hueles algo que te gusta, chica? —me volví y vi a Papaíto encuadrado en la ventana. Sentí las mejillas ardiendo. ¿Cuánto tiempo llevaba allí? ¿Cuánto había oído? Lo suficiente, a juzgar por la sonrisita grabada en su rostro.

Tiré la camisa en el cesto con despreocupación, o eso esperaba.

—Solo sudor —respondí—. Ya sabe, el hedor que sale de una persona cuando desarrolla alguna clase de trabajo. Quizá haya oído hablar de ello.

Salí de la habitación antes de que pudiese contestar.

El problema surgió el primer sábado de abril. Llevaba al viejo en coche hasta el pueblo cuando nos encontramos con Jamie llegando con la camioneta. Al acercarnos pude ver a Ronsel Jackson en el asiento del pasajero. Con buen sentido, había mantenido un perfil bajo durante el año pasado en casa. Apenas lo veíamos, a no ser su lejana silueta en el campo, inclinado sobre su azada. Verlo así pareció apaciguar a Papaíto; al menos dejó de despotricar cada día hablando de «ese negraco listillo».

—¿Quién va con Jamie? —preguntó Papaíto, mirándolos entornando los ojos.

El viejo era demasiado vanidoso para llevar gafas en público, así que a menudo dependía de nosotros para que fuésemos sus ojos. Por una vez, me alegró.

—No lo sé —le dije—. No puedo verlo bien.

El camino era demasiado estrecho para que pasasen los dos vehículos. Jamie apartó la camioneta para cedernos el paso y yo me vi forzada a aminorar hasta andar al ralentí. Al rebasarlos, Jamie alzó una mano a modo de saludo. Ronsel iba sentado a su lado, mirando directamente hacia delante.

—¡Para el coche! —ordenó Papaíto. Frené, pero Jamie continuó. La cabeza de Papaíto giró para seguir la marcha de la camioneta por el parabrisas trasero—. ¿Has visto eso? Creo que llevaba al negraco ese con él.

—¿A quién se refiere?

—A ese chico de los Jackson, el bocazas. ¿No lo viste?

—No. Me daba el sol en los ojos.

Papaíto se volvió hacia mí, atravesándome con su mirada de basilisco.

—¿Me estás mintiendo, chica?

—Por supuesto que no, Papaíto —repliqué con toda la inocencia de que pude hacer acopio.

Gruñó y miró al frente, cruzando los brazos sobre el pecho.

—Voy a decirte una cosa; será mejor que no se trate de ese negraco.

Hicimos nuestros recados y regresamos a la granja varias horas después. Confiaba en poder tener unas palabras en privado con Jamie antes de que Papaíto hablase con él, y hubiese sido una suerte, pero al llegar estaba en el patio con Harry, arreglando algo en la camioneta. Las niñas corrieron a recibirnos, pidiendo los caramelos que les había prometido.

—Os los daré dentro —les dije—. Jamie, ¿me ayudarías a meter esta comida en casa?

—Espera un puto momento —le dijo Papaíto a Jamie—. ¿Quién era ese que llevabas en la cabina de la camioneta?

Los ojos de Jamie volaron hacia los míos. Hice una discreta negación con la cabeza, esperando que nadie reparase en ella y llegase a alguna conclusión.

—¿Y bien? ¿Vas a contestarme o no? —preguntó Papaíto.

—Niñas, entrad en casa —dije—. Yo iré enseguida.

Se fueron a regañadientes. Jamie esperó hasta que estuvieron lo bastante alejadas para oírnos antes de contestar.

—Pues la verdad es que era Ronsel Jackson. ¿Qué le importa? —su voz sonó firme, pero sus mejillas le daban un aspecto agotado. Me pregunté si habría vuelto a beber.

—¿Qué pasa? —preguntó Henry.

—Traje a Ronsel desde el pueblo. Es evidente que Papaíto no lo aprueba.

—No si va sentado en la cabina contigo, no lo apruebo, y apuesto a que tu hermano tampoco —dijo Papaíto.

Henry tenía una expresión incrédula.

—¿Le dejaste entrar en la camioneta trayéndolo desde el pueblo?

—¿Y qué pasa si lo hice? —repuso Jamie—. ¿Qué más da?

—¿Te vio alguien?

—No, pero tampoco me hubiese importado.

Se miraron uno a otro, Jamie desafiante, Henry con su conocida mezcla de ira, sentimientos heridos y perplejidad que había visto últimamente dirigida hacia mí. Negó con la cabeza.

—Ya no sé quién eres —le dijo—. Me pregunto si lo sabes tú.

Se volvió y caminó hacia la casa. Jamie lo miró ir como si quisiera detenerlo, pero no se movió.

—Procura que no te pille llevando otra vez a ese chimpancé —le dijo Papaíto.

—¿O qué? —contestó Jamie—. ¿Va a pegarme con su cachaba?

El viejo mostró una ancha sonrisa, revelando sus largos y amarillentos dientes. Casi nunca sonreía; al hacerlo, el efecto fue extraño y repulsivo.

—Ay, no será eso lo que te haga.

Papaíto siguió a Henry hasta el interior, dejándome a solas con Jamie. Su cuerpo parecía tenso, preparado para la violencia o la huida. Yo me debatía entre querer calmarlo o regañarlo.

—No puedo quedarme aquí —dijo—. Me voy al pueblo.

Con su mujer, pensé.

—Ojalá cambies de idea —le dije—. He preparado conejo estofado para la cena.

Alzó una mano y, con un dedo, rozó con suavidad mi mejilla. Juro que sentí el contacto en cada fibra de mi cuerpo.

—Dulce Laura —dijo.

Lo vi marchar. La camioneta y su estela polvorienta fueron haciéndose más y más pequeñas hasta al final desaparecer, y yo pensé: *conejo estofado. Eso es lo que he sido capaz de ofrecerle*. Era todo lo que jamás podría ofrecerle. Saberlo suponía un conocimiento amargo como la bilis.

FLORENCE

Tres veces pasé la escoba por sus pies. Y dije: «Lo siento, *señó* Jamie, hoy *toy* algo torpe». La tercera vez la *señá* McAllan me echó una reprimenda, me mandó fuera de la casa y acabó de barrer. No me importaba lo que pensase ella, ni tampoco él. Sólo quería que se marchase. Pero no se marchaba. Ni siquiera después de echar sal en sus huellas y colocar una bolsa de mojo con semillas de estramonio y *goma'lástica* bajo su cama. Él continuaba regresando como la falsa moneda que era.

Aunque era una moneda brillante, con su cara atractiva y su sonrisa de niño pequeño. A los paisanos les gusta como es, y no pueden evitarlo, como los niños que anhelan tener bayas de acebo pero no saben de su veneno; solo ven algo rojo y bonito y se lo quieren meter en la boca. Y cuando se las quitas lloran como si les arrancases el corazón. Hay mucha maldad en el mundo que desde fuera parece hermosa.

Jamie McAllan no era malvado, no como lo era su papá, pero cumplía igual con los designios del Oscuro. Era un barco de poco calado. *Whisky* en su aliento a mediodía y olor a mujer cada lunes. Claro que un hombre puede disfrutar de sus actividades naturales, e incluso con su bebida, y ser una criatura del Señor, pero Jamie McAllan tenía un pozo en el alma, un abismo de la clase que al demonio le encanta descubrir. Es como abrirle la puerta, dejarle entrar y perpetrar su maléfica labor. Creí que quizá se la hubiese abierto durante la guerra y que se la cerraría con el tiempo, pero el pozo no hacía más que crecer y crecer. Ninguno de ellos lo veía, excepto yo. Jamie McAllan supo camelarlos bien, sobre todo a la *señá* McAllan. Por el modo en el que lo miraba, una pensaría que era su esposo y no su cuñado. Pero a Henry McAllan parecía no importarle, en el caso de que lo hubiese notado. Voy a decir una cosa, si alguna vez mi hermana le pusiera esos ojitos a mi Hap, se los arrancaría de un zarpazo.

Incluso mi hijo fue poseído por él. Lo supe con el asunto de sus paseos en coche los sábados por la tarde, y también otras veces, como cuando Ronsel salía a dar una vuelta después de anochecer. Aquí, el único lugar al que va de paseo la gente de color después de caer la noche es para ir y volver del retrete exterior, si es que saben qué les conviene, desde luego. No, yo sabía exactamente dónde estaba. Estaba ahí fuera, junto al río, en ese viejo aserradero destartalado, emborrachándose con Jamie McAllan. Vi a Ronsel dirigiéndose a ese lugar muchas veces, y lo oí llegar tambaleándose bien entrada la madrugada. Intenté decirle que se mantuviese lejos de aquel hombre, pero no me hizo caso.

—¿Qué haces, que sales por ahí con ese blanco? —le pregunté.

—Nada. Solo hablar.

—*Tas* metiéndote en líos, eso *tas* haciendo.

Ronsel negó con la cabeza.

—Él no es como los demás.

—En eso *tiés* razón —le dije—. Jamie McAllan lleva una serpiente en su bolsillo y la lleva consigo a donde *queira* que vaya. Pero cuando la serpiente esté lista para morder no será a él a quien muerda, ah, no. Hundirá los colmillos en cualquiera *qu'esté* con él. Solo asegúrate de no ser tú.

—No lo conoces —dijo Ronsel.

—Sé que bebe *whisky* cada día y que se lo oculta a su familia.

Ronsel apartó la mirada.

—Solo está exorcizando sus fantasmas —dijo.

Mi hijo también tenía unos cuantos, lo sabía, aunque no iba a hablarme de ellos. Desde que regresó de esa guerra fue como una casa cerrada, nada entraba en él y nada salía de él... al menos nada de o para nosotros. Jamie McAllan tenía más poder sobre Ronsel que nosotros.

No le hablé a Hap acerca de esos dos bebiendo juntos. No me gusta ocultarle cosas a su esposo, pero Ronsel y él no hacen más que embestirse como cabras montesas. Eso fue obra de Hap; él empujaba a Ronsel para que hablase con Henry McAllan acerca de cultivar los acres dejados por los Atwood. Tenían allí una nueva familia de trabajadores, pero el *señó* McAllan no estaba contento con ella, así se lo dijo a Hap. Ronsel le respondió a su papá que lo pensaría, pero él quería tanto esos acres como un gato un estanque donde bañarse. Y Hap no hacía más que empujarlo y empujarlo; eso no era nada más que la obsesión por la tierra dictando su querer.

—Tú no pares y lo que *vas'hacer* es *sacalo* por esa puerta —le dije.

—Es un hombre hecho y derecho —respondió Hap—. Necesita *ter* su propio lugar, comenzar su familia. Bien *pué* ser aquí. Uno de los gemelos podía ayudarlo. Con nosotros los cuatro trabajando cincuenta acres, y si el precio el algodón se queda por *cima* de los sesenta centavos el kilo, en tres, cuatro años tendremos bastante *pa* comprarnos nuestra propia tierra.

A Ronsel no podía importarle menos tener su propia tierra, pero no servía de nada decirle eso a mi esposo. Sería igual que cantarle tonadas a un verraco muerto. Una vez que a Hap se le mete algo en la cabeza, es ciego y sordo a todo lo que no case con su idea. Eso es lo que hace de él tan buen predicador, que su fe jamás se tambalea. Los paisanos lo reconocen en él y eso les levanta el ánimo. Pero lo que funciona en el púlpito no siempre funciona en la mesa de la cocina. Todo lo que veía Ronsel es que a su padre no le importaba qué quería él. Y lo que él quería era marchar. Yo odiaba la idea de que se fuese, pero sabía que tendría que hacerlo pronto, igual que yo tenía que apartarme y dejarlo.

Al llegar la primavera se emborrachaba con Jamie McAllan cada dos días. Así que cuando el viejo McAllan los vio a los dos juntos en la camioneta, me alegré. Pensé que eso pondría fin a todo el asunto.

Ronsel no nos dijo nada. Tuvimos que enterarnos de lo que había pasado por boca de Henry McAllan, igual que sucediese la última vez. Vino a casa una tarde, todo acalorado, exigiendo tener unas palabras con Hap y Ronsel. E igual que la última vez, me quedé escuchando. Me parece que tengo derecho a saber lo que se dice justo frente al porche de mi casa, estén de acuerdo los hombres o no.

—Espero que sepas por qué estoy aquí, Ronsel —dijo el *señó* McAllan.

—No, *señó*, no lo sé.

—Mi hermano dice que hoy te trajo en la camioneta desde el pueblo.

—Caramba, pues así es.

—Supongo que no sería la primera vez.

—No, no fue la primera.

—Exactamente, ¿cuánto tiempo lleva pasando todo esto?

—No sabría decirlo con exactitud.

—Hap, ¿sabes de qué estoy hablando?

—No, *señó* McAllan.

—Bueno, pues deja que te lo diga —comenzó Henry McAllan—. Al parecer, aquí tu hijo y mi hermano han estado dando vueltas por el campo en mi camioneta durante sabe Dios cuánto tiempo, sentados juntos en la cabina como dos guisantes en una vaina. Mi padre los vio hoy regresando del pueblo. ¿Me estás diciendo que no sabías nada de esto?

—No, *señó* —dijo Hap—. Bueno, sabía *que'l señó* Jamie había *llevao* al Ronsel en la camioneta de vez en cuando, pero no que iba *sentao* con él en la parte de *alante*.

Pero Hap lo sabía porque los había visto juntos aquella primera vez. Y pueden creerme cuando les digo que le dio a Ronsel una buena charla aquel día, diciéndole que jamás volviera a sentarse en el asiento delantero del coche de un hombre blanco, a no ser que fuese el conductor y llevase una gorra negra para demostrarlo.

—Y ahora que lo sabes —dijo McAllan—, ¿qué tienes que decir al respecto?

Se hizo el silencio entre ellos. Podía percibir la lucha interior de Hap al intentar decidir cómo contestar. No estaba bien que Henry McAllan le pidiese ponerse de su parte y en contra de su hijo de esa manera. Si el *señó* McAllan quería ver humillado a Ronsel, debería hacerlo personalmente en vez de esperar que Hap lo hiciese por él. *No lo hagas, Hap*, pensé.

Pero Ronsel habló antes de que su padre pudiese responder:

—No creo que mi padre tenga nada que decir, puesto que no sabía nada del asunto. Es a mí a quien debe preguntar.

—Entonces, vale —dijo Henry McAllan—, ¿en qué demonios estabas pensando?

—El hombre blanco me dijo que entrase en la camioneta, y entré —el tono de Ronsel pretendía ser humilde, incluso yo lo noté.

—¿Estás burlándote de mí, muchacho? —preguntó Henry McAllan.

—No, *señó*, por supuesto que no —terció Hap—. Solo intenta explicarse por él mismo.

—Bien, pues deja que yo te explique algo a ti, Ronsel. Si vuelvo a pillarte subido a la camioneta con mi hermano, te vas a meter en un buen lío, y no me refiero a una charlita agradable como la que estamos teniendo ahora. Mi papá no es muy parlanchín cuando se cabrea, no sé si me entiendes. Así que la próxima vez que Jamie se ofrezca a llevarte, le dices que necesitas hacer algo de ejercicio, ¿me oyes?

—Caramba, sí que lo oigo —respondió Ronsel.

—¿Sabes, Hap? —dijo Henry McAllan—, esperaba que este hijo tuyo tuviese más sentido común. —Y con voz más alta, añadió—: Y eso también va por ti, Florence.

Después de que hubo marchado, salí por la puerta principal y miré. Ronsel se encontraba en pie al borde del porche con la mirada fija en la camioneta de Henry McAllan, y Hap estaba metido en su mecedora con la mirada fija en la espalda de Ronsel.

—Bueno, papá —dijo Ronsel—, ¿no vas a decirme «ya te lo dije»?

—No hay *necesidá d'eso.*

—Vamos, sé que lo estás deseando. Dilo.

—No hay *necesidá.*

Durante un buen rato el único sonido que se escuchó fue el de los grillos, las ranas de campo y los crujidos de la mecedora de Hap. Entonces Ronsel se aclaró la garganta. *Vamos allá*, pensé.

—Me quedaré hasta la entrega del algodón —dijo—. Después me voy.

—¿Y a *'onde* vas a ir? —replicó Hap—. ¿A una *d'esas* grandes ciudades del Norte, donde no *tiés* casa ni familia? Eso no es manera de vivir.

—Allá donde vaya y allá donde viva —sentenció Ronsel—, creo que será mejor que esto de aquí.

HENRY

Al llegar la época de siembra estaba a punto de querer matar a mi hermano, estuviese mal de la cabeza o no. No solo era que hubiese vuelto a beber y mintiera al respecto, después de que me jurase que lo dejaría. Era su egoísmo lo que de verdad me sacaba de quicio. Jamie hacía exactamente lo que le salía de las narices, sin pensar en cómo eso podía afectar a los demás. Allí estaba yo, trabajando duro con el fin de encontrar un lugar en Marietta para mi familia y para mí; y a buen seguro que tener un hermano borrachín mezclándose con putas y negracos no iba a ayudarme. Y sobre todo, tener que escuchar a Laura excusándolo mientras mi padre se quedaba allí sentado exhibiendo esa sonrisita. Papaíto creía que no me daba cuenta del asunto, pero estaba equivocado. Aunque no hubiese tenido un par de buenos ojos plantados en la cara, mis oídos me lo hubiesen dicho.

Cantaba siempre que Jamie andaba por allí. Y si solo era yo, tarareaba.

A pesar de todo, no quise decir lo que dije, no de ese modo. Pero Jamie me llevó al límite y las palabras que dije, una vez dichas, no las podía anular.

Estábamos en el establo. Jamie acababa de ordeñar la vaca y llevaba la lechera a casa cuando tropezó y cayó, derramando parte de la leche sobre el suelo y parte sobre él. Entonces se echó a reír como si aquello no fuese nada. Y supongo que tenía razón, dadas las circunstancias, pero en ese momento me dolió.

—¿Te parece divertido derramar una buena lechera? —le pregunté.

—Bueno, ya sabes lo que se suele decir: de nada vale llorar.

Por el modo en que pronunciaba las palabras y se ponía en pie, supe que había estado bebiendo. Eso me dolió aún más.

—No, sobre todo si es de otro —le dije.

La ancha sonrisa de su rostro se borró.

—Ya veo —contestó con tono sarcástico—. ¿Cuánto te debo, Henry? —rebuscó en el bolsillo y sacó un puñado de calderilla—. Veamos, aquí debía de haber unos doce o trece litros, ¿cuánto vale eso, dos dólares? Digamos dos con veinticinco, para asegurar. No quisiera timarte.

Y empezó a contar el dinero.

—No seas imbécil —dije.

—Ah, no, hermano mío, insisto —me tendió el dinero. Como no lo aceptaba, se acercó e intentó metérmelo en el bolsillo de la camisa. Le aparté la mano con un golpe y las monedas cayeron al suelo.

—Por el amor de Dios —le dije—. No se trata de dinero, y lo sabes.

—¿Entonces de qué se trata? ¿Qué quieres que haga, Henry?

—Pues, para empezar, que te pongas sobrio —le dije—. Que te hagas responsable de tus actos y te comportes como un hombre.

—¿Una lechera derramada y ya no soy un hombre? —preguntó.

—Últimamente no estás actuando como tal.

Sus ojos se entornaron, maléficos, igual que los de nuestro padre cuando alguien lo molestaba.

—¿Y cómo debería portarme, hermano? ¿Como tú? —dijo Jamie—. ¿Andando por ahí como si fuese Dios Todopoderoso en el Paraíso, impartiendo la Ley, tan pagado de mí mismo que no puedo ver lo desolada que está mi esposa? ¿Es esa la clase de hombre que debería ser? ¿Eh?

Nunca había golpeado a mi hermano, pero entonces estuve pero que muy cerca de hacerlo.

—Sé la clase de hombre que quieras ser —contesté—, pero que sea en otra parte.

—Vale, me voy al pueblo —y echó a andar.

—No me refiero a esta noche —apunté.

Entonces vi su rostro, la mirada que solía poner cuando las pullas de Papaíto se clavaban con demasiada profundidad; después desapareció, cubierta por una capa de indiferencia. Se encogió de hombros.

—Sí, claro —dijo—. De todos modos, me estaba cansando de este lugar.

No tiene nada, pensé. *Ni esposa ni hijos, ni una casa que pueda llamar suya. Ninguna idea de sí sobre la que pueda moldear su vida.*

—Mira —añadí—, eso no sonó como pretendía que sonase.

—¿Ah, no? Pues a mí me pareció que sonó bastante natural —señaló—, como si lo llevases pensando durante una buena temporada.

—Solo creo que necesitas comenzar de nuevo en alguna parte —le dije—. Ambos sabemos que no eres un granjero.

—Me iré mañana si te parece bien.

No quería que se fuese así, por las buenas y encima enfadado.

—No hay ninguna necesidad de todo esto —comenté—. Además, cuento contigo para la siembra.

Hizo como si no me oyese.

—Cogeré el primer autobús que salga de aquí mañana por la mañana —sentenció.

—Te pido que te quedes un poco más —le dije—. Solo hasta que hayamos plantado.

Lo meditó un instante y después me dedicó una amarga sonrisa.

—Lo que sea por mi hermano mayor —dijo.

Y entonces salió, con la espalda recta y rígida como la de un militar. Jamie lo negaría siempre, pero en un aspecto era igual que Papaíto. Jamás olvidaba un desaire, ni lo perdonaba.

LAURA

Si Henry no hubiese sido tan obstinado.

Si no hubiese habido un partido de béisbol.

Si Eboline hubiese cuidado mejor de sus árboles.

Sucedió el día 12 de abril, una semana después del incidente con Ronsel. Henry, Jamie, Papaíto y yo estábamos comiendo en Dex's. Las niñas se encontraban en casa de Rose celebrando el séptimo cumpleaños de Ruth Ann con una muy deseada merienda y con permiso para quedarse a dormir después de la fiesta.

En mitad de la comida llegó Bill Tricklebank en nuestra busca. Eboline había llamado a la tienda, estaba frenética. Aquella mañana, una rama seca de su olmo se había desprendido hundiendo el tejado. Nadie resultó herido, pero la sala de estar quedó al descubierto y había una fuerte tormenta dirigiéndose hacia nosotros. Se esperaba que llegase a Greenville a lo largo del lunes.

—Maldita sea —dijo Henry en cuanto Bill se hubo marchado—. ¿Es que tendría que suceder justo en plena temporada de siembra?

—Iré yo —se ofreció Jamie.

—No —dijo Henry—. No es una buena idea.

La boca de Jamie se tensó.

—¿Por qué no? —preguntó.

Las cosas todavía estaban tirantes entre Henry y él. Yo me había mantenido al margen; dos veces intenté hablar con Henry acerca del asunto y casi me arranca la cabeza.

—Ya sabes por qué —espetó Henry.

—Venga, han pasado seis meses. Charlie Partain no va a hacer nada aunque me vea. Que no me verá.

—Eso es verdad, porque no vas a ir —reiteró Henry.

—¿Quién es Charlie Partain? —pregunté.

—El sheriff de Greenville —respondió Papaíto—. Nuestra familia no le hace demasiada gracia.

—Después del accidente me dijo que mantuviese a Jamie apartado de la ciudad —dijo Henry— y eso es exactamente lo que voy a hacer.

—No se trata de Charlie Partain —explicó Jamie—. No confías en mí para que vaya. ¿No es verdad, hermano?

Henry se levantó, sacó un billete de diez dólares de su cartera y lo puso sobre la mesa.

—Llama a Eboline y hazle saber que estoy de camino. Después ve al local de Tricklebank y encuentra a alguien que os lleve a casa. Volveré dentro de unos días.

Se inclinó y me dio un rápido beso. Al darse la vuelta para marchar, Jamie lo agarró por el brazo.

—¿No es verdad? —volvió a preguntar.

Henry lanzó un vistazo a la mano en su brazo y después a Jamie.

—Haz saber a los arrendatarios que se acerca una tormenta —dijo—. Mete el tractor en el granero y arregla ese postigo suelto en el dormitorio de las niñas. Y será mejor que también le eches un vistazo al tejado de la casa, clava cualquier parte del alero que se haya soltado.

Jamie le dedicó un asentimiento cortés y Henry se fue. Terminamos de comer y caminamos hasta el local de Tricklebank. Jamie y Papaíto se quedaron en la galería mientras yo entraba para llamar a Eboline. Después le compré a Bill algunos comestibles. Al salir cargada con ellos vi a Papaíto en un extremo de la galería, escuchando un partido de béisbol en la radio junto con otros hombres. Jamie estaba sentado solo al otro lado de la galería, fumando y mirando la calle con aire taciturno. Me acerqué a él y le pregunté si había encontrado a alguien que nos llevase.

Asintió.

—Nos va a llevar Tom Rossi. Fue al almacén de pienso, dijo que lo encontraríamos allí.

Tom era el dueño de la hacienda situada al oeste de la nuestra. También era ayudante del sheriff a tiempo parcial en Marietta. Sentí un extraño desánimo por vivir en un lugar donde el mal comportamiento de sus ciudadanos solo requería la presencia de una fuerza policial de un agente y medio.

—¿Está preparado para marchar? —le pregunté a Papaíto.

—¿Te parezco preparado para marchar, muchacha? Acaba de empezar el partido.

—Lo llevaré yo —dijo uno de los hombres.

—La cena es a las seis —dije.

Papaíto nos alejó con un gesto de la mano, y Jamie y yo fuimos en busca de Tom.

Me senté entre los dos de camino a la hacienda, entablando una conversación forzada con Tom mientras Jamie iba dándole vueltas a la cabeza junto a mí. En cuanto Tom nos dejó, Jamie cogió la camioneta y fue a avisar de la tormenta a los arrendatarios. Salí al oírlo regresar. Se dirigió al granero dando grandes zancadas, airado, con el cabello brillando bajo el sol. Lo llamé. Continuó andando y respondió sin dejar de andar:

—Tengo que coger la escala y ver ese tejado.

—Eso aún puede esperar un poco —le dije—. Quiero hablar contigo.

Se detuvo pero no se volvió. Su cuerpo estaba rígido, sus manos formaban puños apretados. Fui y me situé delante de él.

—Te equivocas al pensar que Henry no confía en ti —le dije.

—¿Eso crees, eh?

—¿No lo ves? Eso es lo que estaba intentando decirte cuando te pidió que avisases a los arrendatarios y todo lo demás. Eso es que confía en ti.

—Claro —dijo Jamie, con una risa áspera—, confía tanto en mí que quiere que me vaya.

—No seas tonto. Solo está dolido contigo por el asunto ese con Ronsel. Se le pasará.

Inclinó la cabeza.

—Entonces no te lo ha dicho todavía —comentó—. No pensaba que lo hiciese.

—¿Decirme qué?

—Me echó.

—¿De qué estás hablando?

—Ayer me pidió que me fuese. Me voy en cuanto termine la siembra. La semana que viene, con toda probabilidad.

Sentí un agudo dolor en alguna parte situada en el centro de mi cuerpo, seguido por una sensación de cansancio que me hizo sentir un tanto mareada. Me recordaba a cómo solía sentirme después de haber donado sangre durante el esfuerzo bélico. Sólo que ahora se iba todo, toda vida y color en mí se estaba filtrando en la tierra bajo mis pies. Cuando Jamie se fuese y yo me quedase vacía, volvería a ser invisible igual que lo era antes de que llegase. No podía volver a ser aquella mujer abnegada e incorpórea, la que cumplía con su obligación sin creer en ella de verdad. No volvería. *No.*

Me di cuenta de que había pronunciado la palabra en voz alta cuando Jamie dijo:

—Tengo que hacerlo, Laura. Henry tiene razón en una cosa, y es que necesito comenzar de nuevo. Y estoy más que seguro de que no puedo hacerlo aquí —agitó las manos abarcando toda la hacienda... La casa destartalada y los edificios anejos, los horribles campos marrones. Y a mí, por supuesto, pues yo también era parte de aquel paisaje deprimente. El paisaje de Henry. El furor se agolpó en mi vientre, subiendo, abrasándome la garganta. En ese momento odiaba de verdad a mi esposo.

—Será mejor que me entretenga con esas tareas —dijo Jamie.

Lo observé mientras caminaba hacia el granero. Se detuvo al llegar a la puerta y se volvió hacia mí.

—Nunca pensé que mi hermano se pondría contra mí de esa manera —señaló—. Nunca creí que fuese capaz de eso.

No se me ocurrió nada para responderle. Nada lo consolaría. Nada lo mantendría aquí.

Lo escuché moviendo el tractor, clavando el postigo y subiendo a la escala para revisar el tejado. Ruidos mundanos que me llenaron de pesar. Solo podía pensar en el silencio que vendría después.

Cuando hubo terminado, asomó la cabeza por la ventana frontal.

—El tejado parece en buen estado —dijo—. Ya he acabado con lo demás.

—¿Quieres un café?

—No, gracias. Creo que voy a echar una siesta.

Quizá llevase durmiendo veinte minutos cuando lo oí gemir y gritar. Corrí al cobertizo, pero al llegar a la puerta me encontré dudando. Miré mi mano en el pestillo y pensé en todas las cosas que había sido capaz de hacer desde que llegase a *Mudbound*, cosas que antaño me hubiesen asustado o impresionado. Miré mis uñas descuidadas, los nudillos rojos e hinchados, la fina tira de oro cruzando mi anular. Miré mi mano levantando el pestillo.

Jamie se encontraba despatarrado sobre la espalda, con los brazos extendidos a los lados. Todavía estaba vestido, a excepción de sus zapatos y calcetines. Sus pies eran grandes, pálidos y delgados, con marcas azules de venas en los arcos. Tuve el impulso de poner mi boca en ellos. Él chilló y uno de sus brazos salió disparado hacia arriba como si se estuviese defendiendo de algo. Me senté al borde de la cama y le sujeté el brazo, bajándoselo hacia la sábana. Con la otra mano le aparté el cabello de su húmeda frente.

—Despierta, Jamie —le dije.

Apartó el brazo de mi agarre y me cogió por los hombros, hundiendo sus dedos en mi piel. Dije su nombre de nuevo y sus ojos se abrieron, mirando a todos lados, delirantes, antes de fijarlos en mi rostro. Vi cómo volvía en sí, después cómo tomaba conciencia de quién era yo y de dónde estábamos.

—Laura —dijo.

En ese momento podría haber apartado la mirada, pero no lo hice. Me quedé muy quieta, sabiendo que él podía ver todo lo que sentía y que yo se lo permitiría. Fue el acto más íntimo de mi vida, más incluso que los actos que lo siguieron. Jamie no se movió, pero sentí un cambio en el modo en que me sujetaban sus manos. Sus ojos se detuvieron en mi boca y mi corazón comenzó a martillar, golpeando contra el esternón. Esperé a que me bajase hacia él, pero no lo hizo, y al fin comprendí que no lo haría; eso era decisión mía. Recordé la primera vez que me besó Henry, cómo había cogido mi cara entre sus manos como si tuviese derecho a ello. *Esa era la diferencia entre los hombres y las mujeres*, pensé. *Los hombres toman para sí las cosas que quieren, mientras las mujeres esperan a que se las den*. Yo no esperaría más. Me incliné y posé mis labios en los de Jamie, saboreando el *whisky* y los cigarrillos, la ira y una melancolía que sabía que no era solo por mí. No me importó. Lo acepté todo, sin hacerle preguntas a él, ni tampoco a mí. Sus manos me colocaron sobre él, desabrocharon los botones de mi blusa, me quitaron las ligas. El apremio, la impaciencia, superó raudo el sí y el porqué. Fui de buen grado y seguí el sendero de su deseo.

Y entonces, de pronto, se detuvo. Me hizo a un lado y se levantó de la cama. *Ha cambiado de idea. Por supuesto que sí*, pensé. Me cogió de la mano y tiró para situarme frente a él. Mortificada, bajé la mirada y comencé a abrocharme la blusa. Levantó una mano y me alzó la barbilla.

—Mírame —dijo.

Me obligué a mirarlo. Su mirada era fija y feroz. Pasó un pulgar por mis labios, abriéndome el inferior, y después su mano bajó. Rozó mis pechos con el dorso de los dedos, una vez, y después en dirección contraria. Mis pezones se endurecieron y me temblaron las piernas. Sentía el cuerpo denso y pesado como una masa de agua grande y difícil de manejar. Habría caído, pero sus ojos me sostuvieron. Había en ellos una insistencia y una seriedad que nunca había visto. Entonces lo comprendí: no nos arrollaría la pasión, como siempre había imaginado. Jamie no lo permitiría. Aquello iba a ser un acto deliberado. Una elección.

Sin apartar la vista de él, estiré una mano, encontré la hebilla de su cinturón y aparté la lengüeta de cuero. Cuando aflojé la correa, dejó escapar un largo suspiro. Me rodearon sus brazos y su boca bajó hasta la mía.

Al colocarse sobre mí no pensé en Henry o en las niñas, ni en palabras como *adulterio*, *pecado*, *consecuencias*. Solo pensé en Jamie y en mí. Y cuando lo atraje hacia mí ya no pensé en nada.

Se quedó dormido sobre mí, como a veces hacía Henry cuando estaba cansado, pero no sentí mi irritación habitual o inquietud alguna. Era agradable sentir el peso de Jamie sobre mí. Cerré los ojos deseando cerrar también cualquier otra sensación, deseando que su peso grabase su silueta en mi carne.

Fue pensar en Papaíto lo que me impulsó a moverme. A juzgar por la luz dorada que entraba por la ventana, ya debía de ser bien entrada la tarde; volvería a casa en cualquier momento. Con cuidado, intentando no despertar a Jamie, conseguí salir de debajo de él. Se revolvió y gimió, pero sus ojos permanecieron cerrados. Recogí mi ropa del suelo, le sacudí el polvo y me vestí. Fui al espejo. Tenía el cabello revuelto, pero aparte de eso parecía la misma de siempre: Laura McAllan un sábado por la tarde. Todo había cambiado; nada había cambiado. Impresionante.

Oí a mi espalda el ligero crujido de los muelles del catre y supe que Jamie estaba despierto y mirándome. *Debería darme la vuelta y mirarlo de frente*, pensé, pero mi cuerpo se negó a hacerlo. Me fui apresurada de la habitación, sin mirarlo o hablarle. Temerosa de que pudiese detectar vergüenza en sus ojos o escuchar arrepentimiento en su voz.

Más o menos media hora después, oí el motor de la camioneta arrancando y alejándose después.

HAP

Aquel lunes por la tarde estaba en el establo sujetando a la mula en el carro de guano cuando por fin Ronsel regresó del pueblo. En ese momento yo estaba pero que muy enfadado con él. Había ido a hacer un recado para su madre, pero pasó fuera demasiado tiempo. Otra vez soñando despierto, supuse, pensando en mudarse a Nueva York, Chicago o cualquier otro de esos lugares lejanos de los que siempre hablaba, mientras yo me quedaba aquí, abonando la finca y necesitado de toda la ayuda que pudiese recibir.

—¿Dónde has *estao*? —pregunté—. Ya ha *pasao* la *mitá* la *jorná*.

No respondió. Era como si no me oyese o como si ni siquiera me viese. Se quedaba ahí con los ojos fijos en algo y esa extraña expresión en su cara, como si le hubiesen sacado el relleno de la cabeza.

—¡Ronsel! —berreé—. ¿Qué pasa contigo?

Se sobresaltó y me miró.

—Lo siento, papá. Supongo que estaba en otro sitio.

—Ven y ayúdame a cargar este fertilizante.

—Voy enseguida —dijo.

Entró en la casa. Cosa de un minuto después, salió corriendo al porche, mirando por todas partes como si hubiese olvidado algo.

—¿Has visto un papel por alguna parte? —me preguntó.

—¿Qué clase de papel?

—Un sobre con algo escrito en el anverso.

—No, no he visto *ná parecío* —dije.

Buscó por todo el patio, poniéndose cada vez más febril.

—Debió de haberse caído del bolsillo en el camino, cuando volvía del pueblo. ¡Maldita sea!

—¡Ronsel! ¿Qué había en ese sobre?

Pero no me contestó. Sus ojos se fijaron en el camino.

—Apuesto a que ha caído en una cuneta —comentó—. Tengo que ir a recogerlo.

—Pensaba que *m'ibas* a ayudar con ese fertilizante.

—Esto no puede esperar, papá —me dijo, y salió corriendo camino abajo. Esa fue la última vez que oí la voz de mi hijo.

RONSEL

El sobre tenía un sello alemán en la esquina del reverso. Estaba sucio y ajado por recorrer tantos kilómetros y pasar por tantas manos. La caligrafía, elegante e inclinada, pertenecía a una mujer. En cuanto la vi supe que era de Resl. Los censores habían abierto el sobre y a continuación lo habían vuelto a cerrar. Odiaba pensar que ellos sabían que me había escrito antes de que lo supiese yo.

Al abrir el sobre, cayó de su interior una fotografía, justo allí, en el suelo de la oficina de correos. La recogí y la miré. Es asombroso cómo un pequeño pedazo de papel brillante puede cambiar tu vida para siempre. Mi boca se secó y se me aceleró el corazón. Abrí la carta con la esperanza de que los censores no hubiesen tachado nada, y por una vez así fue.

> *Lieber* Ronsel:
>
> Esta Carta estoy escribiendo con la Ayuda de mi Amiga Berta que quizá recuerdas. No sé si llegará a tú pero espero que sí. Quizás estés sorprendido de saber de mí. Al Principio pensaba en no escribir a ti pero después decidí que debía, porque no es justo un *Mann* no sabiendo que está teniendo un Hijo. Eso es lo que quiero decir… Tienes un Hijo. Lo he llamado como a mi Padre y a su Padre: Franz Ronsel. Nació en la *Nacht* del 14 de noviembre a las 22:00, en el Hospital de Teisendorf. Me interrogo a mí qué haces en este Momento. Intento imaginarte en tu plano Misipí pero no puedo hacer la Imagen en mi Cabeza, solo de tu Cara que veo cada Día cuando mirar al pequeño Franz. Te mando una Foto para que puedas verlo. Tiene tus Ojos y tu Sonrisa.

Cuando tu Partida no supe que tenía tu Hijo en mí y cuando voy y lo sé mi Orgullo no me dejó escribir a ti. Pero ahora tengo este bonito Niño y pienso en el Día que conozca que no tiene Padre y su Sonrisa morirá. Comparado con mi Orgullosa es no importante. Por Franz te pido por favor, volverás y estarás *hier*, con mí *und* Maria *und* tu Hijo. Sé que no fácil pero tengo esta *Haus* y creo que juntos vamos a hacer una Vida *gut*. Por favor, contesta rápido y di que vuelves para nosotros.

Siempre de ti. Tu Resl.

La carta estaba fechada el día 2 de febrero de 1947, hacía más de dos meses. Me dolía el corazón pensar que ella había estado esperando todo ese tiempo una respuesta sin recibir ninguna. Llevé el papel a mi nariz, pero si alguna vez allí estuvo su aroma, ya había desaparecido tiempo atrás. Volví a mirar la foto. Allí estaba Resl, tan bonita como siempre, con el bebé envuelto en sus brazos. En la foto su piel se veía medio gris, más clara de lo que jamás fuese la mía, así que supuse que tendría el color de un pastel de jengibre, como mi papá. Le sostenía una de sus manitas, agitándola ante la cámara.

Mi Resl. Mi hijo.

Un hijo, tengo un hijo. Ese fue el único pensamiento que tuve en la cabeza mientras regresaba del pueblo con aquella carta en el bolsillo. Saber que era padre hizo que el mundo se presentase ante mis ojos como un lugar de contrastes más acusados. El cielo era más azul y las chabolas bajo él más destartaladas. Los campos recién plantados que veía a cada lado se extendían a lo lejos como un océano marrón entre él y yo. Pero ¿cómo demonios iba a llegar hasta Alemania? ¿Y qué iba a hacer una vez allí? No hablaba el idioma y no había manera de que pudiese mantener a mi familia. Sin embargo, no podía dejarlos así. Quizá pudiese traerlos, no a Misisipi, sino a otro lugar donde a la gente no le importase que ella fuese blanca y yo de color. Tenía que haber un lugar así, quizá en California o en el Norte. Podría preguntar a Jimmy, quizá él supiese. Demasiados *quizás* y *puede*, ese era el problema. Necesitaba pensarlo bien y trazar un plan. Mientras, los ayudaría tanto como pudiese. No me quedaba mucho dinero, acaso unos pocos cientos de dólares embutidos en mis botas, al fondo de mi petate. Le escribiría al capitán Scott, en Camp Hood, él sabría cómo hacérselo llegar a Resl. Pero antes debía escribirle a ella y decirle que todavía la amaba y que estaba esbozando un plan, y así podría susurrárselo a mi hijo.

Estaba tan imbuido en mis pensamientos que ni siquiera oí llegar a la camioneta hasta que casi estuvo encima de mí. Me volví y allí venía, directa hacia mí. El instinto de soldado fue lo único que me salvó. Me tiré sin pensar a la cuneta al lado de la carretera y caí en el barro. La camioneta me pasó tan cerca de la cabeza que podría habérmela rapado; después se desvió entrando en la cuneta por delante de mí. Entonces la reconocí: era la camioneta de McAllan. Por un instante pensé que el viejo McAllan había intentado atropellarme, pero al abrirse la puerta fue Jamie quien salió. Bueno, sería más propio decir que cayó, pues estaba más borracho de lo que lo había visto jamás, que ya es decir. Tenía una botella en una mano y un cigarrillo en la otra. Llegó tambaleándose hasta donde yo estaba.

—¿Eres tú, Ronsel?

—Sí, soy yo.

—¿Estás bien?

—Embarrado como un puerco en un charco, pero por lo demás estoy bien.

—No deberías andar así por el medio de la carretera, vas a hacer que te maten.

—Para eso se necesita algo más que un revoloteador blanco borracho —le dije.

Rio y se dejó caer en el borde de la cuneta, y yo me levanté y me senté a su lado. Parecía terriblemente enfermo. Los ojos enrojecidos, sin afeitar, la piel empapada en sudor. Le dio un trago a la botella y me la ofreció. Ya estaba vacía en más de tres cuartas partes.

—No, gracias, será mejor que no —le dije—. Quizá sería mejor que tú tampoco.

Jamie agitó un dedo delante de mí.

—*Este es mi alférez; ésta es mi mano derecha...* —después alzó la mano que sujetaba la botella. Le cayó un poco de *whisky* en la pernera del pantalón, pero no pareció darse cuenta—. *Y esta es mi izquierda. ¡Dios mío: que se traguen los hombres por la boca a un enemigo para que les robe el juicio! ¡Que nos convirtamos así, con gozo, alegría, júbilo y...!* júbilo y... ¿cuál es la cuarta cosa, maldita sea?

Me miraba como si supusiera que debía saberlo. Me limité a encogerme de hombros.

—*Con gozo, alegría, júbilo y... regocijo.* Eso es, ¡regocijo! *En brutos insensatos* —volteó su mano izquierda en el aire y se dobló por la cintura. Habría caído al fondo de la cuneta si no lo hubiese sujetado por el cuello de la camisa y tirado de él.

— ¿Eh, ha ocurrido algo? —le pregunté.

Negó con la cabeza y se quedó mirando la botella, quitándole la etiqueta con una uña. Estuvo así un buen rato, y después me dijo:

—¿Cuál es la peor cosa que has hecho jamás?

—Supongo que matar a Hollis.

Le había hablado del asunto una noche en el aserradero, de cómo le había pegado un tiro en la cabeza a mi amigo Hollis después de que él mismo me lo rogase cuando una granada le arrancó las piernas.

—No, quiero decir algo que le haya hecho daño de verdad a alguien. Algo que jamás te perdonarás. ¿Has hecho algo así?

Sí, pensé, *dejar a Resl*. Estuve a punto de hablarle de ella. Quería decir en voz alta estas palabras: *soy padre, tengo un hijo*. Ya le había contado muchas cosas, como dispararle a Hollis o no permitir a los blancuchos entrar en nuestros tanques, o aquella vez cuando Jimmy y yo fuimos a un cabaret en París donde las bailarinas estaban completamente desnudas. Pero había una enorme diferencia entre eso y que yo tuviese un hijo con una mujer blanca. Jamie McAllan había nacido y se había criado en Misisipi. Si le daba por entusiasmarse y denunciarme, podría acabar pasando diez años en Parchman... Eso si no me linchaban por el camino.

—No —le dije—. Nada que recuerde.

—Bien, pues yo sí. He defraudado a una dama, a la princesa de este país.

—¿De qué hablas? ¿Qué princesa?

—Y esa dulce dama adora, adora con devoción, adora hasta la idolatría a este tipo pringado e inconstante. Idolatría, *idultería*... ¡Ay!

Así que eso era lo que lo estaba trastornando. Pensando en Josie, le dije:

—Nada bueno sale de liarse con chicas casadas, lo único que te buscas es un buen dolor de cabeza. Lo mejor que puedes hacer es olvidarte del tema y no volver a verla.

Asintió.

—Sí. Me voy de aquí la semana que viene.

—¿Adónde vas?

—No lo sé. Quizá a California. Siempre quise ver aquello.

—Tengo un amiguete en Los Ángeles. Según Jimmy, allí nunca hace ni demasiado frío ni demasiado calor, y casi nunca llueve. Pero, claro, quizá me estuviese tomando el pelo.

Jamie me miró, me lanzó esa mirada dura y limpia que a veces te dedica algún borracho; es como si de pronto se despejasen lo suficiente para verte.

—Tú también deberías irte de aquí, Ronsel —dijo—. Ahora Hap ya puede apañárselas sin ti.

—Me iré apenas se haya entregado la cosecha.

—Bien. Este no es lugar para ti.

Terminó el *whisky* y tiró la botella en la cuneta. Sus piernas le fallaron al intentar levantarse. Me levanté y lo ayudé a ponerse en pie.

—Me parece que deberías dejarme llevar el coche hasta tu casa —dije.

—Me parece que sería mejor.

De alguna manera nos las arreglamos para sacar la camioneta de la cuneta, después conduje hasta el puente y bajé. Supuse que podría continuar desde allí, y no quería que Henry McAllan o el viejo nos viesen.

—Conduce con cuidado el resto del camino —le dije—. E intenta no atropellar a más gente de color por el sendero.

Sonrió y alzó una mano. La estreché.

—Dudo que vuelva a verte antes de que me vaya —me dijo—. Cuídate, ¿me oyes?

—Y tú.

—Has sido un buen amigo. Quiero que lo sepas.

No esperó a que le contestase, sólo se despidió con la mano y se fue. Seguí a la camioneta de camino a casa, viéndola serpentear de un lado a otro, pensando en qué lugar tan sorprendente podría ser este mundo, de vez en cuando.

Debía de haber pasado una media hora cuando descubrí que había perdido la carta. Lo primero que pensé fue que se me cayó en aquella cuneta. Corrí hasta allí y miré por todos lados, pero lo único que encontré fue la botella de *whisky* de Jamie. Continué todo el camino hasta el pueblo aún sin encontrarla. Encontré cerrada la oficina de correos, pero estaba seguro de que no la había dejado allí. Sólo podía encontrarse en dos sitios: en el bolsillo de alguien que me la hubiese quitado o en la camioneta de McAllan. Me obligué a calmarme. Si la había dejado en la camioneta, Jamie podría encontrarla. No se la enseñaría a nadie, me la guardaría. Quizá en ese momento ya hubiese ido a mi casa para devolvérmela. Y si no, y todavía estuviese en la camioneta, podría entrar a hurtadillas después de oscurecer y cogerla antes de que nadie la viese.

Al emprender el regreso a casa ya estaba oscureciendo y llovía con fuerza. Había salido sin sombrero, así que estaba empapado hasta los huesos. Me encontraba más o menos a medio camino cuando oí el ruido de un vehículo embistiéndome por segunda vez aquella jornada. Me volví y vi dos juegos de luces. Salté a la cuneta, pero en vez de rebasarme se detuvieron justo a mi lado. No reconocí el coche delantero, pero conocía la camioneta de atrás. Dentro había figuras blancas, cuatro en el coche y quizá otras tres en la camioneta. Casi parecía que brillaban en la oscuridad. Cuando salieron supe por qué.

LAURA

Jamie no volvió el sábado, ni el domingo. Cuando el domingo por la mañana Rose trajo a las niñas, le pregunté si lo había visto por el pueblo y me dijo que no. Habían sido dos largos días esperando. El exquisito dolor entre mis piernas era un recuerdo constante de lo que Jamie y yo habíamos hecho. Tuve algunos remordimientos de conciencia al ver la parte de abajo del pijama de Henry colgando triste de un clavo en nuestro dormitorio, su peine en el tocador, una cana en la almohada... Pero la verdadera vergüenza y remordimiento fue la ausencia. En su lugar sentía una descontrolada sensación de asombro. Nunca me había imaginado capaz de tanta audacia o de tanta pasión, y descubrir que tenía reservas de ambas cosas me pasmó. No podía dejar de imaginarme con Jamie. Se me quemaba la sémola de maíz, me olvidaba de dar de comer a los animales, me quemé un brazo en el horno.

Papaíto estaba de peor humor que de costumbre. Le quedaban pocos cigarrillos y estaba furioso con Jamie por habernos dejado sin medio de transporte. Fumó el último el lunes por la mañana, temprano, y pasó el resto de la jornada mortificándome por ello. Mis galletas estaban demasiado secas; ¿es que pretendía atragantarlo y que muriese ahogado? El suelo de las habitaciones estaba tan sucio que no era digno ni para que entrase un negraco. Mis mocosas armaban demasiado barullo. Mi café era demasiado flojo, ¿cuántas veces tendría que decirme que le gustaba fuerte?

Salvo caminando, no había otra manera de llegar al pueblo hasta que Henry o Jamie regresasen a casa.

—¡Me cago en la puta! ¿Dónde se ha metido? —gritó Papaíto por enésima vez.

—¡Esa lengua! —recriminé—. Hay niñas.

Estaba fuera, en el porche, mirando hacia el camino, lo cual era preferible a tenerlo dentro de casa con nosotros. Florence había regresado a su casa tras terminar la jornada. Yo me dediqué a coser nuevos vestidos para las niñas, y ellas a hacer muñecas de papel. A través de la ventana podíamos oír las botas de Papaíto pisando fuerte al recorrer la galería de arriba abajo.

—Es típico de él realizar proezas semejantes —dijo el viejo—. Piensa solo en él y al cuerno con todos los demás.

La ironía de que Papaíto se quejase porque Jamie, o cualquiera, fuese egoísta ya era demasiado y estallé en carcajadas. Los postigos se abrieron con un golpe, revelando el ceñudo rostro de Papaíto encuadrado en la ventana. Me recordó a un malévolo reloj de cuco.

—¿De qué te estás riendo? —exigió saber.

—De algo que ha hecho Bella.

—Crees que es gracioso tener a un anciano sin cigarrillos. Espera y verás cómo te sientes cuando seas vieja y tengas que apañarte sin nada que te reconforte solo porque a nadie le importas lo suficiente para cuidarte.

—Siempre puede ir al pueblo en mula —propuse con cara de póquer.

Papaíto no soportaba a los animales, sobre todo a los grandes. Creo que les tenía miedo, aunque nunca llegaría a admitirlo. Por esa razón no teníamos mascotas en la hacienda; no podría tolerarlo.

—No pienso hacer tal cosa —replicó—. ¿Por qué no vas a pedirle a la negraca esa que vaya? Dile que le pagaré veinticinco centavos.

—Estoy segura de que Florence tiene mejores cosas que hacer que traerle sus cigarrillos.

Su rostro se retiró con la misma brusquedad con la que había aparecido.

—No importa —dijo—. Veo venir la camioneta.

Las niñas corrieron a la galería a esperar a su tío. Tomé una profunda respiración y las seguí. Tenía que ser muy cuidadosa con Jamie para evitar levantar sospechas en Papaíto.

—Otra vez borracho —dijo Papaíto con desdén.

El vehículo serpenteaba por el camino. Hubo un momento en el que se salió y entró en el campo recién sembrado. Me alegré de que Henry no estuviese en casa; podría haber sufrido una apoplejía. Jamie frenó delante de casa y bajó de la camioneta. Bella echó a correr hacia él, pero la contuve. Jamie llevaba la ropa arrugada e iba sin afeitar; uno de los faldones de la camisa colgaba por delante de sus pantalones.

—Buenas tardes tengáis, Laura, Papaíto y mis pequeñas petunias —dijo tambaleándose.

—¿Te queda algún cigarro? —inquirió el viejo.

—Hola, hijo —contestó, arrastrando las palabras—. Me alegro de verte, ¿cómo te ha ido? Hombre, Papaíto, gracias por preguntar. Estoy bien, gracias. ¿Y tú? ¿Cómo estás?

—Puedes hablar solo todo lo que quieras, pero primero dame un cigarrillo.

Jamie buscó en el bolsillo de su camisa, sacó un paquete de Lucky Strike y se lo lanzó a su padre. El tiro fue corto e hizo que Papaíto tuviese que agacharse a recogerlo del suelo.

—Aquí solo hay un cigarro.

—Supongo que me he fumado el resto.

—No vales una mierda, ¿lo sabías?

—Bueno, valgo un cigarrillo. Eso es algo. A no ser que no lo quieras.

—Tú dame las llaves de la camioneta.

Jamie se las tendió, haciéndolas tintinear.

Papaíto caminó hacia Jamie con pasos lentos y amenazadores.

—¿Acaso intentas hacer que me cabree? ¿Eh, señor Gran Héroe? —el viejo llevaba la cachaba en la mano izquierda, pero no se apoyaba en ella; la sujetaba como un garrote—. Tú sigue hablando y vamos a enterarnos cuál de los dos es un hombre de verdad y cuál no. Mira, yo ya sé la respuesta, pero creo que tú no. Creo que estás algo confuso en esa materia. Por eso no me dices más que impertinencias, porque quieres que te enderece. ¿No es así, muchacho?

Al llegar a la altura de Jamie se inclinó hacia delante hasta que sus caras se situaron a pocos centímetros una de otra. ¡Cuánto se parecían! Nunca me había fijado... Siempre pensé que Papaíto era feo, pero en esencia sus rasgos eran los mismos: cejas curvas y sarcásticas, pómulos inclinados y una boca llena y algo petulante.

—¿No es así? —repitió el viejo.

Mis músculos se tensaron; el impulso de ponerme entre ellos fue casi irrefrenable. De pronto Papaíto levantó la cachaba lanzando una estocada hacia el rostro de Jamie... Una finta, pero Jamie se sobresaltó y retrocedió un paso.

—Eso pensaba yo —dijo Papaíto—. Ahora dame las putas llaves.

Jamie las dejó caer en la mano que le tendía. El viejo sacó el cigarrillo del paquete, lo encendió y expulsó el humo sobre el rostro de Jamie. Este cayó de rodillas y sufrió una arcada. Vomitó líquido, sin una mota sólida. Me pregunté cuándo habría comido por última vez. Fui y me arrodillé a su lado, incapaz de hacer nada más que darle unas suaves palmadas en la espalda mientras su cuerpo se convulsionaba. Tenía la camisa empapada de sudor.

Oí una risa parecida a un ladrido y levanté la mirada. El viejo nos observaba desde la cabina de la camioneta.

—Vaya, sí que hacéis una bonita pareja —dijo.

—¡Váyase! —le dije yo.

—Impaciente por tenerlo para ti sola, ¿eh, chica? Una pena que esté demasiado bebido para que te sea de alguna utilidad.

—¿De qué está hablando?

—Lo sabes perfectamente.

—No, no lo sé.

—Entonces por qué se te ha puesto la cara tan colorada, ¿eh? —Papaíto arrancó la camioneta—. No dejes que duerma boca arriba —añadió—. Si vomita puede morir ahogado.

Se alejó. Miré a Jamie. Había dejado de vomitar y yacía mustio, tumbado de costado en la tierra.

—En sus mejores momentos es poco menos que un hombre —dijo Jamie con voz ronca— *y en sus peores horas vale apenas más que una bestia.*

—¿Qué le pasa al tío Jamie? —chilló Amanda Leigh.

Me volví y vi a las niñas mirándonos. Me había olvidado por completo de ellas.

—Sólo le duele la barriga, eso es todo —dije—. Hazme un favor, cielo, vete por un trapo de cocina limpio. Mételo en el cubo, escúrrelo y tráelo aquí. Y también un vaso de agua.

—Sí, mamá.

De alguna manera me las arreglé para llevarlo a su cama, en el cobertizo. Cayó en ella y quedó tumbado boca arriba, sin moverse. Le quité los zapatos. Le faltaban los calcetines. Una vívida e inoportuna visión de ellos tirados en el suelo, abandonados bajo la cama de alguna mujer, destelló en mi mente. Con cierta dificultad lo hice rodar poniéndolo de lado. Cuando acabé de acomodarlo bajé la mirada y me encontré con que me observaba con una expresión muy difícil de interpretar.

—La dulce Laura —dijo—. Mi ángel de la Caridad.

Se alzó su mano y abarcó uno de mis pechos, posesiva, confiada. Sentí una punzada de deseo. Sus ojos se cerraron con un parpadeo y su mano cayó sobre la cama. En ese momento oí un sonido familiar; suave al principio, luego más fuerte e insistente. Había comenzado a llover.

Deberían de haber pasado unas dos horas cuando la puerta principal se abrió de par en par y Florence entró como una tromba. Las niñas y yo acabábamos de sentarnos para tomar una cena tardía. Papaíto aún no había regresado del pueblo y yo no pensaba esperarlo más. Las niñas tenían hambre y yo también.

—*¿Dónde'sta* el *señó* Jamie? —preguntó Florence, sin más preámbulos. Estaba empapada hasta los huesos y respiraba con dificultad, como si hubiese venido corriendo.

—Echando una siesta en el cobertizo. ¿Qué sucede?

—Entonces, *¿dónde'sta* la camioneta?

—Papaíto se la llevó al pueblo. Y ahora, dime, en nombre de Dios, ¿qué te ha pasado?

—*Y'hace* tiempo que el Ronsel fue *p'al* pueblo y aún no ha vuelto. ¿A qué hora llegó a casa el *señó* Jamie?

Su actitud prepotente estaba comenzando a molestarme.

—Poco después de que tú te fueses —contesté—. Y, además, eso no es asunto tuyo.

—Algo *l'apasao* al mi hijo —dijo Florence—. Y el *señó* Jamie *tié* algo que ver de alguna forma. Lo sé.

—Estás diciendo tonterías. ¿Cuánto hace que Ronsel se fue?

—Desde eso de las cinco. Ya debía de estar en casa.

—Bueno, eso no tiene nada que ver con Jamie. Como te he dicho, ha estado aquí desde las tres y media, más o menos. Probablemente Ronsel se encontró con un amigo en el pueblo y perdió la noción del tiempo. Ya sabes cómo son los jóvenes.

Florence negó con un gesto, sólo una vez, pero percibí la fuerza de esa negación como si me hubiese caído encima.

—No. Aquí no *tié* amigos, *esepto* el *señó* Jamie.

—¿Qué quieres decir con que son amigos?

—*Tié* que despertarlo y preguntárselo a él.

Me levanté.

—No haré tal cosa. Jamie está agotado y necesita descansar.

Sus narinas se dilataron y sus ojos lanzaron un rápido vistazo hacia la puerta principal. *Pretende abrirse paso pasándome por encima e ir a despertarlo*, pensé. No sería capaz de detenerla; me sacaba un pie de altura y su peso me superaría en unas buenas cuarenta libras. Por primera vez desde que la conocía, tuve miedo de ella.

—Mejor harías yendo a casa —le dije—. Apuesto a que Ronsel ya ha llegado y se está preguntando dónde has ido.

En los ojos de Florence brillaba una animosidad real, y eso despertó en mí una voz de alarma. ¿Cómo osaba amenazarme, y además bajo mi propio techo? Recordé una ocasión en que Papaíto les dijo a las niñas que Lilly May no era amiga de ellas, y que nunca lo sería, pues si llegaba el caso de que estallase una guerra entre blancos y negracos, ella se pondría en el bando de los negracos y las mataría sin dudarlo. Entonces aquello me enfureció, pero en ese momento me preguntaba si no habría una brutal pizca de verdad en lo que dijo.

Bella comenzó a toser; había tragado leche por el otro lado. Fui, le di unas palmadas en la espalda y luego miré a Florence. Mis pensamientos retrocedieron hasta la primera vez que nos conocimos; en cómo me había vuelto loca de preocupación por mis hijas. El recuerdo fue como una bocanada de aire fresco despejando mi cabeza de tonterías. Frente a mí no se encontraba un negraco asesino sino una madre preocupada.

—Cuida de las niñas —le dije—. Iré a preguntarle.

Llamé a la puerta del cobertizo pero no hubo respuesta, y al abrir la puerta la luz de la candela reveló dos camas vacías. Sentí la funda de la almohada de Jamie fría al tacto. Busqué en el retrete exterior, pero tampoco estaba allí y no había luz en el granero. ¿Dónde podría haber ido, a pie y en tan penoso estado? No cabía la posibilidad de que se hubiese serenado; habían pasado menos de tres horas desde que llegó a casa. ¿Y dónde estaba Papaíto? La tienda de Tricklebank llevaría cerrada cierto tiempo, y de ninguna manera el viejo iba a perderse una cena y la oportunidad de quejarse de mi cocina.

Regresé a casa con una creciente sensación de temor.

—Jamie no está aquí —le dije a Florence—. Debe de haber ido a dar un paseo para despejar la cabeza. A veces lo hace al anochecer. Estoy segura de que no tiene nada que ver con Ronsel.

Florence se dirigió de inmediato a la puerta. La seguí hasta el borde de la galería.

—¡Enviaré a Jamie a tu casa apenas vuelva! —grité—, procura calmarte. Estoy segura de que te estás preocupando por nada.

Pero le hablaba al aire. La oscuridad se la había tragado.

JAMIE

La lluvia hizo que me despertase sobresaltado. El estruendo de una tormenta del Delta descargando sobre un fino tejado de cinc es lo más cerca que uno puede estar del fragor de una batalla sin llegar a participar en ella. Durante un minuto, con el corazón martilleando en mi pecho, regresé a los cielos de Alemania, rodeado por los Messerschmitt del enemigo. Después me di cuenta de dónde estaba y del porqué.

Yací en la oscuridad del cobertizo revisando mi situación. Me dolía la cabeza y sentía la boca como llena de algodón. Aún estaba algo achispado, pero no lo bastante sobrio para enfrentarme a Papaíto y a Laura. Antes había acontecido una escena infame, era todo lo que recordaba; los detalles eran vagos y eso me parecía bastante bien. La amnesia es uno de los grandes regalos del alcohol, y yo no soy de los que lo rechazan. Tanteé bajo la cama buscando la botella que solía esconder allí, pero al encontrarla me pareció ligera. Sólo contenía un par de tragos y me bebí los dos; después cerré los ojos y esperé a que el *whisky* me despertase. Tenía el estómago vacío, así que no tardó mucho. Podría haber vuelto a dormirme, pero sentí unas horrorosas ganas de mear. Busqué a tientas la candela en la mesita de noche y la encendí. La cama de Papaíto estaba vacía. Había una jarra de agua colocada en la mesa, junto a una palangana, una toalla doblada con esmero y pan de maíz envuelto en una servilleta. Laura debía de haber dejado aquello para mí.

Laura. Entonces me llegó el recuerdo como un chorro de imágenes: su cabello cayendo alrededor de mi rostro; sus pechos llenando mis manos; su aroma dulce y oscuro. La esposa de mi hermano.

Salí. Era plena noche, pero las luces aún estaban encendidas en el interior de la casa. Llegué hasta el borde de la galería y añadí mi propio caudal al aguacero, preguntándome qué hora sería. El destello de un relámpago iluminó el patio y vi que faltaban el coche y la camioneta. No esperábamos a Henry hasta el día siguiente, pero ¿por qué no había vuelto Papaíto? Quizá el viejo cabra loca había quedado atascado por la lluvia. Quizá en ese instante estuviese sentado en la cabina con la camioneta hundida en una cuneta, maldiciendo al tiempo y a mí, a los dos. La idea me alegró.

Al subirme la cremallera de los pantalones vi una luz moviéndose cerca del viejo aserradero. Al principio pensé que sería Papaíto de vuelta a casa, pero no había focos acercándose. La luz se desplazaba a lo largo del río, parpadeando como si alguien estuviese caminando entre los árboles con una candela, y entonces desapareció. Quienquiera que fuese, debía de haberse metido en el aserradero. Probablemente Ronsel, o un vagabundo buscando refugio por la tormenta. Allí serían bienvenidos. No pensaba ir a investigar, no con aquel aguacero.

Volví al cobertizo y me limpié. No quería presentarme ante Laura y las niñas hediendo a sudor, *whisky* y vómito. Estaba a medio vestir cuando recordé la botella de tres cuartos que había escondido en el aserradero. La quise en cuanto la imaginé. Sin aquella botella estaría yo solo ante Laura, después ante mi padre y luego ante Henry, cuando quiera que apareciese. Sabía que Ronsel no bebería mi *whisky* sin que le invitase, pero si un vagabundo la encontraba sí que lo haría, seguro. La idea de que un vago trasegase mi Jack Daniel's fue más poderosa que mi aversión a mojarme. Metí algo de pan de maíz en la boca, me vestí la chaqueta y me puse un sombrero. En el último momento cogí mi .38 y lo guardé en el bolsillo.

Estaba empapado apenas unos segundos después de abandonar el porche. El viento me quitaba el sombrero de la cabeza y el barro intentaba quitarme las botas de los pies a cada paso que daba. Estaba tan oscuro que de no haber sido por esporádicos destellos de relámpagos, no habría sido capaz de ver nada; como sucedió cuando casi me doy de bruces contra un vehículo aparcado en uno de los lados del aserradero. El capó estaba tibio. Cuando hubo otro rayo reconocí la camioneta de Henry. Y a su lado había aparcado otro coche. *¿Qué demonios...?*

Rodeé el edificio hasta la parte posterior. Entre los tablones salían rayos de luz, y yo acerqué un ojo a uno de los huecos. Al principio lo vi todo blanco. Después algo se movió y me di cuenta de que estaba mirando a la nuca de alguien, y que ese alguien llevaba un capuchón blanco. No era el único. Quizá hubiese ocho, en pie, formando un amplio círculo.

—¿Cuántas veces la follaste? —oí decir a una voz.

Una de las figuras se apartó y vi a Ronsel arrodillado en el centro. Tenía los pies y las manos atadas a la espalda y una soga alrededor del cuello. La cuerda pasaba por encima de una de las vigas del techo. El hombre que sujetaba el otro extremo dio un terrible tirón. Ronsel se atragantó y levantó la cabeza.

—¡Contéstale, negro de mierda! —dijo mi padre.

RONSEL

Eché a correr, pero entonces oí el sonido de un cartucho de escopeta entrando en la recámara. Me quedé inmóvil y levanté las manos. Una voz tensa y aguda dijo:

—Yo me quedaría donde estás si fuese tú, muchacho.

Sonaba como la del doctor Turpin, el hijoputa que había estropeado la pierna de papá. Aquel día, en la tienda de

Tricklebank, habló con una voz nasal idéntica a esa. Y papá me dijo que había estado metido en el Klan.

—Mételo en el coche.

Esa otra voz la reconocí de inmediato... Era el viejo McAllan. Me pregunté si Henry McAllan también estaría allí, oculto bajo aquellos capuchones. Alguien se acercó a mi espalda y me puso un saco de arpillera en la cabeza. Me sacudí y me propinó un puñetazo en los riñones; después vino alguien más, me sujetó los brazos y me ató las manos a la espalda. Me arrastraron hasta el coche y me arrojaron dentro. Entró cada uno por un lado y entonces comenzamos a movernos.

El saco húmedo sobre mi cabeza olía a café, recuerdo ese olor de la tienda de Tricklebank. Allí debieron de reunirse antes de salir en mi busca. Eso me daba pocas esperanzas. Si la señora Tricklebank había estado presente y los hubiese oído hablar, llamaría al sheriff Tacker en cuanto ellos hubiesen salido. No es que fuese muy amigo de los negritos, pero seguro que no iba a permitir que linchasen a ninguno. Seguro que no.

—Escuchen —les dije—, voy a marcharme del pueblo.

—Cállate, negro de mierda —dijo el hombre que yo tomaba por Turpin.

—Me iré esta noche y nunca...

—Ha dicho que calles —gruñó el hombre situado al otro lado.

Algo duro me golpeó en las costillas y perdí la respiración. El dolor fue atroz, como si se me hubiesen fracturado unas cuantas costillas. Después de eso guardé silencio, y ellos también. Alguien encendió un cigarrillo. Nunca fui un gran fumador, pero cuando me llegó su olor a la nariz deseé uno con toda mi ansia. Es curioso observar cómo el cuerpo continúa pidiendo lo que le apetece incluso cuando sabe que está a punto de morir.

El coche giró y el recorrido se hizo más duro; supuse que habíamos salido del camino. Pararon un par de minutos después. Me sacaron del coche de un tirón y me arrastraron hasta un edificio. La lluvia sobre el tejado sonaba como un millar de personas aplaudiendo, vitoreándolos. Me pusieron de rodillas y sentí una soga alrededor del cuello. La tensaron, no lo suficiente para ahogarme pero sí para hacerlo si le daban un buen tirón.

Tenía calor bajo el saco y resultaba difícil respirar. El sudor y el café hacían que me escociesen los ojos, y la arpillera me picaba en la cara. ¿Cuánto tiempo se tardaba en morir estrangulado? Si era afortunado se me partiría el cuello y sería rápido, pero si no... Sentí el pánico apoderándose de mí y luché por dominarlo ralentizando la respiración, como nos habían enseñado en el curso de supervivencia. Guardaría la calma y esperaría a tener una oportunidad para huir. Si no podía, si de verdad pretendían matarme, les mostraría a esos cabrones cómo moría un hombre. Yo era un suboficial del 761 batallón Blindado, un Pantera Negra. No dejaría que me convirtiesen en un negraco asustado.

Uno de ellos me arrancó el saco de la cabeza. Al principio no pude ver más que piernas, pero después retrocedieron un poco y me di cuenta de dónde estaba: en el viejo aserradero donde tantas noches pasé bebiendo con Jamie McAllan. Siete u ocho hombres en pie formaban un círculo a mi alrededor. La mayor parte solo llevaban fundas de almohadas blancas, pero dos vestían genuinas túnicas del Klan, con sus puntiagudos capuchones y emblemas redondos en el pecho. Los emblemas tenían cruces de Malta negras con un punto rojo en el centro, como gotas de sangre. Levanté la mirada hacia donde la soga pasaba por la viga y después la bajé hasta llegar a las manos de uno de los individuos vestidos con túnicas. Era alto, quizá seis pies y cinco pulgadas, y con la constitución de un oso. Debía de ser Orris Stokes; él era el tipo más grande del pueblo. Una vez ayudé a su mujer embarazada llevándole a casa la compra de comestibles realizada en la tienda de Tricklebank.

—¿Sabes por qué estás aquí, negraco? —preguntó.

—No, señor... Señor Stokes.

Le tendió la soga a uno de los otros, estiró uno de sus grandes brazos y me dio un revés. Mi cabeza rebotó hacia atrás y sentí cómo se aflojaba uno de mis dientes.

—Vuelve a decir ese nombre, o cualquier otro, y te lo haremos pasar aún peor de lo que lo vas a pasar, ¿me oyes?

—Sí, señor.

El otro hombre con túnica del Klan avanzó un paso. Era el doctor Turpin, ya estaba seguro de eso. Podía ver su vientre tensando la túnica y sus pequeños ojos de color cerveza brillando a través de los agujeros del capuchón. Era evidente que Stokes y él estaban al mando.

—Mostrad la prueba —dijo Turpin.

Uno de los otros le tendió algo. En cuanto vi aquella mano vieja y amarillenta supe qué tenía que ser. Turpin cogió la carta y la fotografía de la mano del viejo McAllan y la sostuvo frente a mi cara. Resl y Franz me sonreían. Deseé meterme en la fotografía, junto a ellos, y entrar en ese otro mundo.

—¿Estuviste en celo con esta mujer? —preguntó Turpin.

No contesté, aunque él tenía la carta en sus manos. Podían hacerme cosas peores que ahorcarme.

—Sabemos que lo hiciste, negraco —dijo McAllan—. Solo queremos oírtelo decir.

Otro individuo tiró de la soga y el esparto se hundió en mi tráquea.

—¡Vamos, dilo! —ordenó. Su voz era profunda y rasposa debido a fumar como un carretero. No cabía duda de quién era: Dex Deweese, el dueño de la cafetería local.

—Sí —dije.

—¿Sí, qué? —dijo Turpin.

—Sí, yo… estuve con ella.

—Tú deshonraste a una mujer blanca. Dilo.

Negué con la cabeza. Stokes me golpeó de nuevo, esta vez con el puño, arrancándome el diente que antes me había aflojado. Lo escupí en el suelo.

—Deshonré a una mujer blanca.

—¿Cuántas veces la follaste? —preguntó Turpin.

Volví a negar con la cabeza. La verdad es que al principio *sí* había follado a Resl. Yo tomé lo que me ofrecía pensando solo en mi propio placer, consciente de que pronto sería destinado a otro lugar. ¿Cuándo se había convertido en algo más? Cerré los ojos intentando recordar, intentando oler su aroma. Pero todo lo que pude oler fue mi sudor y el odio de esos individuos; un hedor animal saturaba la sala.

Deweese dio un fuerte tirón a la soga y sentí una náusea.

—¡Contéstale, negro de mierda! —dijo el viejo McAllan.

—No lo sé —dije, ahogándome.

Turpin agitó la foto en el aire.

—Bastantes veces para cargarla con esta… no voy a llamarle criatura… con esta ¡abominación! ¡La hedionda contaminación de la raza blanca! —Los hombres se removieron y murmuraron. Turpin los estaba soliviantando bien—. ¿Y cuál es la pena por semejante abominación?

—¡Muerte! —gritó Stokes.

—Yo digo que lo capemos —propuso uno.

El miedo que entonces se apoderó de mí no se parecía a nada que hubiese experimentado en toda mi vida. Sentí un nudo en el estómago, y eso fue todo lo que pude hacer para no cagarme encima.

—*Cualquiera que tuviere cópula con bestia, ha de ser muerto, y mataréis a la bestia. Y si una mujer se llegare a algún animal para ayuntarse con él, a la mujer y al animal matarás; morirán indefectiblemente; su sangre será sobre ellos* —dijo Turpin.

—Levántalo con la soga —indicó el viejo McAllan.

Justo en ese momento la puerta se abrió de par en par y todos nos volvimos hacia ella. Allí estaba Jamie McAllan, goteando agua sobre el suelo. Tenía una pistola en la mano y apuntaba a Deweese.

—Suelta la soga —ordenó Jamie.

JAMIE

—Suéltala —dije.

Uno de los otros se movió, levantando la escopeta que empuñaba. Le apunté con la pistola.

—¡Tírala! —ordené.

Dudó. Durante unos segundos nadie se movió. Entonces mi padre habló:

—Está faroleando —dijo Papaíto—, y además, está medio borracho. Apunta al negraco con esa arma. Vamos, él no te va a disparar. Mi hijo no tiene pelotas para matar a un hombre tan de cerca.

Se adelantó colocándose frente al individuo de la escopeta, bloqueando mi línea de fuego. Me encontré mirando sin parpadear la imagen de la pistola reflejada en los pálidos ojos de mi padre, enmarcados por algodón blanco.

—¿Verdad, hijo? —añadió.

A su espalda podía ver el cañón de la escopeta, entonces apuntando hacia la cabeza de Ronsel. Papaíto avanzó un paso hacia mí, y después otro. Sentía un estruendo en mis oídos y la mano que empuñaba la pistola temblaba. Coloqué la otra bajo la culata para estabilizarla.

—Quieto ahí —le dije.

Dio otro paso hacia mí.

—¿Vas a traicionar a tu propia sangre por un negraco?

—No te acerques más. Te lo advierto.

—Mátame, pero el macaco morirá de todos modos.

El odio estalló en mí... por él y por mí. Había perdido, y ambos lo sabíamos. Solo me quedaba por jugar una carta.

—Si lo matáis, será mejor que también me matéis a mí —les dije—. Porque si Ronsel muere, voy a ir directamente al sheriff. Juro que lo haré.

—¿Y qué vas a decirle, muchacho? —dijo el gordo con la túnica del Klan—. No puedes identificar ni a uno de nosotros, excepto a tu padre.

—Doctor, ya sabes que el blanco no te va. Hace que parezcas un poco mamotreto. Aquí Dex puede vestirlo, porque está muy flaco, y Orris... Bueno, él va a parecer grande se ponga lo que se ponga. Pero, doctor, yo en tu lugar seguiría vistiendo de negro y marrón —les dije, sin apartar los ojos de mi padre.

—Mierda —dijo Deweese.

—Cállate —terció Stokes—, no puede demostrar nada.

—Y no quiero —dije yo—. Me voy dentro de unos días. Dejad libre a Ronsel y él se irá del pueblo, y yo también me iré de aquí y ninguno diremos ni una palabra de esto a nadie. ¿No es así, Ronsel?

Asintió frenético.

—Quítale la soga, Dex —le indiqué—. Vamos, ahora, deja que se vaya.

Podría haber funcionado. Ronsel y yo podríamos haber salido de allí si mi padre no se hubiese reído. Siempre odié esa risa. Áspera y despiadada como el graznido de un cuervo, rompió el hechizo que intentaba trenzar. Stokes y uno de los otros se abalanzaron sobre mí. Podría haber disparado contra alguno, pero dudé. Se arrojaron contra mí y caímos al suelo. Stokes me dio un puñetazo en la cara. Mis brazos estaban sujetos a mi espalda y alguien me pateó en el estómago. En algún momento perdí el arma.

—¡Amigo de los negracos! —bramó Turpin—. ¡Judas!

Entonces los puñetazos y patadas llegaron de todas partes. Pude oír chillar a mi padre:

—¡Parad! ¡Es suficiente!

Al final, una bota se estrelló contra mi nuca y eso fue todo. *Buenas noches, Papaíto. Buenas noches, Ronsel. Buenas noches.*

HAP

—Por favor, Jesús —dije—, vela por el Tu hijo Ronsel, líbralo de *to* mal y ilumina su camino a casa, con nosotros.

Rezaba en voz alta por culpa de la tormenta, gritándole al Señor como si Él no pudiese oírme de otro modo. Así que cuando oímos aquel golpe en la puerta casi se nos sale el corazón por la boca; a todos excepto a Florence. Ella ni siquiera abrió los ojos y se quedó rezando. Pero me cogió por la pernera al levantarme para abrir la puerta y me sujetó con tanta fuerza que no pude moverme.

—No contestes —dijo.

Pude sentir su temblor a mi lado, tiritando como una mula agotada. Nunca había visto a mi esposa tan alicaída y asustada, ni una vez en todos los años que llevábamos casados. Me partía el corazón verla así. Lilly May se había entregado al llanto y los gemelos se abrazaban, acunándose adelante y atrás sobre sus rodillas.

—Venga ya —les dije—. Ahora no es momento *pa* debilidad. Tenemos que ser fuertes.

Volvieron a llamar a la puerta, esta vez más fuerte, y Florence me dejó ir. Ruel y Marlon se miraron como se miran los gemelos cuando hablan sin hablar, ayudaron a su madre a ponerse en pie y se quedaron flanqueándola. Se enderezaron, como hombres, y con sus brazos la abarcaron a ella y a Lilly May.

Fui y abrí la puerta. Había un tipo en el porche; al principio no supe quién era, pues tenía la cabeza baja, pero después la levantó y pude ver que era el sheriff Tacker y pensé, *está muerto. Mi niño está muerto.*

—Tengo malas noticias, Hap —dijo el sheriff—. Se trata de Ronsel —miró más allá de mí, hacia donde Florence y los chicos aguardaban en pie—. Será mejor que salgas conmigo —añadió.

—No —dijo Florence—. Cualquier cosa que tenga que decir, la diga delante de *to's* nosotros.

El sheriff cambió el peso de una pierna a otra y miró al sombrero que sujetaba en las manos.

—Parece que esta noche tu hijo se topó con una caterva furiosa. Está vivo, pero herido de gravedad. Iban muy cabreados.

—¿Dónde está? —pregunté.

—¿Cómo de grave? —preguntó Florence.

Me contestó a mí y a ella no.

—Mi ayudante lo ha llevado a la consulta del doctor Belzoni. Te llevaré hasta allí en coche, si quieres.

Florence salió y se puso a mi lado. Me cogió de la mano y la apretó con fuerza.

—¿Cómo de grave? —volvió a preguntarle al sheriff.

El hombre rebuscó en su bolsillo y sacó un trozo de papel.

—Encontramos esto en el suelo, a su lado.

El sheriff me lo tendió. Era una carta y tenía sangre por todas partes; al principio creí que se habría derramado encima, pero después le di la vuelta y vi la palabra y los números en ella, Ezequiel 7:4, escritos con un dedo manchado en sangre.

—¿Qué dice? —preguntó Florence.

Pero no pude contestar, el miedo me cerraba la garganta como un nudo corredizo.

—Al parecer, vuestro hijo estuvo manteniendo relaciones con una mujer blanca —dijo el sheriff.

—¿Qué? ¿Cuál mujer blanca? —dijo Florence.

—Una chica alemana. Esta carta es de ella, diciéndole que es el padre de su hijo.

—Eso no es *verdá* —replicó Florence—. Ronsel no haría eso.

Yo tampoco quería creerlo, pero allí estaba escrito en el papel y podía leerlo por debajo de la sangre. *Tienes un hijo*, decía, *Franz Ronsel.*

—Dice que adjuntaba una fotografía, pero no la encontramos —dijo el sheriff.

—¿Qué hicieron con él? —preguntó Florence. Yo ya no sentía la mano de lo fuerte que me la apretaba.

—Podrían haberlo colgado —dijo el sheriff—. Tiene suerte de estar vivo.

—*Usté* diga que *l'han* hecho —quiso saber Florence.

Y mi ojo no te perdonará, ni tendré misericordia; antes pondré sobre ti tus caminos, y en medio de ti estarán tus abominaciones; y sabréis que yo soy Jehová. Ezequiel 7:4.

—Le cortaron la lengua —dijo el sheriff.

FLORENCE

La lengua de mi hijo.

—Santo Dios —dijo Hap—. Santo Dios, ¿cómo *pué* ser esto *verdá*?

Le cortaron la lengua.

—Podrían haberlo colgado —volvió a decir el sheriff.

Ellos.

—¿Quién fue? —pregunté.

—No lo sabemos. Ya se habían ido cuando llegamos al lugar —dijo, pero mentía; hasta un crío de cinco años lo hubiese sabido.

—¿Dónde? —dije.

—En el viejo aserradero.

Entonces supe quién estaba detrás de todo ese asunto.

—¿Cómo supieron que *tían* que ir a buscarlo allí primero? —pregunté.

—Recibimos un chivatazo diciendo que podría haber problemas —contestó el sheriff.

—¿De quién?

—Eso no importa. Lo que importa es que vuestro hijo está vivo y de camino al doctor. Si queréis reuniros con él, tenemos que salir ya.

—¿Por qué lo habéis *mandao* a Belzoni? ¿Por qué no lo *llevastis* al pueblo, con el doctor Turpin?

Los ojos del sheriff se apartaron de los míos, y entonces supe algo más.

—Él era uno de ellos, ¿*verdá*? —dije—. ¿Quién más *'taba* aparte de él y del viejo McAllan?

La expresión del sheriff se endureció y sus ojos se entornaron.

—Ahora escuchadme bien —dijo—. Comprendo que estéis muy, pero que muy disgustados, pero no os corresponde a vosotros señalar con el dedo al doctor Turpin ni a nadie. Si estuviese en vuestro lugar tendría más cuidado con lo que diría.

—¿O qué? ¿Va a cortarme la lengua?

Su nuez dio un salto. Lo miré desde arriba. Era un tipo escuálido y canijo, sin más carne encima que una codorniz famélica. Podría haberle partido el pescuezo en unos dos segundos.

—Tenéis suerte de que siguiésemos el chivatazo —dijo—. Suerte de que lo encontrásemos antes de que hubiese muerto desangrado.

Su rostro era como el de un niño, en ella podía verlo todo. El miedo que nos tenía. Su ira porque mi hijo hubiese tocado a una mujer blanca. Su disgusto por lo que le habían hecho a Ronsel y su simpatía por los demonios que se lo habían hecho. La pequeña sombra de vergüenza por estar encubriéndolos. Su impaciencia por acabar con el asunto del negraco y volver a casa con su mujer, y cenar.

—Caramba, sheriff —dije—, sí que somos una familia con suerte.

Se puso el sombrero.

—Me voy. ¿Queréis que os lleve a Belzoni o no?

Hap asintió y dijo:

—Caray. Mi esposa irá con *usté*.

—No, Hap —dije—. Tú irás. Yo quedaré aquí con los niños.

—¿Segura? —preguntó, sorprendida—. Ronsel querrá ver a su madre.

—Mejor si vas tú.

Mi esposo me lanzó una mirada afilada y dijo:

—Mantén esa puerta cerrada.

Quería decir *tú quédate ahí y no cometas ninguna estupidez.*

Y yo le devolví la mirada y le dije:

—No te preocupes por nosotros, tú ten *cuidao* del Ronsel.

Quería decir *y yo me ocuparé de todo lo que haya que ocuparse.*

Usaría el cuchillo cabritero de Hap. No era el más grande que teníamos, pero sí el de mejor filo. Me pareció que iría mejor.

LAURA

Me despertaron los golpes y las maldiciones. La voz de Papaíto salpicada con el ruido de sus puños llamando a la puerta.

—¡Despierta, maldita sea! ¡Déjame entrar!

Me había quedado dormida en el sofá. La habitación estaba oscura como boca de lobo; debía de haberse agotado la candela. Antes había echado el pestillo a la puerta, algo que casi nunca hacía, porque después de que Florence marchase sentí un temor inexplicable. La noche parecía llena de terribles posibilidades a punto de fusionar, de tomar una forma monstruosa y venir por mí. Como si una enclenque puerta de madera y un cuarto viejo, pequeño e insignificante fuesen a detenerla.

—Un momento, ya voy —dije.

O el viejo no me oyó o estaba disfrutando demasiado para detenerse, porque los golpes continuaron mientras encendía la candela e iba a la puerta.

—Ya era hora —dijo con brusquedad al abrirle—. He pasado aquí fuera cinco minutos —entró empujándome, dejando huellas de barro en el suelo y recorriendo la habitación con la mirada—. ¿Todavía no ha llegado Jamie?

—No, a no ser que se haya dormido en el cobertizo.

—Ya miré. No está ahí —la voz de Papaíto tenía un tono que jamás había escuchado. Se quitó el empapado sombrero, lo colgó en un clavo, regresó a la puerta y escrutó la noche.

—Quizá no haya encontrado el camino en la oscuridad —dijo—. Iba a pie y tú no has dejado ninguna luz encendida.

Y tal como pretendían, sus palabras desataron una tormenta de culpa en mí. Después las asimilé.

—¿Cómo sabe que iba a pie? ¿Lo vio?

—No tenía coche que llevar, por eso lo sé —dijo Papaíto—. Así que si salió de aquí, tuvo que ser caminando.

El viejo me daba la espalda, pero no me hacía falta ver su rostro de dientes amarillentos para saber que mentía.

—Usted me ha preguntado si no había regresado a casa... todavía —le dije—. Si no lo ha visto, para empezar, ¿cómo sabe que ha salido?

Rebuscó en el bolsillo de la camisa y sacó un paquete de cigarrillos. Extrajo uno, después aplastó el paquete dentro de su puño y lo tiró al porche.

—¡Mierda! —gritó—. Están empapados.

Me acerqué a él y lo cogí del hombro haciendo que se volviese hacia mí. Esa fue la primera vez que lo toqué a propósito desde el día de mi boda cuando, como era mi obligación, le di un beso en la mejilla que a todas luces no fue bien recibido.

—¿Cuál es el problema? ¿Le ha pasado algo?

Se zafó de mi mano agitando un hombro.

—Déjame en paz, mujer. Está bien, estoy seguro —pero su voz no sonaba muy segura, sonaba más bien a culpa, y al mismo tiempo extrañamente desafiante, como la de un niño que hubiese hecho alguna cosa que tenía prohibida desde hacía tiempo: pegarle a su hermana o ahogar al gato. Una oscura sospecha se cernió sobre mí.

—¿Esto tiene algo que ver con la desaparición de Ronsel Jackson? —pregunté mirándolo a la cara.

—¿Quién dice que haya desaparecido?

—Su madre. Vino aquí buscándolo a eso de las siete.

Se encogió de hombros.

—Los negracos desaparecen todo el tiempo.

—Como le haya hecho daño a ese chico, o a Jamie…

Las facciones del viejo se contrajeron y sus ojos brillaron llenos de odio.

—¿Qué harás? Dime, ¿qué vas a hacer? —su baba me salpicó el rostro—. ¿Crees que puedes amenazarme, chica? Será mejor que te lo pienses otra vez. He visto cómo olisqueas a Jamie, pareces una cerda en un surco. Quizá Henry sea lo bastante obtuso para no darse cuenta, pero yo no, y tampoco temo decírselo.

Sentí que mi rostro se sonrojaba, pero negué lo evidente.

—Mi esposo jamás lo creerá.

Inclinó la cabeza a un lado, calculando.

—Bien, puede que sí y puede que no, pero seguro que se le queda clavado en la cabeza. Henry no es un tipo muy imaginativo, aunque con una cosa de esas tampoco hace falta tener mucha imaginación. Un hombre siempre le dará vueltas a algo así. Siempre habrá una sombra de duda.

—Usted es despreciable.

—Estoy empapado —dijo—. Tráeme una toalla.

Se acercó despreocupado a la mesa de la cocina, se plantó en una de las sillas y esperó. Me quedé allí un instante, paralizada por las emociones que tiraban de mí… Vergüenza, ira, miedo; todas luchando por la supremacía. Entonces mis miembros parecieron moverse con voluntad propia: caminando hasta la repisa de la ropa de lino, sacando una toalla limpia, regresando a donde él. Me la quitó de la mano.

—Y ahora prepárame algo para comer. Tengo hambre.

Con movimientos tan mecánicos como los de un juguete de cuerda, fui hasta la cocina, saqué pan de maíz del horno y puse unas cucharadas de chili en el plato. Pensaba en Henry y en cómo se sentiría si Papaíto cumplía su amenaza y le decía algo. Coloqué el plato delante del viejo y me dispuse a salir de la habitación.

—Si oyes venir a Jamie —dijo con la boca llena de pan de maíz—, vas y me despiertas. Y si Henry, o cualquiera, pregunta dónde estuve esta noche, le dices que estuve aquí en casa contigo, ¿lo oyes?

Me imaginé aquellos pálidos ojos cerrados, la boca cerrada, su piel cerúlea. Lo imaginé derritiéndose hasta que no quedaba de él nada más que mondos huesos blanquecinos deshaciéndose lentamente en polvo.

—Sí, Papaíto —le dije.

Me dedicó una sonrisa maliciosa, sabiendo que había ganado. *Con todo*, pensé, *hay muchas maneras de que un viejo muera en una granja*. Nunca se sabe cuándo la tragedia puede propinar uno de sus inesperados golpes.

Me tumbé en la cama con los ojos abiertos, esperando a que Papaíto acabase de comer y se acostase. Me levanté y fui a ver a las niñas al oír la puerta principal abrirse y cerrarse. Dormían con un tranquilo abandono que envidié. Me dispuse a limpiar el estropicio dejado por el viejo, agradecida por tener un trabajo que mantuviese mis manos ocupadas mientras esperaba a Jamie y a cualquiera que llegase esa noche. Pero ordenar la casa no ayudó a calmar el torbellino que bullía en mi mente. *Una cerda en un surco.* ¿Había sido tan trasparente? ¿Era eso lo que Jamie pensaba de mí? *Un hombre siempre le dará vueltas a algo así.* No podía soportar la idea de causarle a Henry tanto dolor, incluso si eso implicaba mentir por Papaíto. Pero si le había hecho daño a Jamie…

De pronto recordé lo que el viejo había dicho acerca de Jamie perdido en la oscuridad y saqué una de las candelas al porche con la intención de dejarla allí como señal. Fue entonces cuando vi la luz en el establo. Jamie… Tenía que ser él.

Ni siquiera me detuve a cambiar el calzado por unas botas o ponerme un abrigo. Sencillamente salí bajo la tormenta; mi único pensamiento era llegar hasta él. Hacía una noche salvaje: llovía a cántaros y furibundas ráfagas de aire me sacudían el cabello y la ropa. La puerta del granero estaba cerrada y necesité de toda mi fuerza para abrirla. Jamie se encontraba encogido sobre el suelo de tierra, sollozando. Los sonidos que salían de él eran tan angustiosos que casi resultaban inhumanos. Se mezclaban con el quejumbroso mugido de nuestra vaca, que se removía intranquila en su pesebre.

Corrí y me arrodillé a su lado. Le habían pegado. Tenía un corte sobre la ceja y una mejilla estaba roja e hinchada. Coloqué su cabeza en mi regazo y, al hacerlo, advertí un gran chichón en la parte posterior. Un ardiente furor se apoderó de mí. Papaíto le había hecho eso, no me cabía duda.

—Iré por algo de agua y ropa limpia —dije.

—No —pidió pasando sus brazos alrededor de mi cintura—. No me dejes.

Me abrazó, temblando. Le murmuré cualquier tontería tranquilizadora y le froté el corte de su frente con la manga. Cuando sus sollozos remitieron le pregunté qué había sucedido, pero se limitó a negar con la cabeza y a cerrar los ojos con fuerza. Me acosté tras él y acurruqué mi cuerpo alrededor del suyo, acariciándole el cabello, escuchando el monótono repiqueteo de la lluvia sobre el tejado. Pasó el tiempo; fueron diez minutos, quizá veinte. Una de las mulas rebuznó y sentí más que oí un movimiento, un desplazamiento del aire. Abrí los ojos. Vi a Florence en pie, en la puerta abierta del establo. Tenía el vestido completamente empapado y sus piernas estaban embarradas hasta las rodillas. Su rostro mostraba la ruina más absoluta. Se erizó el vello de mis brazos y temblé sabiendo que algo malo debía de haberle pasado a Ronsel. Entonces vi el cuchillo en su mano. *Ronsel está muerto*, pensé, con absoluto convencimiento, *y ella pretende matarnos por eso.* Por extraño que parezca, no tuve miedo. La sensación más fuerte fue la de pesar... por Florence y su hijo, y por Henry y las niñas, que encontrarían nuestros cuerpos en el establo y nos llorarían y se preguntarían cosas. No había manera de que pudiese detenerla; ni siquiera pensé en intentarlo. Cerré los ojos y presioné mi cuerpo contra la espalda de Jamie esperando lo que habría de venir. Sentí un movimiento de aire, oí el susurro de unos pies descalzos en la tierra. Al abrir los ojos ella se había ido. Quizá todo el incidente durase quince segundos.

Me limité a quedarme allí tumbada durante un largo rato, sintiendo mi corazón martillar y calmarse poco a poco, hasta que sus latidos volvieron a acompasarse con los de Jamie. Sonó el bramido de un trueno y pensé en las niñas. Se asustarían si despertaban y yo no me encontraba allí. Entonces pensé en Papaíto, durmiendo solo en el cobertizo. Y supe adónde había ido Florence.

Me senté. Jamie emitió un sonido quejumbroso y se llevó las rodillas al pecho. Antes de abandonar el establo, cogí una manta de caballo y lo cubrí con ella. Después me arrodillé a su lado y lo besé en la frente.

—Dulce Jamie —susurré.

Él dormía ajeno a todo, con su respiración produciendo un ligero silbido en cada exhalación.

Soñé con miel dorada y viscosa. Flotaba en ella como un embrión. Me llenaba los ojos, la nariz y los oídos, aislándome del mundo. Era tan placentero no hacer nada sino flotar en todo aquel dulzor…

—¡Mamá! ¡Despierta! —Las voces eran penetrantes, insistentes. Intenté no hacerles caso… No quería abandonar tan meloso lugar, pero continuaban arrastrándome, sacándome de allí.

—¡Mamá, por favor! ¡Despierta!

Abrí los ojos y me encontré a Amanda Leigh y Bella vacilantes encima de mí. Sus bocas y barbillas estaban untadas de miel salpicada con migas de pan de maíz, y sus manos me resultaban pegajosas. Miré el reloj de la mesita de noche: eran más de las nueve. Les debió de entrar hambre y se prepararon el desayuno.

—Papaíto no se despierta —dijo Amanda Leigh—, y ya no mueve los ojos.

—¿Cómo?

—Está en la cama, pero no mueve los ojos.

—No podemos encontrar al tío Jamie —dijo Bella.

El tío Jamie. Lo imaginé sobre mí, con la boca abierta y la cabeza echada hacia atrás de placer. Lo imaginé como lo había dejado anoche, hecho un ovillo sobre el suelo del establo.

Me levanté, me vestí una bata y me calcé las zapatillas; después llevé a las niñas al cobertizo. La lluvia había cesado, pero no era más que una pausa temporal; las nubes grises se extendían hasta donde alcanzaba la vista.

La puerta chirrió con fuerza al abrirla. Sabía qué iba a encontrar dentro, pero aun así no estaba preparada para el sentimiento de júbilo que me inundó al ver el cuerpo de Papaíto tumbado rígido sobre el camastro, vacío de vida y malicia.

—¿Está muerto? —preguntó Amanda Leigh.

—Sí, cariño —contesté.

—Entonces, ¿por qué está con los ojos abiertos?

La niña tenía la boca fruncida y se veía el famoso surco entre sus cejas, una versión en miniatura de la arruga que partía la frente de Henry cuando se quedaba perplejo. La besé ahí.

—Deberían de estar abiertos cuando murió. Se los cerraremos.

Empujé hacia abajo sus párpados con la punta de mis dedos, intentando no tocar sus globos oculares, pero los párpados no bajaron... El viejo contrariaba incluso después de muerto. Me froté los dedos en la ropa, queriendo quitar de ellos la sensación de aquella carne fría y dura.

—¿No quiere que se los cierres?—susurró Bella.

—No, cariño. Es solo que ahora su cuerpo está demasiado rígido. Es un proceso natural al morir. Mañana se los podremos cerrar.

No había sangre ni herida de cuchillo, pero la almohada de Jamie estaba en el suelo. Ella tuvo que haber decidido asfixiarlo en su lugar. Me alegré; una herida habría causado preguntas en modo alguno deseadas. Me incliné para recoger la almohada y volver a colocarla sobre la cama. Bajo el lecho había un paño blanco... Una funda, la vi al recogerla. No era de las nuestras; el algodón estaba sucio y su tejido era basto. Entonces le di la vuelta y vi los ojos recortados en el tejido, y una arcada de bilis subió hasta mi garganta. De inmediato lo arrebujé en una bola y lo metí en el bolsillo de mi bata. Más tarde lo quemaría en el horno.

—Mamá, ¿qué es eso?

—Sólo una vieja funda de almohada, sucia.

Era imposible no visualizar la escena: hombres burlándose con sus capuchas blancas y el rostro oscuro, asustado y sudoroso en medio de ellos. Me pregunté cuántos más habrían ido y dónde lo habrían perpetrado; si lo habían ahorcado o asesinado de cualquier otro modo. Jamie debió de haberlo descubierto... Por eso estaba tan angustiado la noche anterior. Me pregunté si habría visto lo sucedido. Si habría contemplado a su padre matar a ese pobre muchacho.

—¿Ahora Papaíto está en el cielo? —preguntó Bella.

El rostro del viejo carecía de expresión, y sus ojos vacíos no revelaban nada de lo que hubiese podido sentir en sus últimos momentos. Esperaba que hubiese visto a Florence acercarse a él y que se hubiese asustado; que hubiese suplicado y luchado y sabido de la agonía del desamparado, como debió pasarle a Ronsel. Confié en que ella hubiese sentido placer al matarlo, y que saber que había vengado a su hijo le hubiera otorgado alguna clase de lúgubre paz interior.

—Está en manos de Dios —le dije.

—¿No deberíamos rezar por él?—preguntó Amanda Leigh.

—Sí, supongo que deberíamos. Venid, las dos. No os asustéis.

Se acercaron y se arrodillaron flanqueándome. El barro del sucio suelo rezumó a través del fino algodón de mi camisón. Sentí una gruesa gota de agua en mi cabeza, y después otra; había una gotera en el tejado. Las niñas aguardaron a que comenzase, con sus cuerpos pequeños y tiernos apretados a cada uno de mis costados. Cerré los ojos, pero no se me ocurrían palabras. No era capaz de rezar por el alma de Papaíto; esa sería la mayor de las hipocresías. Podría haber rezado por Florence para que Dios comprendiese y perdonase su venganza materna, pero no frente a las niñas. Y así permanecí en silencio. No tenía palabras para las niñas ni para Él.

Nos cruzó una sombra, me volví y vi a Jamie en la entrada. La luz se encontraba a su espalda, así que no pude ver su expresión. Bella se levantó y corrió a él, abrazándolo por las rodillas.

—¡Papaíto está muerto, tío Jamie! —lloró.

—Es verdad —dije—, lo siento.

Cogió a Bella en brazos y avanzó hasta situarse a los pies de la cama. Todavía llevaba puesta la ropa sucia de anoche, pero se había peinado el cabello y lavado su rostro maltratado. Había amargura en sus ojos al bajar la mirada hacia el cuerpo de su padre, y pesar. Yo había esperado lo primero, pero no lo segundo. Me partió el corazón.

—Parece que se fue en paz mientras dormía —mentí.

—Así es como me gustaría ir —dijo Jamie en voz baja—. Durante el sueño.

Entonces me miró; una mirada de tan tierna desolación que apenas pude sostenerla. En esa mirada vi la culpa de un hermano, pero nada de la vergüenza o el desprecio que había temido descubrir. Solo amor, dolor y algo más que después reconocería como gratitud por lo que le había dado. Muerto estaba el gallardo e intrépido aviador, el risueño creído de mis ensueños. Pero a pesar de llorar su pérdida, sabía que Jamie no necesitaría de mi consuelo, ni estar conmigo.

En realidad, aquel Jamie jamás existió.

Comprenderlo me dejó atónita, aunque no debería. Él me había mostrado todos los indicios necesarios para ver la debilidad en su interior, y su oscuridad. No hice caso, prefiriendo creer la fantasía. Jamie había creado esa fantasía representando su papel casi a la perfección, aunque yo fui quien se la tragó toda. Yo tenía la culpa por haberme enamorado de un producto de la imaginación.

Todavía lo amaba, pero ya no había añoranza, no había calor. El recuerdo de nuestra relación sexual comenzaba a resultar distante, como si la hubiese tenido otra persona. Sentí un extraño vacío, carente de todo aquel furor carnal.

Creo que lo vio en mis ojos. Los suyos bajaron al suelo. Dejó a Bella y se arrodilló a mi lado, inclinando la cabeza. Esperando a que comenzase yo. Por segunda vez estaba perdida. ¿Qué plegaria honesta podría ofrecerle a Dios yo, una adúltera arrodillada con mi amante junto a mi suegro asesinado, el cuerpo fuente de mi odio? Entonces lo supe, cogí a Jamie de la mano y comencé a cantar:

Alabado sea Dios, de quien fluyen todas las bendiciones.
Alabado sea por todas las criaturas de la Tierra.
Alabado sea en los cielos el Señor de los ejércitos.
Alabados sean el Padre, el Hijo y el Espíritu Santo. Amén.

Mi voz sonó clara y fuerte al cantar estas conocidas palabras de agradecimiento. Las niñas se unieron a mí de inmediato, la Doxología fue el primer himno que les enseñé, y después lo hizo Jamie. Su voz era cruda, y se quebró en el *amén*. Me encontré pensando en que Henry no habría esperado a que yo comenzase. Hubiese dirigido la oración sin vacilar, y su voz no se hubiese quebrado.

JAMIE

La Biblia está llena de mandamientos del tipo no-cometerás-esto-o-aquello. No matarás, ahí tenemos la primera. No hablarás contra tu prójimo falso testimonio, va la segunda. No cometerás adulterio, la desnudez de la mujer de tu hermano no descubrirás, ahí están la tercera y la cuarta. Llama la atención que ninguna deje alguna fisura legal. No existen causas atenuantes a las que aferrarse al responder de los pecados, cosas como: la desnudez de la mujer de tu hermano no descubrirás, *a no ser que* estés vagando en los más oscuros infiernos, perdido de ti y de cualquier recuerdo de luz y bondad, y descubrir su desnudez es el único modo de volver a encontrarte. No, la Biblia es un código absoluto en lo referente a la mayor parte de las cosas. Por esa razón no creo en Dios.

A veces es necesario hacer el mal. A veces es el único modo de hacer las cosas bien. Cualquier Dios que no lo entienda puede irse a la puta mierda.

No tomarás el nombre de Jehová tu Dios en vano… Ahí va la quinta.

El día posterior al linchamiento transcurrió con el paso lento y pesado de un sueño. Me dolía todo el cuerpo, y sufría la madre de todas las resacas. No podía dejar de pensar en Ronsel, en el cuchillo lanzando destellos, en la sangre brotando, en el alarido amordazado que continuó y continuó.

Me refugié en el trabajo. Tenía de sobra: la tormenta había destrozado el gallinero, arrancado la mitad del tejado del almacén del algodón y puesto a los cerdos en un estado de histeria asesina. Henry aún no había regresado de Greenville, aunque esperábamos que llegase en cualquier momento. Lo primero fue ir a revisar la situación del puente, y lo encontré casi insalvable. A juzgar por el mal augurio que presagiaba el aspecto de las nubes, no iba a permanecer así mucho más. Con un tiempo como ese, Henry debería apurarse para volver a casa.

Estaba ordeñando en el establo cuando Laura entró y me encontró. Venus no había sido ordeñada desde la mañana anterior y sus ubres estaban a punto de estallar. Ya me había castigado dos veces por ello, golpeándome un par de veces en la cara con su cola infestada de arrancamoños. No obstante, resultaba agradable estar allí sentado con la mejilla descansando contra su cálido pellejo, escuchando el tamborileo de la leche al golpear el cubo, dejando que el ritmo me vaciase de pensamientos.

—Jamie —dijo Laura. Levanté la vista y la vi situada justo al borde del pesebre—. Henry regresará pronto. Tenemos que hablar antes de que llegue.

Dejé el amparo del pesebre con algo de mala gana y fui con ella. Advertí que se había puesto pintalabios, pero carecía de cualquier artificio aparte de ese, probablemente la única mujer que he conocido de su especie. Eso iba a cambiar entonces, y por mi culpa. La había convertido en una mentirosa.

—¿Cómo están las niñas? —pregunté.

—Bien. Duermen las dos. Parece que todo esto las ha agotado.

—Espero que sí. La muerte es inquietante, sobre todo la primera vez que la contemplas.

—Querían saber si Henry, tú y yo moriríamos algún día, y les dije que sí, pero dentro de mucho tiempo. Después me preguntaron si ellas iban a morir. Creo que fue la primera vez que se les ocurrió la idea.

—¿Qué les dijiste?

—La verdad. Aunque me parece que Bella no me creyó.

—Bien —dije—. Deja que disfrute de su inmortalidad mientras pueda.

Laura vaciló un instante y después dijo:

—Tengo que preguntarte una cosa.

Sacó un arrugado pedazo de tela de su bolsillo. Supe de qué se trataba incluso antes de ver los agujeros para los ojos.

—Encontré esto en el suelo del cobertizo. Imagino que pertenecía a Papaíto. —Como no contesté, prosiguió—: La has visto antes, ¿verdad?

Asentí. Los recuerdos estallaban en mi cabeza como granadas de mano.

—Dime qué pasó, Jamie.

Se lo conté. Cómo había visto aquella luz cerca del aserradero y me había acercado. Cómo descubrí a Ronsel con una soga alrededor del cuello en una sala llena de hombres encapuchados, mi padre entre ellos. Cómo había irrumpido e intentado sacar a Ronsel de allí. Cómo había fracasado.

—Escúchame —me dijo Laura—. Lo sucedido a ese muchacho no es culpa tuya. Intentaste salvarlo, que es más de lo que la mayoría de la gente hubiese hecho. Estoy segura de que Ronsel lo supo. Estoy segura de que lo agradeció.

—Sí, apuesto a que está rebosante de gratitud hacia mí. Probablemente no resista más sin darme las gracias.

—¿Está vivo?

—Sí.

—Gracias a Dios —dijo cerrando los ojos, aliviada.

—Al menos lo estaba cuando perdí el conocimiento —añadí.

Y después le conté la primera mentira: cómo había recobrado el sentido, con el sheriff Tacker inclinado sobre mí después de que los demás se hubiesen ido, y sabido entonces que a Ronsel le habían cortado la lengua. La mano de Laura voló a su propia boca. La mía, recordé, había hecho lo mismo.

—Tom Rossi lo llevó en coche a la consulta del médico —le dije—. Había perdido mucha sangre.

Había sangre por todas partes, empapándole la camisa, formando charcos en el suelo, salpicando las blancas botas de Turpin.

—¿Por qué? —preguntó—. ¿Por qué le hicieron eso?

Busqué en mi bolsillo, saqué la foto y se la tendí. La miró y me la devolvió.

—¿Quiénes son?

—Esa es la amante alemana de Ronsel, y el hijo que tuvo con él. Iba acompañada por una carta, pero no sé qué ha sido de ella.

—¿Cómo llegaron a conseguir esto?

—No lo sé —le dije. Mentira número dos—. Supongo que se le cayó a Ronsel por ahí.

—Y uno de ellos la encontró.

—Sí.

—¿Quién más estaba allí, aparte de Papaíto?

—No reconocí a ninguno de los otros —afirmé.

Mentira número tres, esta por su propia seguridad. Estoy seguro de que la descubrió, pero no me lo hizo ver. Se limitó a mirarme pensativa. Tuve la sensación de ser sopesado, y creo que lo quise. Me produjo un remordimiento ya conocido. Yo había decepcionado sin ninguna preocupación a docenas de mujeres. ¿Por qué con Laura me hacía sentir tan mal?

—¿Qué le dirás a Henry? —preguntó.

—No lo sé. Bastante se va a enfadar ya, según están las cosas, sin saber que nuestro padre formaba parte de la partida de linchamiento.

—¿De verdad Tom o el sheriff Tacker llegaron a ver a Papaíto en el aserradero?

—No lo creo. Pero aunque lo hubiesen visto, esto es el Delta. Lo último que querría el sheriff sería identificar a uno de ellos.

—¿Qué pasó con Ronsel?

—No hablará. Se aseguraron de ello.

—Puede escribir.

Negué con la cabeza.

—¿Qué crees que pasaría si lo hiciese? ¿Qué le pasaría a su familia?

Los ojos de Laura se agrandaron.

—¿Estamos en peligro?

—No —dije—. No mientras yo marche de aquí.

Fue hasta la puerta del establo y miró, abrazándose a sí misma, los campos marrones y el frío y deprimente cielo lleno de lluvia.

—Cómo odio este lugar —dijo con suavidad.

Recordé la fuerza de aquellos brazos a mi alrededor, y la sorprendente firmeza con la que su mano me había agarrado y guiado dentro de ella. Me pregunté si mostraría esa audacia y ferocidad con mi hermano.

—No encuentro ninguna razón para decirle a Henry que vuestro padre estaba implicado —dijo al fin—. Saber la verdad sólo serviría para herirlo sin necesidad.

—Si eso crees, de acuerdo.

Se volvió y me observó, sosteniendo mi mirada durante unos largos segundos.

—Jamás hablaremos de esto —dijo.

Cuando Henry llegó a casa ya estaba hecho un basilisco a causa de la lluvia. Laura y yo fuimos hasta el coche para recibirlo, pero apenas nos dedicó una mirada al rebasarnos, antes de ir a caer de rodillas en el cultivo y examinar uno de los aplanados surcos de algodón recién plantados. Había comenzado a llover de nuevo y nos estábamos empapando.

—Si esto continúa se va a llevar todas las semillas y tendremos que volver a sembrar —dijo—. El almanaque había pronosticado lluvias ligeras para abril, maldita sea. ¿A qué hora comenzó a llover aquí?

—Ayer, a eso de las cinco —respondió Laura—. Diluvió toda la noche.

Su voz sonó tensa. Henry trasladó su mirada de ella a mí y frunció el ceño.

—¿Qué te ha pasado en la cara?

Me había olvidado de mi cara. Intenté inventarme una historia para explicarlo, pero tenía la mente en blanco.

—Venus le dio una coz —espetó Laura—. Anoche, mientras ordeñaba. La tormenta la puso nerviosa. A todos los animales. Uno de los cerdos ha muerto. Los otros lo arrollaron.

Henry dejó de mirarla para mirarme a mí.

—¿Qué demonios os pasa a vosotros dos?

Laura esperó por mí para que lo contase, pero negué con la cabeza. No podía hablar.

—Cariño —dijo—, tu padre se ha ido. Murió anoche, mientras dormía.

Avanzó y se situó a su lado, pero no lo tocó. Todavía no estaba preparado para que lo tocasen. *Qué bien lo conoce*, pensé. *Qué buena pareja hacen*. Él inclinó la cabeza y se quedó mirando sus embarradas botas. El hijo mayor, ahora cabeza de nuestra familia. Vi el peso de esa responsabilidad posándose sobre él.

—¿Todavía… está en la cama? —Me preguntó Henry. Asentí con un gesto—. Supongo que será mejor que vaya a verlo —añadió.

Caminamos los tres juntos hasta el cobertizo. Henry iba en primer lugar. Laura y yo lo seguimos hasta situarnos a cada uno de sus lados. Bajó la sábana. Los ojos de Papaíto, vacíos y desorbitados, nos miraban con fijeza. Henry se estiró para cerrárselos, pero Laura le sujetó la mano y se la apartó con suavidad.

—No, cariño —le dijo—. Ya lo hemos intentado. Todavía está demasiado rígido.

Henry exhaló un largo suspiro. Le pasé un brazo por encima del hombro, y lo mismo hizo Laura. Cuando por accidente nuestras manos se tocaron a su espalda, ella apartó la suya de inmediato.

No esperaba que Henry llorase, y no lo hizo. Su rostro permaneció impasible mientras miraba hacia abajo, en dirección al cadáver de nuestro padre. Se volvió a mí.

—¿Estás bien? —preguntó.

Sentí una punzada de resentimiento. ¿Nunca iba a cansarse de ser el fuerte, de ser estoico, honorable y digno de confianza? En ese momento comprendí que siempre había estado resentido contra él, aun cuando lo admiraba, incluso cuando me acosté con su mujer para castigarlo por todas las cosas que yo no era.

—Estoy bien —le dije.

Henry asintió y me apretó el hombro; después, volvió a mirar a Papaíto.

—Me pregunto qué vio al final.

—Fue una noche oscura —comenté—. Sin luna ni estrellas. Dudo que llegase a ver nada.

Mentira número cuatro.

—¡Amigo de los negracos! —bramó Turpin—. ¡Judas!

Al final, una bota se estrelló contra mi nuca y eso fue todo… durante cinco minutos, más o menos. Al recuperar el conocimiento, alguien me estaba dando unas palmaditas no muy suaves en la mejilla. Yacía de lado, con la otra mejilla apoyada en el suelo de tierra. La habitación era una masa borrosa de piernas y túnicas blancas.

—Despierta —dijo mi padre dándome una fuerte sacudida. Media docena de cabezas encapuchadas se amontonaron inclinándose sobre mí. Intenté apartarlo de mi lado. Fue entonces cuando me di cuenta de que tenía las manos atadas a la espalda. Me incorporó de un tirón y me empujó contra la pared. El súbito movimiento hizo que la habitación girase, lo cual causó que yo comenzara a perder el equilibrio. Papaíto volvió a levantarme tirando de mí por la solapa de la chaqueta.

—Siéntate y pórtate como un hombre —me siseó al oído—. Haz un solo movimiento más en falso y es probable que estos chicos te maten.

Cuando la habitación volvió a asentarse vi a Ronsel, todavía vivo, con la cabeza estirada hacia arriba, como esforzándose para que el nudo no lo estrangulase.

—¿Qué vamos a hacer con él? —preguntó Deweese haciendo un gesto en mi dirección.

—No hace falta hacer nada —dijo Papaíto—. No hablará, ya te lo ha dicho. ¿No es verdad, hijo?

Mi padre estaba asustado. Estaba asustado de narices, e intentaba protegerme. Creo que fue justo entonces cuando comencé a temer por mi vida. Mi corazón empezó a martillar y sentí sudor brotando por todo mi cuerpo, pero forcé mi voz para mantenerla calmada y segura. Para que Ronsel y yo saliésemos de allí con vida, tendría que interpretar la actuación de mi vida.

—Es cierto —afirmé—. Dejadlo ir y esto no habrá sucedido jamás en lo que a mí respecta.

La masiva silueta de Orris Stokes se cernió sobre mí.

—No estás en posición de exigir nada, amigo de los negracos de mierda. Yo en tu lugar me preocuparía menos de lo que le pase a él y más de mi propio pellejo.

—Jamie no acudirá a la Ley —dijo Papaíto—. No cuando le digamos qué ha hecho ese negraco.

—¿Qué hizo? —pregunté.

—Folló a una mujer blanca y tuvo un hijo con ella —respondió Papaíto.

—Tonterías. Ronsel jamás haría tal cosa.

—Es un hecho —dijo Turpin—. Crees que lo conoces, ¿eh? Bien, ¿qué me dices de esto?

Plantó una foto delante de mis ojos, la de una rubia delgada y bonita con un bebé mulato. Desde luego que no se había hecho en Misisipi. El suelo estaba cubierto de nieve y al fondo se veía una casa de estilo alpino.

—¿Quién es? —pregunté.

—Alguna chica alemana —dijo Turpin.

—¿Y qué os hace pensar que Ronsel es el padre?

Agitó un trozo de papel en el aire.

—Lo dice aquí mismo, en esta carta. Le ha puesto su nombre.

Mis sentimientos debieron de reflejarse en mi rostro.

—¿Lo veis? —dijo Papaíto—. Ya os lo dije, muchachos; él está con nosotros.

Miré a Ronsel. Hizo un guiño lento, como afirmando. No había vergüenza en sus ojos. En todo caso, parecían desafiarme, decir *¿qué clase de hombre eres? Supongo que estamos a punto de averiguarlo*. Volví a mirar la foto, recordando cómo me había impresionado ver por primera vez a soldados negros con chicas blancas en bares y salas de baile de toda Europa. Al final me acostumbré. Los soldados son soldados, me dije, y resultaba evidente que las chicas estaban con ellos por su propia voluntad. Pero nunca me había resultado fácil admitirlo, y aún no lo era. Y si no lo era *para mí*, apenas podía imaginar qué habría despertado aquella foto en esos hombres cubiertos con sábanas blancas. Eso y el silencioso orgullo de Ronsel debía de haberlos enfurecido. Conocía a los de su clase: estancados en la idealizada gloria del pasado, asustados de perder lo que consideraban suyo. Tenían que responder. Lo entendía perfectamente, y a ellos también. Pero no podía dejar que matasen a Ronsel. Y si no se me ocurría algo rápidamente, lo harían.

—¿Qué pasa, muchachos, acaso os preocupáis de cualquier puta cabeza cuadrada? —dije.

Eso me proporcionó una dura patada en el muslo, propinada por la bota de Orris.

—Tú di que no hablarás —me apremió Papaíto. Pude detectar la desesperación en su voz; y si yo podía, ellos también. Y eso era peligroso. Nada azuza a una jauría como el olor del miedo.

—No entendéis de qué hablo —expliqué—. Esas *fräuleins* no son como nuestras mujeres. Son coños de corazón frío que te sonríen a la cara y te apuñalan por la espalda a la primera oportunidad. Por allá se cargaron a muchos de nuestros chicos, así que si Ronsel quiso tomarse una pequeña venganza con una de ellas y dejarle un recuerdo, yo a eso le llamo justicia.

Se hizo el silencio. Comencé a tener algo de esperanza.

—Eres bueno, muchacho —dijo Turpin—. Una lástima que mientas más que hablas.

—Escuchad, no digo que tengamos que darle una medalla. Sólo digo que no me parece bien matar a un soldado condecorado por culpa de una puta enemiga.

Otro silencio.

—A pesar de eso, el negro de mierda debe ser castigado —dijo Papaíto.

—E impedir que vuelva a hacerlo —añadió Stokes—. Ya sabéis cómo se ponen esos machos una vez han probado a una mujer blanca. ¿Qué le impedirá ir tras una de aquí?

—*Nosotros* vamos a impedírselo —dijo Turpin—. Aquí y ahora.

Abrió una maleta de cuero en el suelo y sacó un escalpelo. Alguien silbó. Una ola de nerviosismo barrió la sala. Ronsel y yo comenzamos a hablar a la vez.

—Por favor, *señó*. Se lo ruego, por favor, no...

—No hay necesidad de eso, ya ha aprendido la lec...

La voz del doctor Turpin cortó las nuestras como un látigo.

—Si uno vuelve a decir una palabra más, pegadle un tiro al negraco.

Callé, y Ronsel también.

—Este negro de mierda profanó a una mujer blanca —dijo Turpin—. Mancilló su cuerpo con sus ojos y sus manos y su lengua y su simiente, y tiene que pagar por ello. ¿Qué va a ser, muchachos?

Hablaron todos a una.
—Cápalo.
—Ciégalo.
—Córtaselo todo.
Percibí un tufillo a orina y vi una mancha creciendo frente a los pantalones de Ronsel. El olor a orina, sudor y almizcle era abrumador. Tragué con fuerza para evitar el vómito.
Entonces mi padre dijo:
—Yo digo que dejemos decidir a mi hijo.
—¿Y por qué habríamos de hacer eso? —quiso saber Turpin.
—Sí —intervino Stokes—, ¿por qué va a elegir él?
—Si decide, será parte —dijo Papaíto.
—No —dije yo—, no lo haré.
Mi padre se inclinó hacia mí con los ojos entornados como ranuras. Colocó la boca en mi oído.
—¿Sabes dónde encontré esa carta? —preguntó—. En la cabina de la camioneta, en el suelo del asiento del pasajero. Solo pudo llegar ahí de una manera, y es que lo hubieses vuelto a dejar subir a tu lado. Esto es obra *tuya*. Piensa en eso.
Negué sacudiendo la cabeza con fuerza, sin querer creerlo y sabiendo que tenía que ser verdad. Papaíto se apartó y alzó la voz para que los demás pudiesen oírlo:
—Tuviste que venir a meter las narices. Entrando aquí como si fueses Gary Cooper, agitando esa arma y profiriendo amenazas. ¡Me amenazaste a mí, tu padre, por culpa de un negraco! Bueno, pues ahora estás metido en esto, hijo. No quieres que lo maten, bien. Decide el castigo.
—He dicho que no lo haré.
—Lo harás —dijo Turpin—. O lo haré yo. Y no creo que aquí a tu chico le guste mi elección.
Hizo un burdo gesto hacia su pubis, como si apuñalase. Hubo silbidos y risitas por parte de los demás. Ronsel temblaba, sus músculos se tensaban contra las cuerdas que lo amarraban. Sus ojos me imploraban.
—¿Qué va a ser? —preguntó Turpin—. ¿Sus ojos, su lengua, sus manos o sus pelotas? Elige, amigo de los negracos.

Al no contestar, Deweese giró la escopeta, apuntándome con ella. Mi padre se apartó, dejándome solo al alcance del arma. Deweese la amartilló.

—Elige —dijo.

Allí se presentaba la indiferencia que había estado persiguiendo durante tanto tiempo. Todo lo que tenía que hacer era permanecer en silencio, y lo habría hecho… poniendo fin al dolor y el miedo y el vacío. Y allí la hubiese alcanzado si hubiera tenido las agallas de estirarme y cogerla.

—Elige, maldita sea tu estampa —dijo mi padre.

Y elegí.

LAURA

Fui a ver a Florence al día siguiente de encontrar a Papaíto muerto. Quería saber cómo estaba Ronsel. Y también quería tener una charla en privado con ella. Ya no podía tenerla más trabajando para mí. En cualquier caso, tampoco creía que ella quisiera, pero tenía que estar segura de eso y de su silencio.

Le dije a Jamie dónde iba y que cuidase de las niñas durante mi ausencia. Al volverme para encaminarme hacia la puerta, sacó algo del bolsillo y me lo tendió: la fotografía de la amante alemana de Ronsel y el hijo de ambos. Se erizó el vello de mis brazos; no quería tocarla. Intenté devolvérsela.

—No —dijo—. Dásela a ella en nombre de Ronsel. Pídele que le diga… —sacudió la cabeza, confuso. Su boca estaba prieta por el odio que sentía hacia sí mismo.

Apreté su mano con suavidad.

—Estoy segura de que lo sabe —le dije.

Intenté llevar un vehículo, pero tanto el coche como la camioneta estaban demasiado hundidos en el barro, así que cogí mi paraguas y salí a pie. La lluvia había amainado un poco desde el día anterior, pero todavía caía sin cesar. Al rebasar el establo, Henry me vio y se asomó a la puerta abierta.

—¿Adónde vas? —preguntó.

—A casa de Florence. No ha venido a trabajar ni ayer ni hoy.

Henry aún no sabía de lo sucedido a Ronsel. Hap no había venido a decírselo, y nosotros permanecimos aislados del pueblo desde la pasada noche. Jamie y yo no dijimos nada, por supuesto. Se suponía que aún no lo sabíamos.

Frunció el ceño.

—No deberías salir con este tiempo. Ya iré yo más tarde y me ocuparé. Tú vuelve a casa.

Pensé rápido.

—Tengo que preguntarle algunas cosas. Son acerca de cómo preparar el cuerpo.

—De acuerdo. Pero procura no caerte, el camino está resbaladizo.

Su preocupación me hizo un nudo en la garganta

—Tendré cuidado.

Lilly May atendió a mi llamada. Tenía los párpados enrojecidos e hinchados. Pedí hablar con su madre.

—Voy a ver —me dijo.

Me cerró la puerta en las narices. Sentí una punzada de temor. ¿Y si Ronsel no había sobrevivido a las heridas? Por el bien de su familia, y por el de Jamie, rogué porque así fuese. Esperé en el porche durante unos cinco minutos, aunque me pareció mucho más tiempo. Al fin se abrió la puerta y salió Florence. Tenía el rostro demacrado y los ojos hundidos. Me temí lo peor, pero entonces llegó desde el interior de la casa un largo gemido gutural. Fue un sonido horrible, pero al menos indicaba que estaba vivo. *Debieron de haberlo devuelto a casa ayer por la tarde*, pensé, *antes de que el río anegase el puente.*

—¿Cómo está? —pregunté.

Florence no contestó, solo me lanzó una mirada fría y llena de conocimiento. Le sostuve la mirada, de adúltera a asesina. Recordándole que yo también sabía cosas.

—Nos vamos de aquí en cuanto el río baje —dijo con tono cortante—. Hap irá hoy *pa* decírselo a tu marido.

El alivio me inundó, anulando la pequeña carga de vergüenza que lo acompañaba. No tendría que haber vuelto a verla, ni siquiera de lejos; así no recordaría cada día cómo mi familia destruyó a la suya.

—¿Adónde iréis? —pregunté.

Se encogió de hombros y miró a los campos empantanados.

—Lejos de aquí.

Sólo me quedaba una cosa que ofrecerle.

—El viejo está muerto —le dije—. Murió anoche mientras dormía.

Enfaticé la última parte, pero si se sintió aliviada, su rostro no lo mostró. En todo caso, parecía más amargo.

—Dios sabrá qué hacer con él —añadí.

Negó con la cabeza.

—A Dios no le importa una mierda.

Y como para confirmar sus palabras, Ronsel gimió de nuevo. Florence cerró los ojos. No sé qué era más terrible, escuchar aquel sonido o ver a Florence escuchándolo. Muy bien podría haber sido su lengua la arrancada de su cuerpo. Me estremecí al imaginar cómo me sentiría si ese sonido procediese de Amanda Leigh o de Bella. Pensé en Vera Atwood. En mi propia madre, todavía llorando la pérdida del hermano gemelo de Teddy después de todos esos años.

—Tengo algo para él, de parte de Jamie —le dije. Saqué la fotografía y se la tendí—. Fue tomada en Alemania. El niño es…

—Sé quién es.

Pasó los dedos con suavidad a través de la imagen, tocando el rostro de un nieto al que jamás vería. Después la guardó en el bolsillo y me miró.

—Tengo que volver con él —dijo.

—Lo siento —le dije yo. Dos palabras penosamente inadecuadas para soportar el peso de todo lo sucedido, pero de todos modos las pronuncié.

No es culpa suya. Cuatro palabras, el regalo de una absolución que yo no merecía. Habría dado cualquier cosa por oír a Florence pronunciarlas, pero no lo hizo. Todo lo que dijo fue *adiós*.

JAMIE

Los cinco nos tambaleamos por el barro hasta llegar a la tumba. Continuaba lloviendo, poco, pero el viento había arreciado, llegando en violentas ráfagas que parecían soplar en todas direcciones excepto en la que teníamos que ir. Henry y yo llevábamos el ataúd y las cuerdas. Laura caminaba detrás con las niñas, Bella en brazos y Amanda Leigh agarrada a su falda.

Al llegar al agujero posamos el ataúd y colocamos las cuerdas por debajo, una en cada extremo. Henry se situó al otro lado del hoyo y le lancé dos de los cabos. Pero al intentar levantarlo, las sogas resbalaron hacia el centro, el ataúd se tambaleó y después cayó en el barro. La madera chirrió, se oyó un fuerte golpe dentro de la caja... El cráneo de Papaíto golpeando las tablas. Una de las tablas del costado se aflojó. Me agaché e intenté recolocar las puntas con el pulgar.

—No vamos a lograrlo —le dije—. No si solo somos nosotros dos.

—Tenemos que lograrlo —dijo Henry.

—Quizá poniéndonos en los extremos y pasando las cuerdas a lo largo.

—No, el ataúd es demasiado estrecho —señaló—. Si vuelve a caer podría romperse.

Me encogí de hombros... *¿Y qué?*

—No —volvió a decir en voz baja, lanzando un vistazo a las niñas.

Laura señaló hacia el camino.

—Mirad. Ahí vienen los Jackson.

Vimos su carreta aproximándose. Hap y Florence iban sentados al frente y los dos chicos más jóvenes caminaban detrás. El carro iba cargado con una pila de muebles. Al acercarse más, vi que habían improvisado una cubierta de lona en la parte trasera. Sabía que Ronsel iba bajo ella, sufriendo.

Al llegar frente a nosotros, Henry les hizo un gesto para que bajasen.

—No —le dijo Laura—. Déjalos ir.

Le dedicó una mirada indignada.

—No es culpa mía lo que le ha pasado a ese chico. Se lo advertí. Se lo advertí a los dos. Y ahora Hap va y me deja en plena época de siembra, cuando sabe de sobra que es demasiado tarde para que encuentre a otro arrendatario. Lo menos que puede hacer es bajar a echar una mano.

Abrí la boca para apoyar a Laura, pero me hizo un gesto rápido con la cabeza y me mordí la lengua.

—¡Necesitamos que nos eches una mano! —gritó Henry.

Esperaba que se negasen… Por Dios que yo lo habría hecho. Pero entonces Hap le cedió las riendas a Florence y se dispuso a bajar. Ella lo cogió del brazo y le dijo algo, y él negó con la cabeza y algo le contestó.

—¿A qué viene tanto titubeo? —se preguntó Henry, impaciente.

Para entonces Hap y Florence ya estaban en plena discusión. Sus voces no eran lo suficientemente fuertes para que pudiese oír qué estaban diciendo, pero pude entenderlo bastante bien.

—No, Hap. No vas a hacerlo.

—Ha sido voluntá *del Señor que pasemos justo ahora, y no voy a reñir con Él. Venga, vamos y acabemos con esto.*

—No v'y *ayudar a ese* dimonio *a ir a ningún lao.*

—No vas *ayudarlo, ya está ardiendo en el Infierno. Vas a ayudar a Dios a cumplir Su* voluntá.

Vi a Florence escupir a un lado de la carreta.

—Eso es pa'l *tu Dios.* Na *más va a sacar de mí. Ya* s'ha llevao *bastante.*

—Pues muy bien. No tardaré.

Hap bajó. Se volvió hacia los dos chicos y Florence habló de nuevo. El sentido de sus palabras fue bastante claro.

—Y tampoco les pidas a los gemelos.

Hap avanzó con dificultad hacia la tumba, solo. Iba con la cabeza baja y los ojos fijos en el suelo. Al llegar a nosotros, Henry le dijo:

—Gracias por parar, Hap. Esperábamos que tú y uno de los muchachos nos ayudaseis a bajar el ataúd.

—Yo le ayudaré —dijo Hap—. Pero ellos no vendrán.

Henry frunció el ceño arrugando la frente.

—Está bien —se apresuró a decir Laura—. Yo puedo hacerlo.

Posó a Bella junto a Amanda Leigh y agarró uno de los cabos. Henry, Hap y yo cogimos los otros tres. Juntos llevamos el ataúd hasta el borde y lo bajamos. En cuanto hubo tocado el fondo conseguimos sacar una de las cuerdas, pero la otra se había enganchado y no salía. Henry maldijo entre dientes y dejó caer los cabos en el hoyo. Miró a Laura.

—¿Has traído una Biblia? —preguntó.

—No —respondió—. No pensé en eso.

Vi a Hap mirar hacia el cielo, con la cabeza ladeada como si estuviese escuchando algo. Después la bajó y dijo:

—Yo tengo una aquí, *señó* McAllan —sacó una Biblia pequeña y ajada del bolsillo de su camisa—. Yo puedo hacer el servicio, si quiere. Supongo que *pa* esto estoy aquí.

Observé su rostro en busca de ironía o rencor, pero no detecté ninguna de las dos cosas.

—No, Hap —dijo Henry—. Gracias, pero no.

—Lo he hecho muchas veces *pa* mi gente —dijo Hap.

—Él no hubiera querido —apuntó Henry.

—Pues yo digo que lo dejemos hacer —intervine.

—Él no hubiera querido —repitió Henry.

—Lo quiero *yo* —dije.

Nos lanzamos una mirada furibunda.

Laura nos sacó del callejón sin salida.

—Sí, Henry —terció—, si Hap está dispuesto a hacerlo creo que deberíamos dejarle. Es un hombre de Dios.

—De acuerdo, Hap —aceptó Henry tras un momento de duda—. Vamos allá.

Hap buscó en la Biblia. Abrió la boca para comenzar, pero entonces algo llamó su atención y retrocedió a una página anterior. Yo esperaba algo del tipo «el Señor es mi pastor», y creo que todos lo esperábamos. Lo que escuchamos fue algo completamente diferente.

—*Ahora, pues, da voces; ¿habrá quien te responda? ¿Y a cuál de los santos te volverás?* —la voz de Hap era fuerte y sonora. Vi cómo la cabeza de Laura se alzó con la sorpresa. Más tarde me diría que era un pasaje del libro de Job… No se trataba precisamente de algo que reconfortase a los dolientes en un funeral.

—*El hombre nacido de mujer, corto de días y hastiado de sinsabores* —prosiguió Hap— *sale como una flor y es cortado, y huye como la sombra y no permanece. ¿Sobre este abres tus ojos, y me traes a juicio contigo? ¿Quién hará limpio a lo inmundo? Nadie.*

Henry fruncía el ceño. Creo que hubiese interrumpido la lectura de inmediato si las nubes no se hubiesen abierto en ese instante, derramando su contenido y empapándonos a todos. Mientras Hap gritaba hablando de muerte e iniquidad, Henry y yo cogimos las palas y comenzamos a rellenar el agujero.

Y así fue como nuestro padre fue abandonado para su postrero descanso, en la tumba de un esclavo, con una ceremonia sin gracia presidida por un predicador de color lleno de acusaciones, mientras la mujer que hubiese deseado asesinarlo observaba con la espalda recta y rebosante de impotente rabia porque alguien se le había adelantado.

Si Papaíto se hubiese despertado cuando entré con la candela, Florence hubiese tenido su oportunidad. Pero no lo hizo. Dormía plácidamente, con el rostro relajado, la respiración regular y profunda, como duerme un hombre después de un largo y satisfactorio día de trabajo. Me quedé un rato observándolo, goteando agua y sangre sobre el suelo, sintiendo la furia crecer dentro de mí. Oí una voz diciéndome: «*Cualquiera diría que tengo tres hijas en vez de dos*», y, «*mi hijo no tiene pelotas para matar a un hombre tan de cerca*», y «*a pesar de eso, el negro de mierda debe ser castigado*». No recuerdo haber cogido la almohada de mi cama, solo bajar la mirada y verla en mis manos.

—Despierte —le dije.

Se despertó con un sobresalto y entornó los ojos, mirándome.

—¿Qué estás haciendo aquí? —preguntó.

—Quería mirarle a los ojos —respondí—. Quería que supiese que fueron mis manos.

Sus ojos se desorbitaron y abrió mucho la boca.

—Tú… —dijo él.

—Cállate —dije yo, colocando la almohada sobre su rostro y presionando con fuerza. Se debatió y me arañó las manos, sus largas uñas se hundieron en la piel de mi muñeca. Maldije y aflojé un instante, lo suficiente para que volviese la cabeza y tomase una última bocanada de aire. Volví a presionar con la almohada, aplastándola contra su rostro. Su resistencia se debilitó. Sus manos se relajaron y soltó las mías. Esperé un par de minutos más antes de quitarle la almohada de la cara. Después alisé la ropa de la cama y le cerré la boca. Dejé sus ojos abiertos.

Cogí la candela y fui al establo. Laura me encontró allí pasada una media hora, y no mucho después Florence nos encontró a ambos. Laura creía que entonces dormía, pero no. Vi a Florence entrar con el cuchillo, vi su rabia y supe qué pretendía hacer. Deseé que hubiese un modo de decirle que ya estaba hecho, que no tuvo una muerte dulce. Puse la culpa en mis ojos con la esperanza de que ella la viese.

Lo que no pudimos decir, lo dijimos en silencio.

HENRY

Estas son las entrañas de la tierra. Esta exuberante extensión entre dos ríos formada hace quince mil años, cuando la fusión de los glaciares alimentó al Misisipi y sus afluentes hasta desbordarlos, anegando la mitad del continente. Al remitir las aguas, regresando a sus antiguos cauces, llevaron un rico aluvión, regalo robado de las tierras que habían cubierto. Y fue traído aquí, al Delta, y repartido sobre sus fructíferos valles poniendo una fértil y oscura capa de tierra sobre otra.

Enterré a mi padre en ese terreno, el terreno que él tanto odiaba tocar. Lo enterré alejado de mi madre, que yacía sola para siempre en el cementerio de Greenville. Ella podría haberme perdonado por eso, pero bien sabía que Papaíto no. No lloré su muerte como la de ella. Además, tampoco hubiese querido mi pesar, aunque sí hubiera querido el de alguien. Esos pensamientos rondaban en mi cabeza mientras paleaba tierra sobre su ataúd; que en realidad ninguno de nosotros sentía su muerte.

Pocos días después también perdí a Jamie. Estaba empeñado en ir a California, a pesar de que le había dejado bien claro que necesitaría su ayuda durante unas pocas semanas más, toda vez que los Jackson se habían ido. Fue terrible ese asunto del aserradero, pero nadie podría decir que no advertí al muchacho. Me pregunté qué habría hecho para que esos hombres lo castigasen de ese modo. Tuvo que haber sido algo realmente malo. Creo que Jamie lo sabía, pero al preguntarle se limitó a encogerse de hombros y decir: «Es Misisipi. No hace falta ninguna razón».

Lo echaría de menos, a pesar de todo lo sucedido, y sabía que Laura también. Supuse que llevaría mal su marcha, y que probablemente se enfadaría conmigo por eso. Pero cuando al final hablamos del tema, en la cama, después de apagar la luz, todo lo que dijo fue: «Tenía que dejar este lugar».

—¿Y tú?

Se me escapó la pregunta, y a pesar de eso, apenas la pronuncié se me secó la boca. ¿Y si decía que ella también quería marcharse, llevarse a las niñas y regresar a Memphis con los suyos? Jamás pensé que temería tal cosa, no con Laura, pero ella había cambiado desde que nos mudamos a la granja, y no en el modo que yo hubiese esperado.

—Lo que necesito... —comenzó a decir.

De pronto no quise oír su respuesta.

—Conseguiremos una casa en el pueblo después de la cosecha —solté—. Y si no puedes esperar tanto tiempo, pediré un préstamo al banco. Sé que todo esto ha sido duro para ti, y lo siento. Todo irá mejor una vez vivamos en el pueblo. Ya lo verás.

—Ay, Henry —dijo.

¿Qué demonios significaba eso? Se revolvió hacia mí, posando la cabeza en el hueco de mi hombro.

—Lo que necesito ya lo tengo aquí —añadió.

Pasé mis brazos a su alrededor y la estreché con fuerza.

LAURA

Jamie nos dejó tres días después del funeral. Se dirigiría a Los Ángeles, aunque no estaba seguro de qué iba a hacer una vez llegase allí.

—Quizá me vaya a Hollywood y haga una prueba cinematográfica —dijo con una carcajada—. Hacer que Errol Flynn se gane la pasta. ¿Qué opinas?

Las magulladuras de su rostro comenzaban a desvanecerse, pero aún parecía demacrado. Me preocupé por él, solo por ahí fuera, sin nadie que lo cuidase. Pero entonces pensé: no estará solo durante mucho tiempo. Jamie encontraría a alguien que lo amase, alguna chica bonita que le preparase sus platos preferidos y planchase sus camisas, y esperase por él cada día hasta que regresara a casa. La recogería como a una margarita al borde del camino.

—Opino que Errol Flynn se ha metido en un lío —dije.

Se abrió la puerta principal y Henry se reunió con nosotros en la galería.

—Tenemos que salir si quieres coger ese tren —dijo.

—Estoy listo —afirmó Jamie.

Henry hizo un gesto hacia los campos frente a nosotros.

—Espera y verás, hermano. Vas a echar de menos todo esto.

«Todo esto» era un mar de tierra revuelta extendiéndose desde la casa hasta el río, despojada de las plantas y los surcos donde las habían sembrado. Un mosquito recién incubado se posó en el brazo extendido de Henry y este, irritado, lo aplastó de un manotazo. Disimulé una sonrisa, pero el rostro de Jamie se mostró serio al responder:

—Seguro que sí.

Se inclinó y les dio a las niñas un beso de despedida. Bella lloró y se abrazó a él. Jamie apartó con suavidad sus brazos alrededor del cuello y me la dio.

—Te he dejado algo —me dijo—, un regalo.

—¿Qué es?

—Todavía no está aquí, pero llegará pronto. Lo sabrás cuando lo veas.

—Será mejor que nos vayamos —dijo Henry.

Jamie me dio un abrazo torpe y rápido.

—Adiós. Gracias por todo.

Asentí sin confiar en mí lo suficiente para hablar. Esperando que él comprendiese todo lo contenido en mi pequeño gesto con la cabeza.

—Llegaré a tiempo para cenar —dijo Henry. Me besó y después Jamie se fue camino abajo hacia Greenville, y a California.

Durante las jornadas siguientes las niñas y yo buscamos por todas partes el regalo de Jamie. Bajo las camas, en los armarios, fuera en el granero. ¿Cómo podría haberme dejado algo si aún no había llegado? Y después, a las pocas semanas de su partida, lo encontré. Estaba desherbando el pequeño huerto de verduras que Jamie me había ayudado a plantar cuando descubrí un minúsculo grupo de pequeñas plantas en uno de los lados. Había varias docenas, demasiado ordenadas para ser maleza. Supe qué eran incluso antes de que arrancase un tallo y lo oliese.

Todas las noches de ese verano dormí con Henry en sábanas perfumadas de lavanda.

Y aquí estamos ahora, llegando al final de esta historia... mi final, en cualquier caso. Acaba de comenzar el mes de diciembre y estoy preparando mi equipaje para una prolongada estancia en Memphis. Henry y yo acordamos que debería regresar a casa para el parto. El bebé llegaría en seis semanas, y a mi edad sería demasiado arriesgado quedarme en Tchula, a dos horas del hospital más cercano.

Nos mudamos allí en octubre, justo después de la cosecha. Nuestra casa no es tan bonita como la que perdimos por culpa de los Stokes en Marietta, y no tiene una higuera en el patio trasero, pero dispone de electricidad, agua corriente y un cuarto de baño, por lo cual estoy profundamente agradecida. Aquí nuestros días se habían acomodado en una placentera rutina. Nos levantábamos al amanecer. Yo preparaba el desayuno para todos y también la comida que Henry se llevaría a la granja.

Después él se iba, yo vestía a las niñas y acompañaba a Amanda Leigh caminando las ocho manzanas que nos separaban de la escuela. Cuando Bella y yo regresábamos a casa nuestra criada de color, Viola, ya había llegado. Solo iba media jornada; no había trabajo suficiente para contratarla a tiempo completo. Invertía las mañanas en leer a Bella o haciendo recados. A las tres salíamos a recoger a Amanda Leigh y después me ponía a cocinar la cena. Comíamos media hora después del ocaso, cuando Henry regresaba al hogar. Después tejía o cosía mientras escuchábamos la radio.

Nuestra vida aquí está a un mundo de distancia de *Mudbound*, aunque sobre el mapa sólo sean dieciséis kilómetros. A veces me resulta difícil creer que llevase otra vida y fuese otra persona... una capaz de ira y lujuria, de temeridad y egoísmo y traición. Pero entonces siento las patadas del bebé y me obligo a recordar la existencia de otra Laura. El bebé era de Jamie, no me cabía duda; sentí el suave despertar de esa conciencia aquella noche, pocas horas después de que estuviésemos juntos. Jamás le diría que el niño es suyo, aunque quizá él se lo preguntase. Era el pequeño trozo de dignidad que podía devolverle a Henry, que él no sabía que yo le había cogido. Estos días le doy todo lo que puedo, y no por culpa o sentido del deber; sino porque eso es lo que significa amar a alguien: darle todo lo que puedes mientras coges lo que debes.

Jamie se casó en septiembre. No fuimos invitados a la boda; nos lo hizo saber después del evento, en una de sus alegres y simpáticas cartas. Y más tarde, una semana después, recibimos otra casi idéntica volviendo a darnos las nuevas, como si hubiese olvidado que ya nos había escrito la primera vez. Henry y yo sabíamos qué significaba aquello, pero no verbalizamos las palabras. Recé para que su nueva esposa lo ayudase a dejar de beber, pero también sabía, y ella no, lo mucho que tenía que olvidar.

A mí no me estaría permitido olvidar. Aquel bebé se ocuparía de eso. Sería un niño que crecería hasta hacerse un hombre al que yo amaría con la misma ferocidad con que Florence ama a Ronsel. Y si bien siempre me dolería haber tenido el niño a costa de tan terrible pesar para ella, no me arrepentía de tenerlo. Mi amor por él no me lo permitiría.

Terminaré con esto. Con amor.

RONSEL

Es de día o es de noche. Estoy en un carro de combate cubierto con un casco, en el asiento trasero de un coche en marcha con un saco de arpillera en la cabeza, en el camastro de una carreta con un trapo húmedo sobre la frente. Estoy rodeado de enemigos. El hedor de su odio me ahoga. Me estoy ahogando, ruego, señor, por favor, señor, me meo encima, me ahogo en mi propia sangre. Le berreo a Sam que dispare, maldita sea, ¿no puede ver que nos están rodeando?, pero no me oye. Lo aparto de un empujón y ocupo su puesto bajo el brazo del arma, pero al apretar el gatillo no pasa nada, el arma no dispara. Siento una sed terrible. *Agua*, digo, *por favor, dame algo de agua*, pero Lilly May tampoco puede oírme. Mis labios se mueven pero nada sale de ellos, nada.

¿Debería concluir mi historia aquí, en la parte trasera de una carreta de mulas? ¿Silenciado? ¿Delirando por el dolor y el láudano? ¿Derrotado? A nadie le gustaría ese final, y a mí menos que a nadie. Pero para hacer que esta historia acabase de un modo distinto tendría que sobreponerme a muchas cosas: al nacimiento y la opresión y la educación, al miedo y la deformidad y la vergüenza; cualquiera de ellas es suficiente para derrotar a un hombre.

Haría falta un hombre extraordinario para derrotarlas a todas, con una familia extraordinaria apoyándolo. Primero habrá de abandonar el láudano y la autocompasión. Su mamá le ayudaría con eso; pero después habrá de escribir a sus amiguetes y a su antiguo oficial al mando y contarles qué le había sucedido. Escribirá la carta y la romperá; la escribirá y la romperá hasta que un día reúna coraje suficiente para enviarla.

Y cuando reciba las respuestas tendrá que leerlas y aceptar la ayuda que se le ofrece; las cartas estarían escritas en su nombre a la universidad Fisk, al instituto Tuskegee y al colegio universitario Morehouse. Y cuando Morehouse le ofrezca una beca completa tendrá que tragarse su orgullo y aceptarla sin saber si lo querían o solo sentían lástima por él. Tendrá que dejar a su familia atrás, en Greenwood, y viajar cuatrocientas millas sin compañía, hasta llegar a Atlanta con una pequeña tarjeta en el bolsillo de su camisa que rezase: MUDO. Tendrá que estudiar duro todas aquellas cosas que debían ser enseñadas antes de que pudiese siquiera empezar a estudiar las que de verdad quería aprender. Tendrá que escuchar a sus compañeros de clase hablar de ideas, política y mujeres, cuestiones que uno no discute en una pequeña pizarra portátil. Tendrá que acostumbrarse a estar solo, pues siempre hace que los demás se sientan incómodos, ya que les recuerda qué podría ocurrirle a cualquiera de ellos si dice algo inapropiado al hombre blanco equivocado. Después de licenciarse habrá de encontrar una profesión donde su minusvalía no importe, y a un jefe dispuesto a darle una oportunidad; quizá en un periódico para negros o en un organismo laboral negro. Tendrá que probarse a sí mismo y luchar contra la desesperación; tendrá que dejar de beber tres o cuatro veces antes de dejarlo para siempre.

Un hombre semejante, si es capaz de cumplir todo eso, podrá un día encontrar a una mujer fuerte y amorosa que se case con él y le dé hijos. Podrá ayudar a su hermana y hermanos a ser alguien. Podrá manifestarse con el doctor King por las calles de Atlanta con la cabeza bien alta. Podrá incluso encontrar algo parecido a la felicidad.

Este es el final que queremos, ustedes y yo. Concedo que es improbable, pero posible. Si se reza y se trabaja duro. Si se es testarudo y también afortunado. Si de verdad se tiene estrella.

Agradecimientos

Si James Cañón no hubiese asistido a mi primer taller en Columbia. Si uno no hubiese amado la escritura del otro, y el uno al otro. Si no hubiese leído y criticado cada borrador de este libro, además de los incontables borradores anteriores de cada capítulo, durante los años que me costó escribirlo. Si no me hubiese animado y estimulado, ayudado en la docena de veces que estuve al límite, hecho que me riese de mí misma e inspirado con su ejemplo, *Mudbound* hubiese sido un libro diferente y yo estaría escribiendo esta nota de agradecimiento por ahí, en una bonita celda acolchada. Gracias, mi amor, por todo lo que me has dado. No podría haber tenido consejero más sabio ni amigo más leal.

También deseo mostrar mi agradecimiento a las siguientes personas, instituciones y fuentes:

Jenn Epstein, mi querida amiga, escogida como «poli malo», que siempre estuvo dispuesta a dejarlo todo y leer, y cuyas duras e incisivas críticas tuvieron un valor incalculable para moldear la narrativa.

A Binnie Kirshenbaum y Victoria Rebel, cuya guía y entusiasmo me mantuvieron en marcha; a Maureen Howard, amiga y mentor, quien me dijo que no debía temer a mi propio libro, y a los muchos miembros del Departamento de Escritura de la Facultad de Artes en la Universidad de Columbia que me animaron.

A Chris Parris-Lamb, mi extraordinario agente y defensor, por ver lo que otros no vieron; a Sarah Burnes y el equipo de Gernet Company, por acoger a *Mudbound* con tanto entusiasmo; y a Kathy

Pories de Algonquin, por creer en el libro y ser una guía tan atenta y sensata.

A Barbara Kingsolver, por su tremenda fe en mí y en *Mudbound*, su ayuda para hacer de la historia una narración coherente y cautivadora, su apasionado apoyo por la literatura acerca del cambio social y su generoso y necesario fallo.

Al Centro de Artes Creativas de Virginia, la Fundación Napoule; a la Fundación Valparaíso y la Fundación Stanwood para la Ayuda a Artistas Necesitados, por la inversión de tiempo para escribir y los lugares de exquisita belleza donde hacerlo, y al Departamento de Escritura de la Universidad de Columbia y la Asociación Americana de Mujeres Universitarias por su apoyo financiero.

A Julie Currie, por el precio de las mulas en 1946 y otros detalles complicados; a Petra Spielhagen y Dan Renehan, por su ayuda con el horrible inglés de Resl, y a Sam Hoskins, por las lecciones de ortopedia.

A la obras: *All God's Dangers: The Life of Nate Shaw*, de Theodore Rosengarten; *The Wild Blue*, de Stephen Ambrose; *Byron's War: I Never Will Be Young Again*, de Byron Lane; *Liberators* (y toda la serie PBS), de Lou Potter, y *The 761st «Black Panther» Tank Batallion in World War II*, de Joe Wilson, por ayudarme a crear personajes creíbles a partir de mis esbozos de aparceros, pilotos de bombarderos y tanquistas.

A Denise Benou Stires, Michael Caporusso, Pam Cunningham, Gary di Mauro, Charlotte Dixon, Mark Erwin, Marie Fisher, Doug Iring, Robert Lewis, Leslie McCall, Elizabeth Molsen, Katy Rees y Rick Rudik por su constante amistad y fe en mí; y a Kathryn Windley, por todo eso y algo más.

Y por último, a mi familia: Anita Jordan y Michael Fuller; Jan y Jaque Jordan; a mis hermanos, Jared y Erik; y a Gay y John Stanek. Nunca un autor ha sido más amado ni recibido tanto apoyo.

Mudbound
Una conversación con Hillary Jordan

¿Qué la inspiró a escribir esta obra?

Mis abuelos tenían una granja en Lake Village, Arkansas, recién concluida la Segunda Guerra Mundial, y yo crecí oyendo historias acerca de ella. Era un lugar primitivo, una choza de emergencia hecha de cualquier manera, sin electricidad, agua corriente o teléfono. La llamaron *Mudbound* porque cada vez que llovía los caminos se inundaban y quedaban aislados durante días.

Aunque solo vivieron un año allí, mi madre, mi tía y mi abuela hablaban de la granja a menudo, riéndose o haciendo gestos de negación, según la historia en cuestión fuese divertida o truculenta. Muchas veces era ambas cosas, como suele suceder con las historias sureñas. Me encantaba escucharlas, incluso las que ya había oído una docena de veces. Era como mirar por un agujero a un mundo extraño y maravilloso, un mundo lleno de contradicciones, de una terrible belleza. Las historias revelaban cosas acerca de mi familia, sobre todo acerca de mi abuela, que era la heroína de la mayoría por la sencilla razón de que cuando la calamidad golpeaba mi abuelo siempre se encontraba en alguna otra parte.

Para mi madre y mi tía, el año transcurrido en *Mudbound* fue una gran aventura; y en efecto, así es como lo describen todas sus historias. No fue hasta mucho después cuando me di cuenta de qué sacrificio tuvo que suponer todo aquello para mi madre —una mujer urbana con dos niñas pequeñas—, y eso en realidad es una historia de supervivencia.

Comencé la novela —sin pensar en estar haciendo nada del otro mundo— durante un curso de posgrado. Me encomendaron la tarea de escribir una historia por boca de un miembro de la familia, y decidí escribir acerca de la granja desde el punto de vista de mi abuela. Pero lo que salió no fue una alegre historia de aventuras, sino algo más oscuro y complejo. Lo que salió fue «Cuando pienso en la granja, pienso en barro».

Entonces, ¿fue la voz de su abuela la primera que acudió al empezar a escribir el texto?

Sí, la suya fue la primera, y la única, durante cierto tiempo. A mi profesor le gustó lo que escribía y me animó a continuar, y yo intenté escribir un relato corto. Mi abuela se convirtió en Laura, un personaje de ficción mucho más feroz y rebelde de lo que ella fue, y la historia comenzó a alargarse más y más. Cuando llevaba cincuenta páginas me di cuenta de que estaba escribiendo una novela, y ahí fue cuando decidí introducir otras voces. Jamie vino a continuación, después Henry, luego Florence y por último Hap. Ronsel ni siquiera era un personaje hasta que tenía escritas… ¡ciento cincuenta páginas! Por supuesto, al entrar en la historia la cambió de un modo dramático.

Pero a Papaíto no le ha dejado hablar...

Hace nueve borradores, fue Papaíto quien en realidad narró su propio funeral (las dos escenas correspondientes al principio y el final de la novela). Y la gente —sobre todo mi editor y Barbara Kingslover, que leyeron varios borradores e hicieron unas críticas de valor incalculable— odiaba oírlo ya desde el principio, u odiaba oírlo en cualquier momento. Al final me persuadieron para que lo silenciara. Cuanto más pensaba en esos dos pasajes, más me convencía de que debería ser Jamie quien los narrase.

Sin embargo, incluso sin tener su propio pasaje, resulta evidente que ese personaje consigue llegar a todos los lectores. ¿A qué cree que se debe?

Sí, parece que la gente ha llegado a odiarlo de verdad, y así debería ser, pues es un personaje detestable. No solo personifica la fealdad de la época de Jim Crow, sino la peor versión de nosotros mismos en grado absoluto.

¿Cuál fue la parte más difícil a la hora de escribir Mudbound*?*

Lograr que las voces sonaran bien... sobre todo el estilo de los afroamericanos. Un buen número de amigos cargados de buenas intenciones me dijeron cosas del estilo «ni siquiera Faulkner escribía acerca de los negros en primera persona». Pero al final decidí que debía permitir a mis personajes negros describir por sí mismos las horribles condiciones de aquel tiempo y lugar.

Su novela trata el racismo en distintos niveles; en sus manifestaciones más evidentes, pero también en otras más insidiosas, como el sistema de aparceros, por ejemplo.

Al documentarme para la novela me sorprendió lo aprendido acerca de ese pernicioso sistema llamado aparcería. Poseer tu propia mula significaba la diferencia entre ser un arrendatario, en cuyo caso podías quedarte con la mitad de tu propia cosecha, o ser un aparcero, y entonces solo podrías obtener una cuarta parte. Un cuarto de la cosecha de algodón apenas daba para sustentar una familia, así que la gente se endeudaba más y más con sus arrendadores. Y además eran muy vulnerables... Desgracias, enfermedades, condiciones atmosféricas adversas... Ser un aparcero no distaba mucho de ser un esclavo.

La escena culminante de Ronsel es muy dura de leer. Imagino que fue igual de dura de escribir.

Sí, lo fue. Durante meses no supe exactamente qué iba a suceder en esa escena. Y cuando al final encontré el desenlace se me erizó el vello de los brazos. Llamé a James Cañón, mi mejor amigo (además de autor y también el lector principal durante los siete años que tardé en escribir *Mudbound*), y le dije «ya sé qué va a pasar con Ronsel», y se lo conté. Después hubo un silencio bastante largo y respondió con un «ah».

Temía escribir esa escena, y la pospuse durante mucho tiempo. Cuando por fin me obligué a hacerlo, lloré; lloré mucho. La leía en voz alta a medida que la iba escribiendo (lo cual para mí es una parte esencial del diálogo con lo escrito), y tener que pronunciar esas cosas horribles las hizo mucho más reales y terribles.

¿Qué libros recomendaría a los lectores interesados en profundizar más en ese periodo?

All God's Dangers: The Life of Nate Shaw, de Theodore Rosengarten. Es un auténtico relato en primera persona de un cultivador de algodón negro en Alabama que comenzó como aparcero y acabó poseyendo su propio terreno, viviendo muchas aventuras durante el proceso. Nate era un personaje de recuerdo imborrable, inteligente (aunque analfabeto), divertido y sensato con la gente. Tenía ochenta años cuando le narró su historia a Theodore Rosengarten, un periodista neoyorquino. Y menuda vida tan fascinante que fue la suya.

The Most Southern Place on Earth, de James Cobb.

Los excelentes libros de Pete Daniel, *Breaking the Land y Deep'n as It Come: The 1972 Mississippi River Flood*, y también *Standing at the Crossroads: Southern Life in the Twentieth Century.*

La serie documental de PBS acerca de la historia de los negros en *The American Experience.*

When we were colored, de Clifton L. Taulbert.

Y por supuesto, las obras de James Baldwin, William Faulkner, Flannery O'Connor, Eudora Welty y Richard Wright, entre otros.